CARRE MYSTE

Découvrez la valeur de chacun des symboles.
Les chiffres correspondent au total de chacune des rangées et des colonnes.

	□	△	○	= 26
□	△	✦		= 23
□	○	✦	○	= 23
○	△	□	□	= 34
= 22	= 38	= 26	= 20	

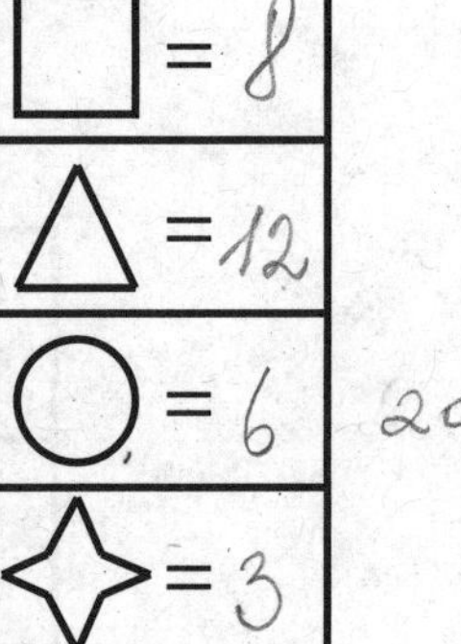

CARRÉ MAGIQUE

Complétez cette grille. La somme de chaque colonne et de chaque rangée est la même que la diagonale qui vous est donnée.

Chiffres à placer dans la grille

38 35 33
30 22 16
15 14 10
8 8

24				
9	22	35		
		5		
				81
			81	81

LA PYRAMIDE

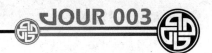

Complétez la pyramide avec les nombres manquants. Chaque brique contient la somme des deux cases situées en dessous de celle-ci.

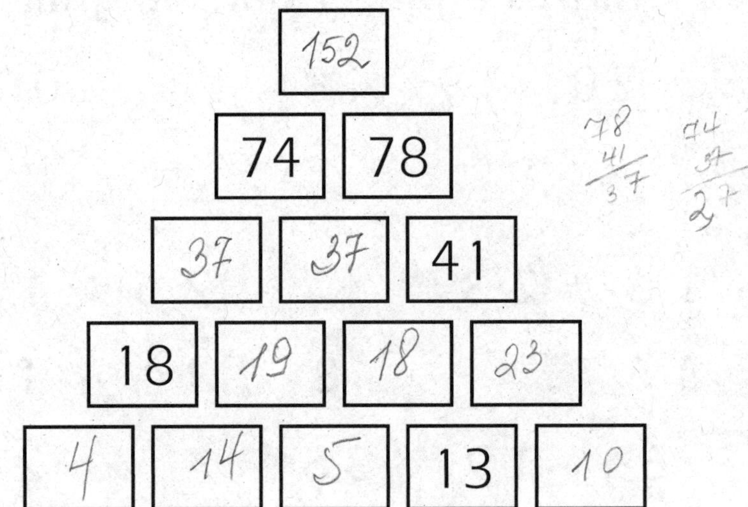

JOUR 004

LES TROUÉS

Complétez cette grille. La somme de chaque colonne et de chaque rangée est la même.

Chiffres à placer dans la grille :

20 19 18 12 10

16	23		25	10
36		8	14	15
6	19	36		20
25	7	6	37	
	24	24	5	30

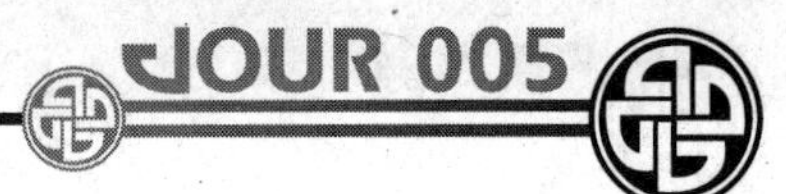

FUBUKI

Complétez le jeu.
Placez les nombres manquants de façon à obtenir par additions successives le résultat de chaque colonne et rangée.

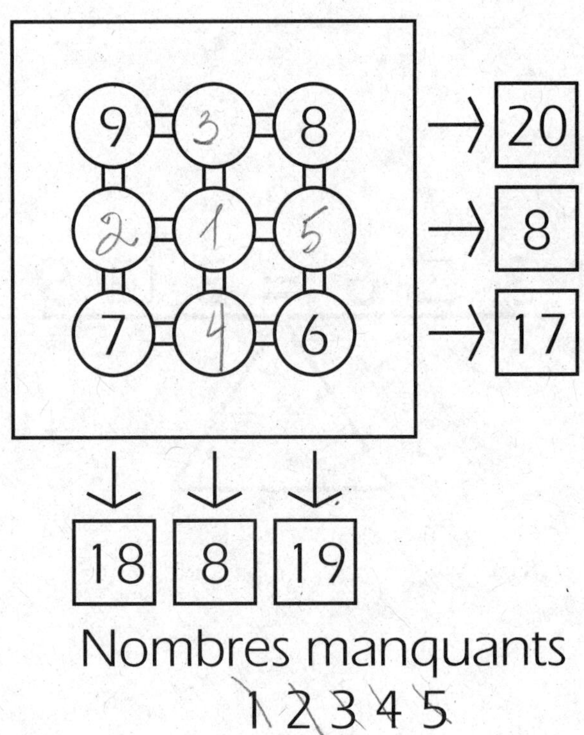

La BALANCE

Trouvez le nombre manquant.
Il suffit de placer dans les carré les signes « + » ou « – »
afin d'équilibrer les 2 plateaux de la balance.
Il n'exsite qu'une seule solution. Celle-ci peut être un nombre négatif.

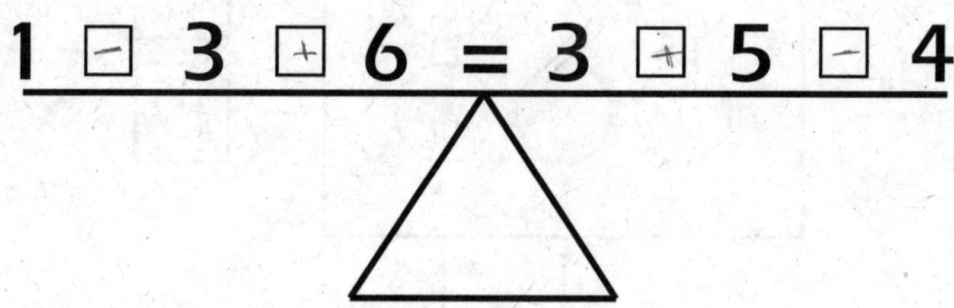

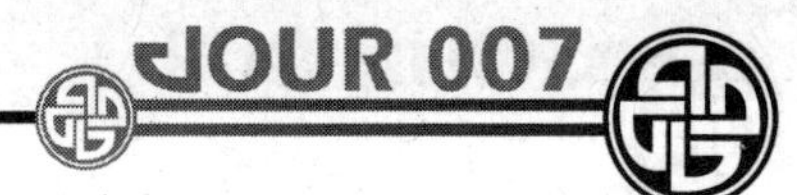

JOUR 007

Utilisez l'ADDITION.

Trouvez deux nombres dont la somme égale le nombre-code et encerclez-les. Répétez cette opération jusqu'à ce qu'il ne reste que deux nombres.

La somme de ces deux nombres réponse est : **777**

CODE : **900**

71	783	377	598	23	531	376	524	276	755	203	555
369	530	367	579	150	781	21	512	266	717	141	647
144	569	25	877	253	499	328	788	387	875	22	872
75	588	415	557	154	514	417	599	318	825	278	847
311	634	83	746	312	879	127	773	117	626	345	750
198	697	410	572	28	794	251	756	119	852	209	624
61	533	422	635	112	478	24	490	145	876	47	609
48	649	265	495	106	782	370	817	107	511	274	633
131	769	267	732	101	759	183	840	394	589	389	878
405	799	291	793	53	523	401	829	118	795	60	853
301	725	229	582	388	859	302	506	331	671	386	691
41	807	105	839	175	485	93	483	343	622	168	513

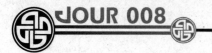

ÉTOILE

Complétez l'étoile avec les nombres manquants.
La somme de chaque ligne est égale à 26.

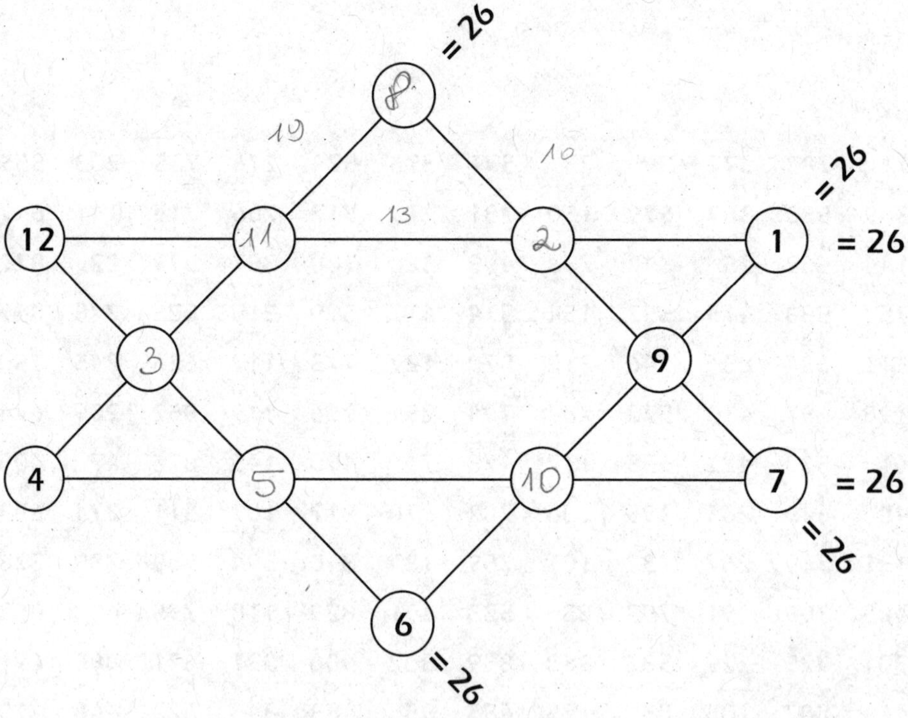

= 26

= 26

12 1 = 26

9

4 7 = 26

= 26

6

= 26

CARRÉ MYSTÈRE

Découvrez la valeur de chacun des symboles.
Les chiffres correspondent au total de chacune des rangées et des colonnes.

	△	○	□	= 26
✦		△	○	= 30
□	✦	✦	○	= 47
✦	△	○	△	= 35
= 35	= 23	= 42	= 38	

□ =
△ =
○ =
✦ =

CARRÉ MAGIQUE

Complétez cette grille. La somme de chaque colonne et de chaque rangée est la même que la diagonale qui vous est donnée.

Chiffres à placer dans la grille

110 108 79 41
40 38 24 19
16 1 1

47	85	15		
		25		
			15	166
			166	166

LA PYRAMIDE

Complétez la pyramide avec les nombres manquants.Chaque brique contient la somme des deux cases situées en dessous de celle-ci.

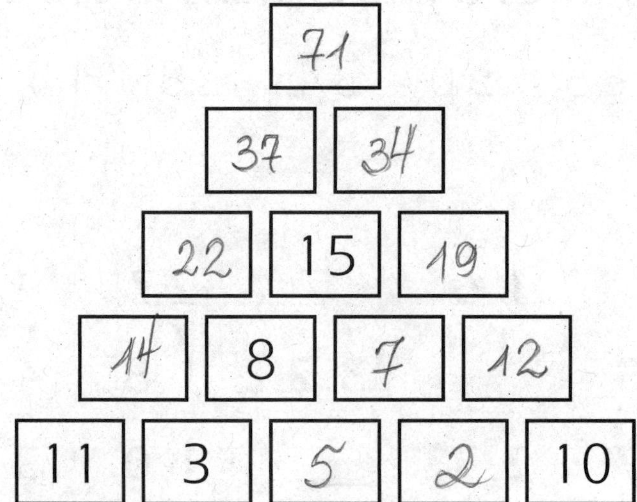

JOUR 012

LES TROUÉS

Complétez cette grille. La somme de chaque colonne et de chaque rangée est la même.

Chiffres à placer dans la grille :

65 50 34 28 15

	16	7	27	17
13		32	18	41
17	23		10	32
14	35	22		27
23	30	21	43	

117 + a = 117 z
98 + b = 117 z
82 + c = 117 z
104 + d = 117 z
67 + e = 117 z

FUBUKI

Complétez le jeu.
Placez les nombres manquants de façon à obtenir par additions successives le résultat de chaque colonne et rangée.

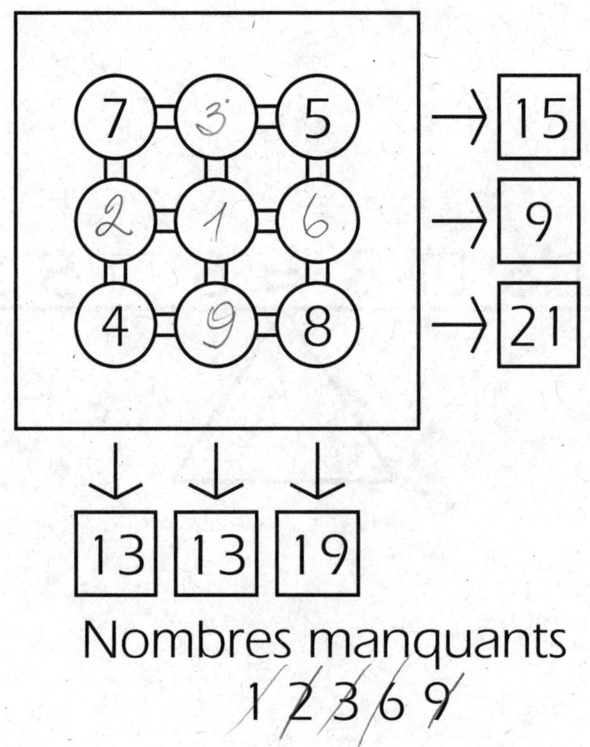

La BALANCE

Trouvez le nombre manquant.
Il suffit de placer dans les carré les signes « + » ou « – »
afin d'équilibrer les 2 plateaux de la balance.
Il n'exsite qu'une seule solution. Celle-ci peut être un nombre négatif.

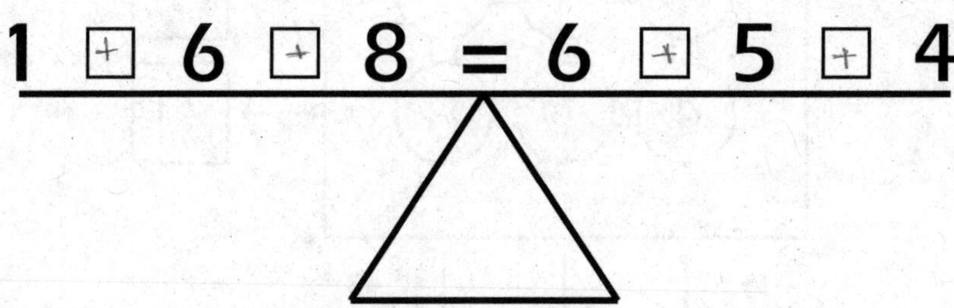

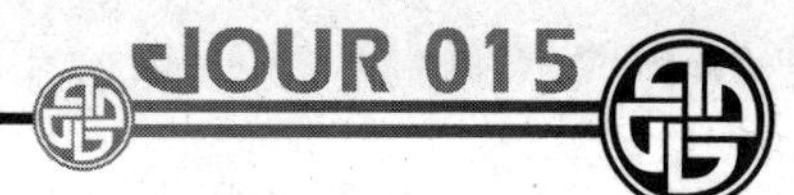

Utilisez la SOUSTRACTION.
Trouvez deux nombres dont la différence égale le nombre-code et encerclez-les. Répétez cette opération jusqu'à ce qu'il ne reste que deux nombres. La somme de ces deux nombres réponse : **1393**

CODE : **905**

360	1219	23	944	146	1118	39	1042	187	1295	121	997
208	1192	287	1066	38	925	290	1113	421	954	182	1265
214	1099	347	1240	205	928	31	1133	151	1091	426	1087
321	1141	225	1306	49	1273	375	1235	346	1242	243	1093
223	1110	336	1148	213	1119	257	1245	124	1003	136	1162
209	1226	188	936	116	1029	370	1323	408	1331	115	1187
240	1252	92	1115	368	1026	418	1051	137	1191	32	1236
273	1092	335	1196	337	972	236	1207	404	1021	194	1020
186	1056	401	1178	330	970	390	1333	302	1280	331	1190
314	967	66	1241	20	1275	291	1195	282	1284	428	1114
62	947	98	1130	340	1309	65	1145	210	1128	286	1313
18	937	285	971	379	1041	228	943	42	1251	161	923

ÉTOILE

Complétez l'étoile avec les nombres manquants.
La somme de chaque ligne est égale à 26.

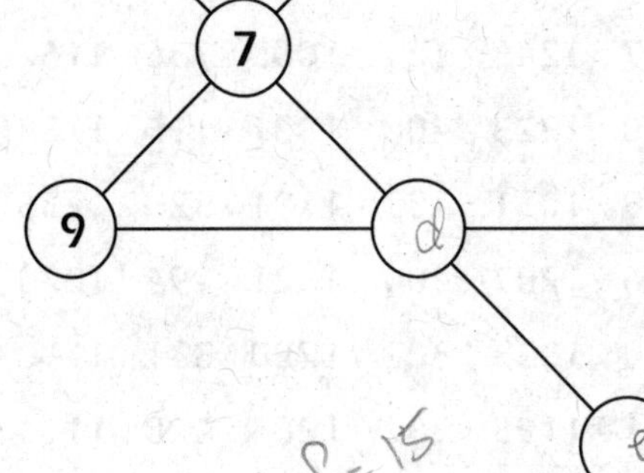

CARRÉ MYSTÈRE

Découvrez la valeur de chacun des symboles.
Les chiffres correspondent au total de chacune des rangées et des colonnes.

	4	9	2	= 15
15	2	4		= 21
4	9	4	15	= 32
4	4	2	15	= 25
= 23	= 19	= 19	= 32	

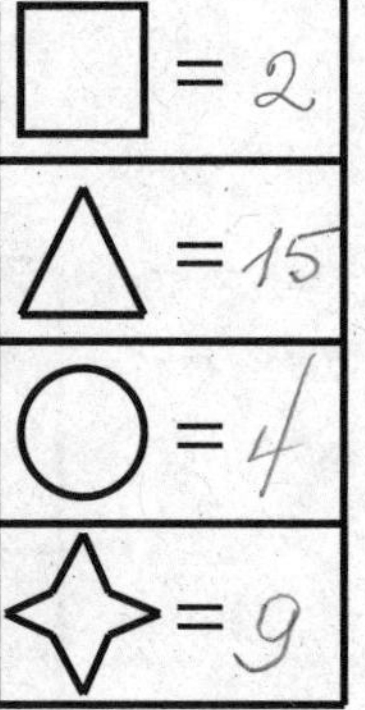

CARRÉ MAGIQUE

Complétez cette grille. La somme de chaque colonne et de chaque rangée est la même que la diagonale qui vous est donnée.

Chiffres à placer dans la grille

14 6

8 3

6		12	
	9		
	9	11	26
		26	26

LA PYRAMIDE

Complétez la pyramide avec les nombres manquants. Chaque brique contient la somme des deux cases situées en dessous de celle-ci.

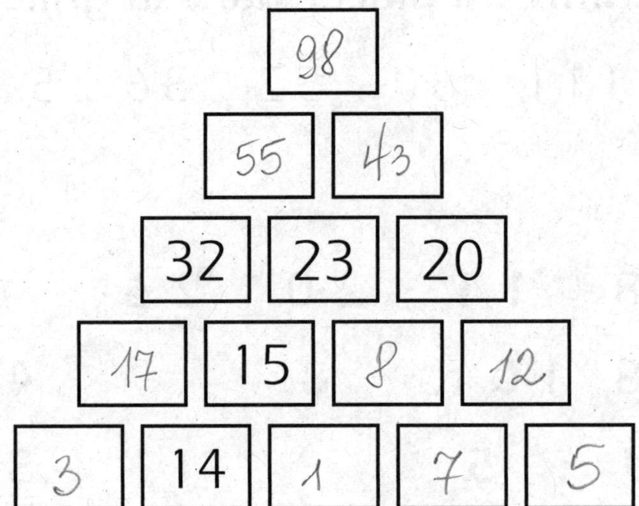

LES TROUÉS

Complétez cette grille. La somme de chaque colonne et de chaque rangée est la même.

Chiffres à placer dans la grille :

111 60 52 36 5

78	11	20	26	
28	101	8		45
21	5		11	39
24		28	63	12
	10	20	82	39

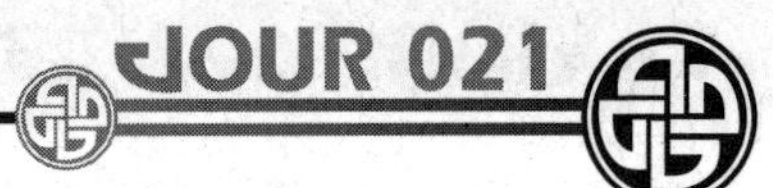

FUBUKI

Complétez le jeu.
Placez les nombres manquants de façon à obtenir par additions successives le résultat de chaque colonne et rangée.

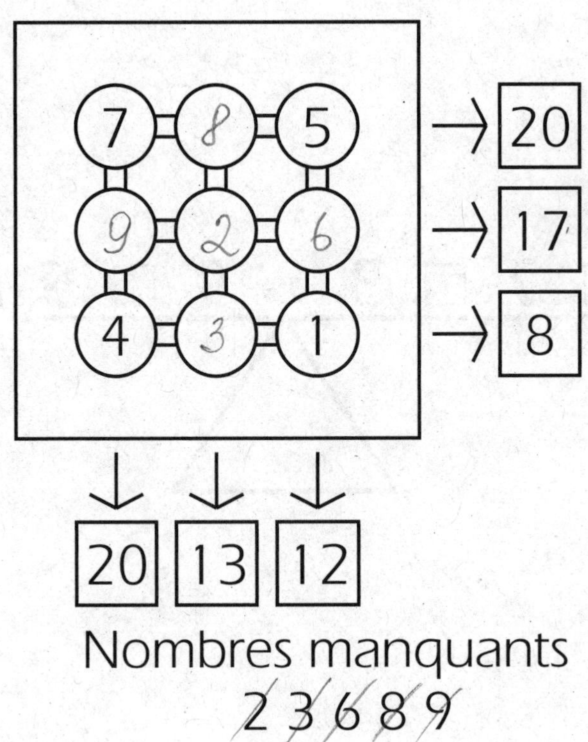

Nombres manquants
2 3 6 8 9

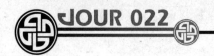

La BALANCE

Trouvez le nombre manquant.
Il suffit de placer dans les carré les signes « + » ou « – »
afin d'équilibrer les 2 plateaux de la balance.
Il n'exsite qu'une seule solution. Celle-ci peut être un nombre négatif.

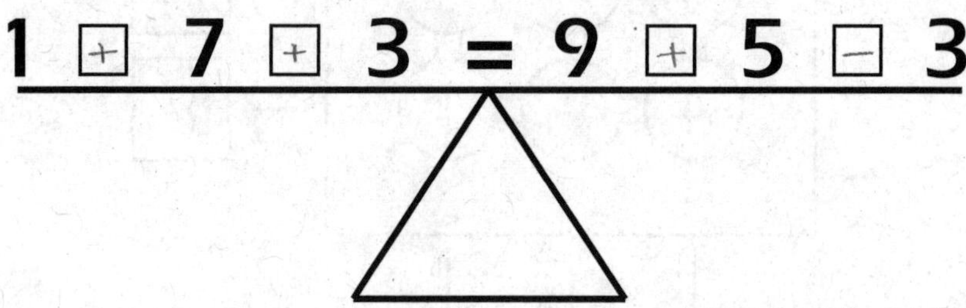

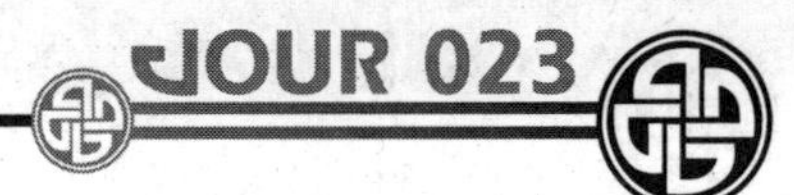

Utilisez l'ADDITION.

Trouvez deux nombres dont la somme égale le nombre-code et encerclez-les. Répétez cette opération jusqu'à ce qu'il ne reste que deux nombres.

La somme de ces deux nombres réponse est : **1096**

CODE : **915**

272	795	120	706	402	802	433	895	55	529	77	900
215	744	30	876	113	568	223	858	163	624	229	686
172	522	386	890	178	535	419	515	20	692	126	513
347	743	25	860	18	661	381	504	321	841	289	651
226	742	380	641	411	482	164	889	350	771	85	728
228	886	74	681	144	717	185	751	301	538	282	484
140	781	45	885	238	730	265	565	31	595	134	830
320	678	393	643	275	640	281	633	305	897	264	832
209	850	97	676	29	789	274	700	187	650	254	614
406	739	171	775	360	870	234	555	377	752	65	626
39	496	291	884	400	610	431	594	173	737	83	509
237	687	15	534	26	689	239	818	176	634	198	838

ÉTOILE

Complétez l'étoile avec les nombres manquants.
La somme de chaque ligne est égale à 26.

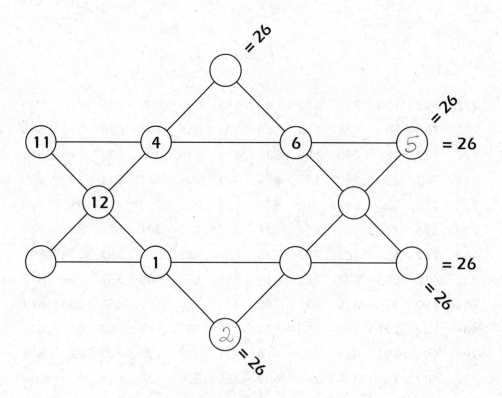

= 26

= 26

11 — 4 — 6 — ( ) = 26

12

( ) — 1 — ( ) — ( ) = 26

= 26

= 26

CARRÉ MYSTÈRE

Découvrez la valeur de chacun des symboles.
Les chiffres correspondent au total de chacune des rangées et des colonnes.

△		□	✦	= 13
○	✦		△	= 21
○	△	○	□	= 32
△	✦	△	□	= 14
= 28	= 15	= 19	= 18	

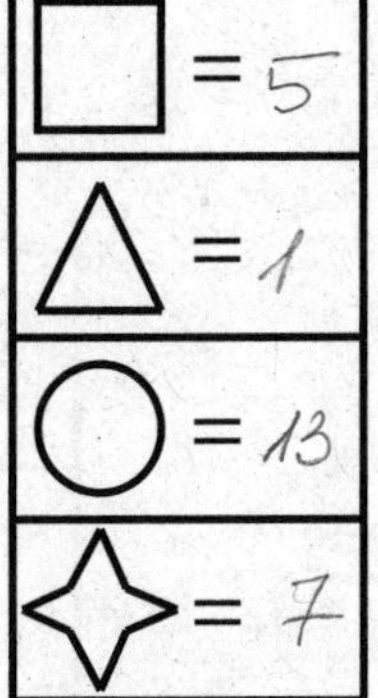

CARRÉ MAGIQUE

Complétez cette grille. La somme de chaque colonne et de chaque rangée est la même que la diagonale qui vous est donnée.

Chiffres à placer dans la grille

49 47 45 35
33 29 28 8
5 3 3

	27			
	74	27	6	
			29	112
			112	112

LA PYRAMIDE

Complétez la pyramide avec les nombres manquants. Chaque brique contient la somme des deux cases situées en dessous de celle-ci.

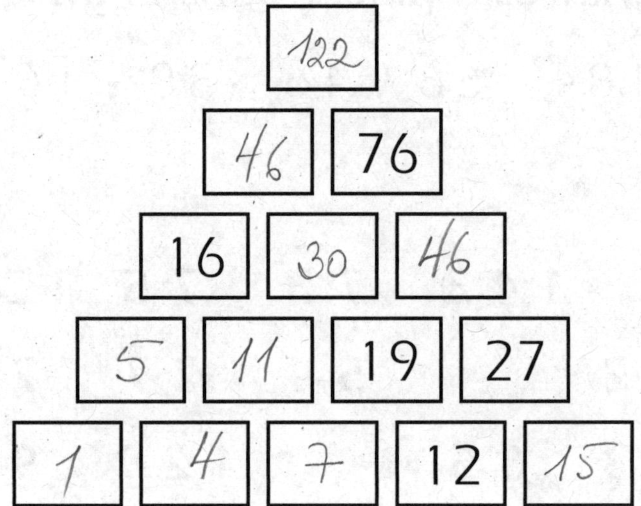

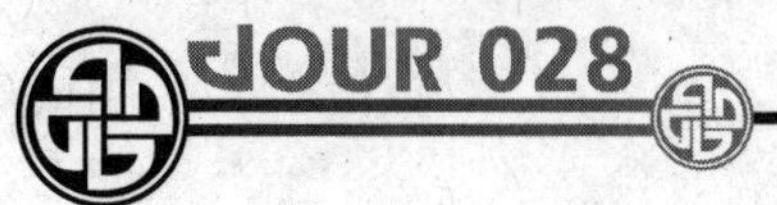

LES TROUÉS

Complétez cette grille. La somme de chaque colonne et de chaque rangée est la même.

Chiffres à placer dans la grille :

184 66 46 38 16

	143	73	75	129
142		54	27	29
113	65		129	91
19	32	218		121
146	12	53	159	

FUBUKI

Complétez le jeu.
Placez les nombres manquants de façon à obtenir par additions successives le résultat de chaque colonne et rangée.

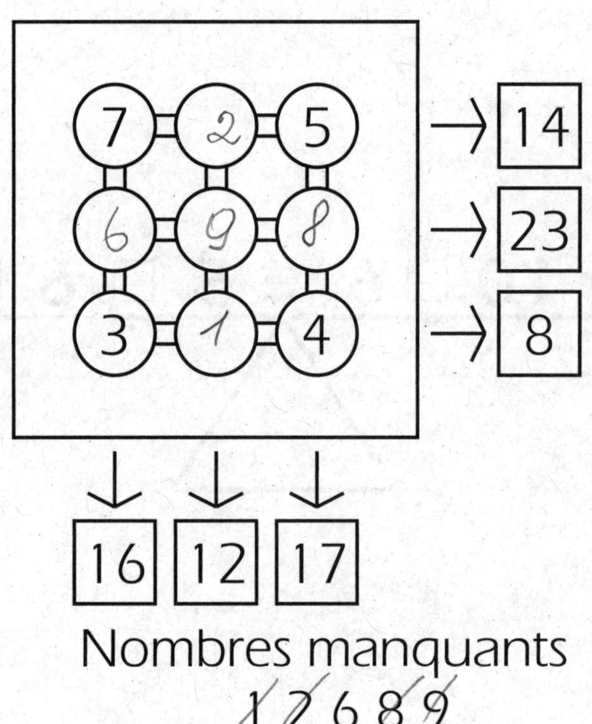

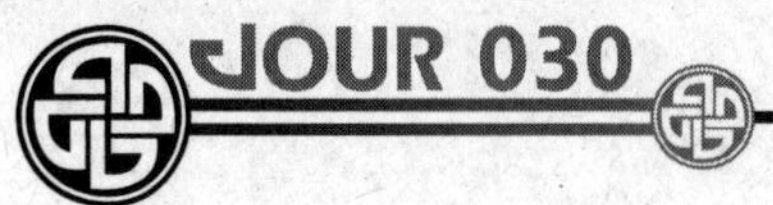

La BALANCE

Trouvez le nombre manquant.
Il suffit de placer dans les carré les signes « + » ou « – »
afin d'équilibrer les 2 plateaux de la balance.
Il n'exsite qu'une seule solution. Celle-ci peut être un nombre négatif.

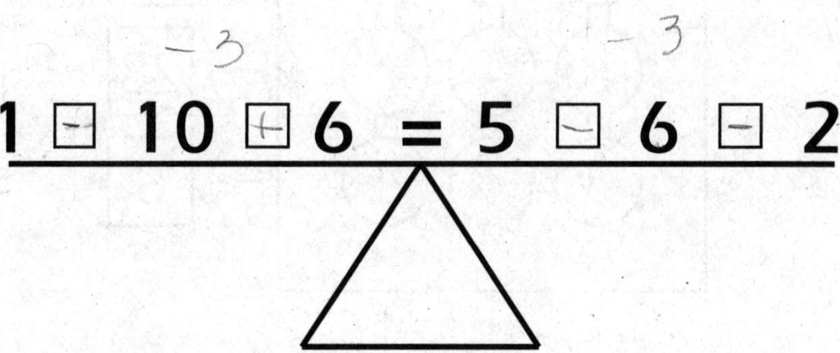

JOUR 031

Utilisez la SOUSTRACTION.
Trouvez deux nombres dont la différence égale le nombre-code et encerclez-les. Répétez cette opération jusqu'à ce qu'il ne reste que deux nombres. La somme de ces deux nombres réponse : **1306**

CODE : **909**

389	1143	381	977	209	1289	362	965	234	946	298	1311
56	1285	103	1215	276	1037	185	985	254	1163	120	993
303	1162	173	1220	380	1275	306	1233	284	1298	179	927
68	1062	330	1102	76	1238	324	1193	211	1027	366	1271
153	1135	114	1225	83	1296	137	1297	307	1012	252	1094
193	1029	292	1207	253	1071	401	1082	162	1291	402	1116
118	1137	280	1043	388	1141	316	986	376	1023	141	1201
328	1212	228	1144	235	1189	299	1118	313	992	113	1226
94	1022	124	1120	317	1208	360	1035	227	1239	147	1050
311	1056	310	1219	207	1216	382	1122	37	1003	69	1237
232	1313	387	1046	66	975	404	1310	329	1269	226	1185
126	978	77	1033	18	1088	134	1136	128	1161	213	1290

ÉTOILE

Complétez l'étoile avec les nombres manquants.
La somme de chaque ligne est égale à 26.

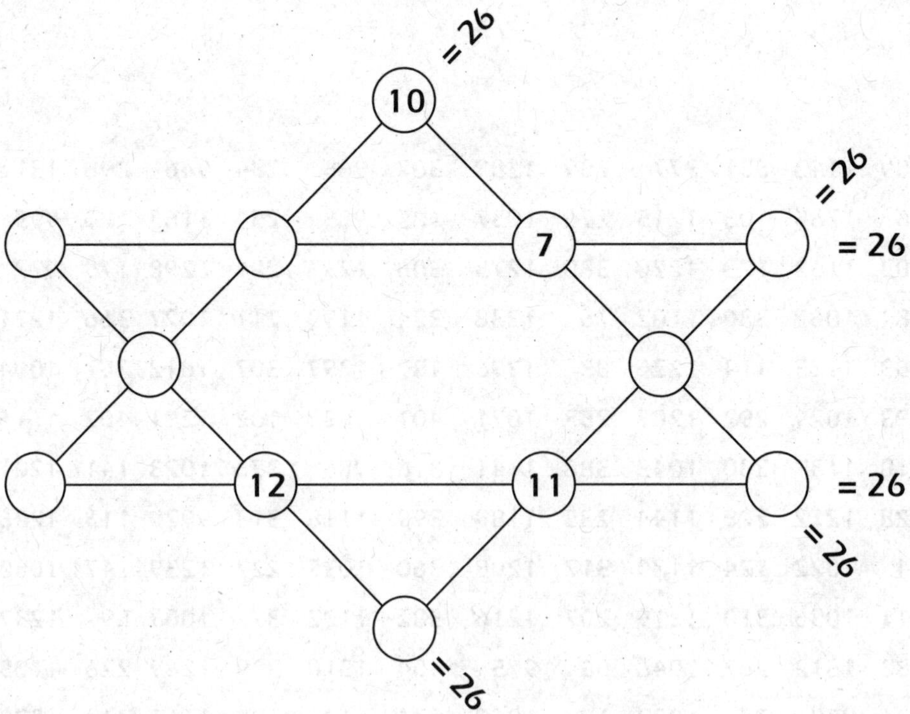

= 26

10

= 26

7 = 26

12 11 = 26

= 26

= 26

CARRÉ MYSTÈRE

Découvrez la valeur de chacun des symboles.
Les chiffres correspondent au total de chacune des rangées et des colonnes.

△		□	✦	= 31
✦	△		○	= 36
□	△	□	○	= 47
△	○	✦	△	= 51
= 46	= 44	= 25	= 50	

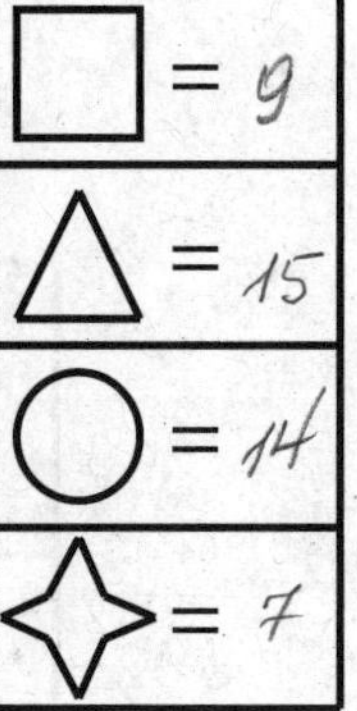

CARRÉ MAGIQUE

Complétez cette grille. La somme de chaque colonne et de chaque rangée est la même que la diagonale qui vous est donnée.

Chiffres à placer dans la grille

24 22

23 3

4		27	
	28	5	
29			55
		55	55

LA PYRAMIDE

Complétez la pyramide avec les nombres manquants. Chaque brique contient la somme des deux cases situées en dessous de celle-ci.

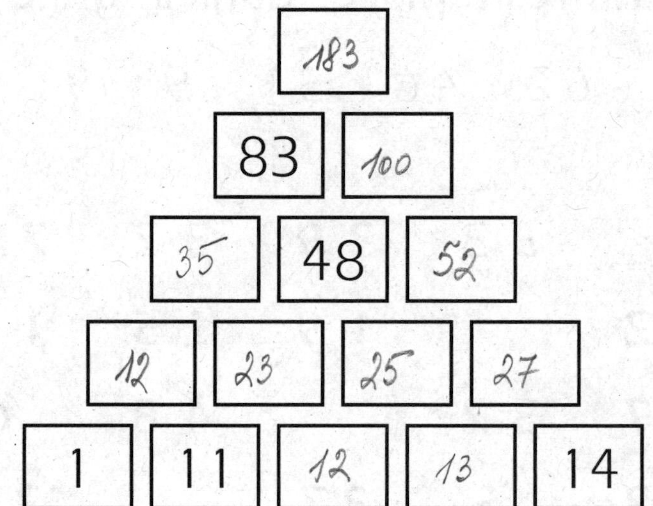

LES TROUÉS

Complétez cette grille. La somme de chaque colonne et de chaque rangée est la même.

Chiffres à placer dans la grille :

62 46 31 9 9

	33	39	32	29
62		19	15	15
47	32		48	6
23	6	37		30
1	40	38	1	

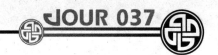

FUBUKI

Complétez le jeu.
Placez les nombres manquants de façon à obtenir par additions successives le résultat de chaque colonne et rangée.

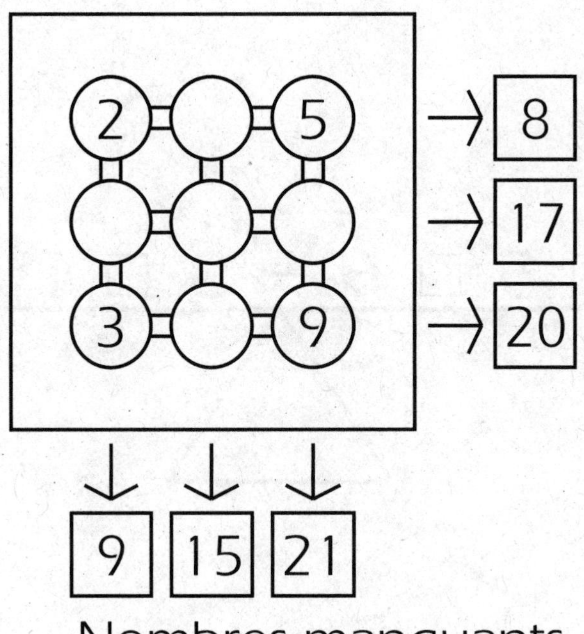

Nombres manquants
1 4 6 7 8

La BALANCE

Trouvez le nombre manquant.
Il suffit de placer dans les carré les signes « + » ou « – »
afin d'équilibrer les 2 plateaux de la balance.
Il n'exsite qu'une seule solution. Celle-ci peut être un nombre négatif.

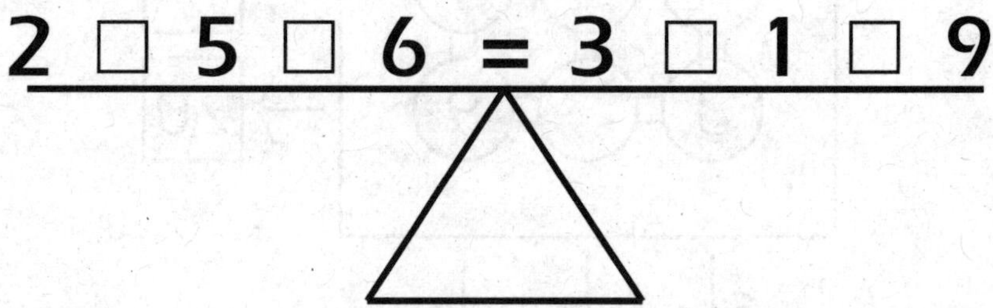

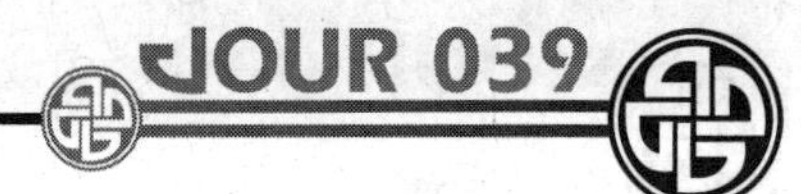

JOUR 039

Utilisez l'ADDITION.

Trouvez deux nombres dont la somme égale le nombre-code et encerclez-les. Répétez cette opération jusqu'à ce qu'il ne reste que deux nombres.

La somme de ces deux nombres réponse est : **747**

CODE : **919**

213	597	279	664	110	588	404	713	152	803	316	858
372	663	98	525	289	830	89	686	256	731	96	582
164	780	331	847	223	515	211	595	365	896	399	572
322	737	396	678	61	556	337	554	116	798	149	821
91	615	344	718	394	795	377	727	121	802	117	487
188	649	206	523	233	755	23	842	257	574	144	742
330	888	20	531	432	770	74	640	304	696	177	748
92	706	312	662	66	823	201	589	363	828	324	827
77	571	345	607	182	899	192	542	388	809	31	749
255	653	38	708	338	881	173	603	75	630	170	767
72	845	241	547	124	591	347	853	329	520	63	775
139	590	266	856	176	581	171	844	270	575	328	746

JOUR 040

ÉTOILE

Complétez l'étoile avec les nombres manquants.
La somme de chaque ligne est égale à 26.

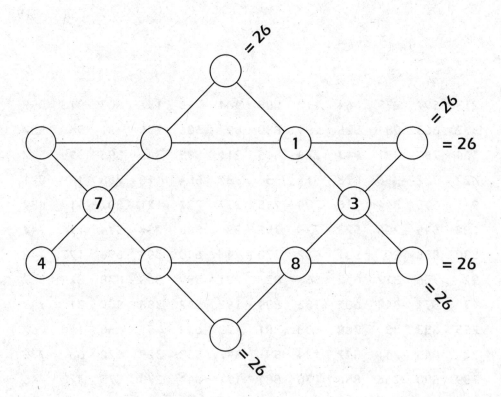

= 26

= 26

1

= 26

7

3

4

8

= 26

= 26

= 26

CARRÉ MYSTÈRE

Découvrez la valeur de chacun des symboles.
Les chiffres correspondent au total de chacune des rangées et des colonnes.

□	○		✧	= 26
△	○	✧		= 21
□	△	□	○	= 28
✧	△	✧	○	= 26
= 18	= 32	= 16	= 35	

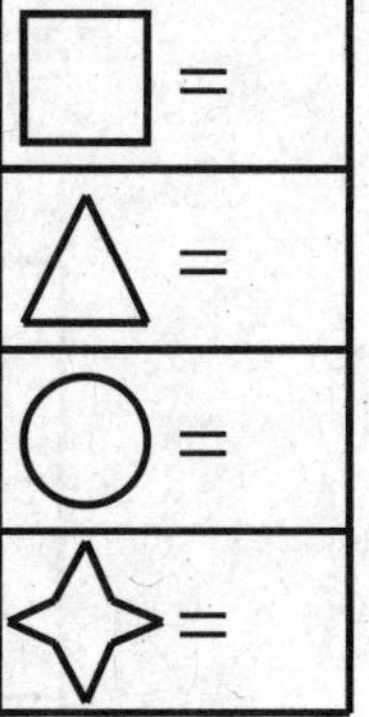

CARRÉ MAGIQUE

Complétez cette grille. La somme de chaque colonne et de chaque rangée est la même que la diagonale qui vous est donnée.

Chiffres à placer dans la grille

109 96 59
51 48 41
37 30 22
20 14

50				
	82		30	
	83			
			32	201
			201	201

LA PYRAMIDE

Complétez la pyramide avec les nombres manquants.Chaque brique contient la somme des deux cases situées en dessous de celle-ci.

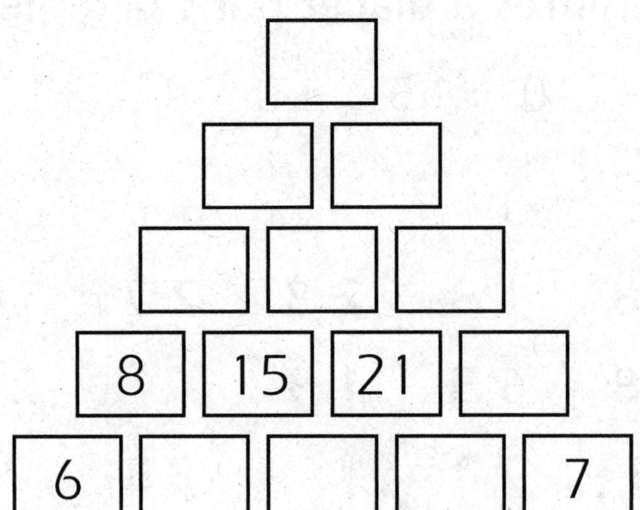

LES TROUÉS

Complétez cette grille. La somme de chaque colonne et de chaque rangée est la même.

Chiffres à placer dans la grille :

20 15 10 4 3

88	13	23	27	
38	65	19		23
8	70		38	24
1		59	77	15
	4	39	3	89

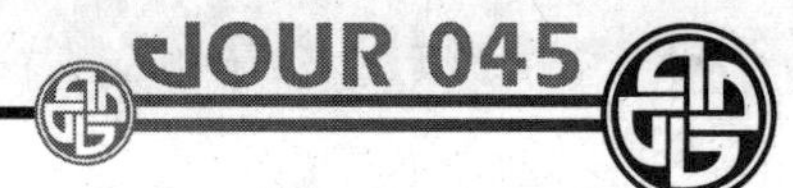

FUBUKI

Complétez le jeu.
Placez les nombres manquants de façon à obtenir par additions successives le résultat de chaque colonne et rangée.

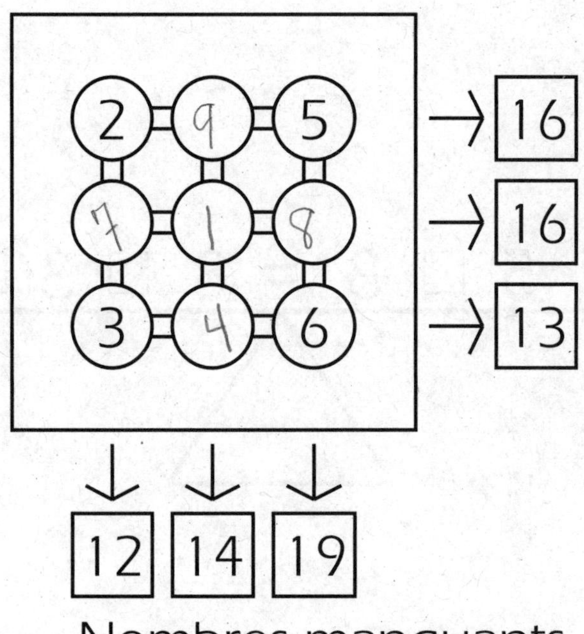

Nombres manquants
1 4 7 8 9

La BALANCE

Trouvez le nombre manquant.
Il suffit de placer dans les carré les signes « + » ou « – »
afin d'équilibrer les 2 plateaux de la balance.
Il n'exsite qu'une seule solution. Celle-ci peut être un nombre négatif.

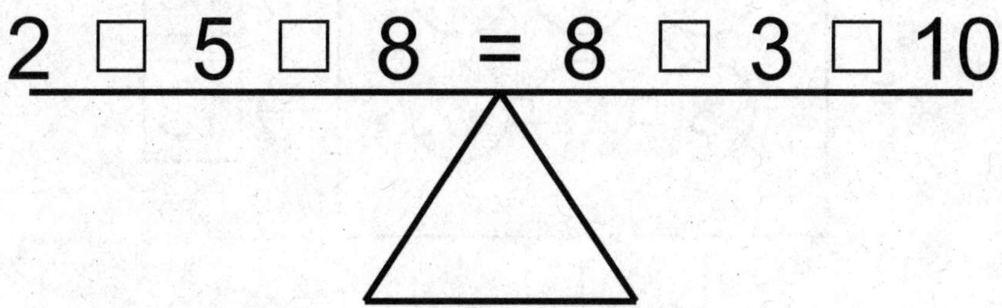

JOUR 047

Utilisez la SOUSTRACTION.
Trouvez deux nombres dont la différence égale le nombre-code et encerclez-les. Répétez cette opération jusqu'à ce qu'il ne reste que deux nombres. La somme de ces deux nombres réponse : **1059**

CODE : **913**

370	936	70	1327	202	1300	400	991	119	1255	118	1260
329	983	33	951	302	1215	115	1122	103	1115	408	1311
405	1242	268	980	341	1061	281	962	414	1034	102	992
274	1187	216	1071	49	1182	407	1121	79	1285	166	1332
371	1283	357	1174	397	1321	372	1194	67	946	398	1310
393	1270	387	1241	26	1089	389	954	285	1016	125	1337
319	943	51	1038	30	1037	78	1031	56	1341	206	964
346	1119	187	1100	388	1110	328	948	428	1181	176	1225
358	939	347	1259	38	1079	209	1028	332	1320	312	1306
121	1198	261	1284	424	1032	208	969	168	1271	228	1103
41	1232	35	1313	123	1254	197	1301	419	1152	124	1015
239	1318	190	1245	148	1081	342	1141	158	1129	269	1302

ÉTOILE

Complétez l’étoile avec les nombres manquants.
La somme de chaque ligne est égale à 26.

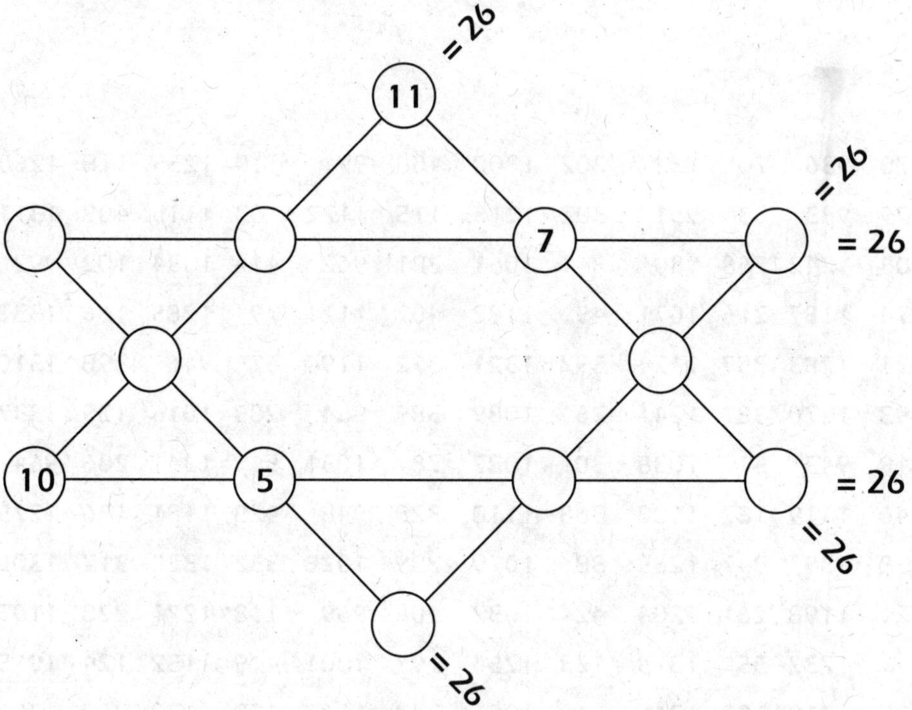

= 26

11

= 26

7 = 26

10 5 = 26

= 26

= 26

CARRÉ MYSTÈRE

Découvrez la valeur de chacun des symboles.
Les chiffres correspondent au total de chacune des rangées et des colonnes:

□	○		✧	= 19
○		□	△	= 18
△	□	✧	△	= 36
□	○	□	✧	= 21
= 20	= 12	= 16	= 46	

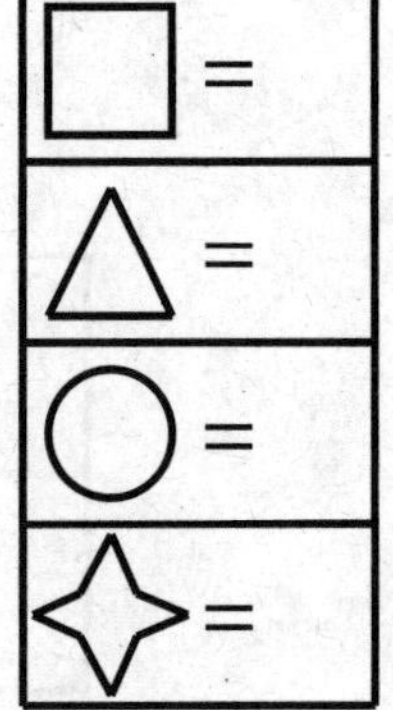

CARRÉ MAGIQUE

Complétez cette grille. La somme de chaque colonne et de chaque rangée est la même que la diagonale qui vous est donnée.

Chiffres à placer dans la grille

57 49 48
46 45 39
38 32 10
10 4

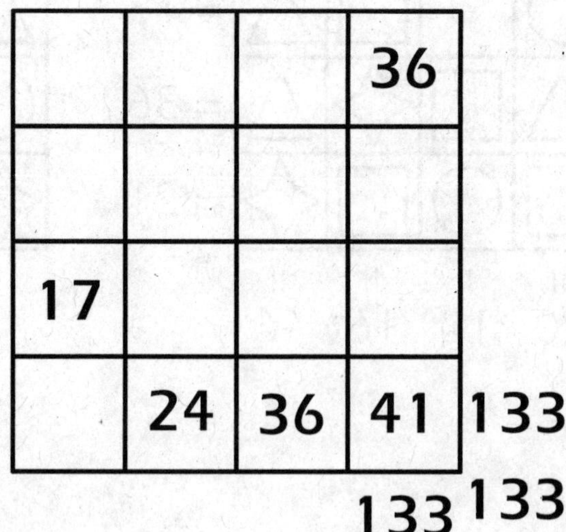

			36	
17				
	24	36	41	133
			133	133

LA PYRAMIDE

Complétez la pyramide avec les nombres manquants.Chaque brique contient la somme des deux cases situées en dessous de celle-ci.

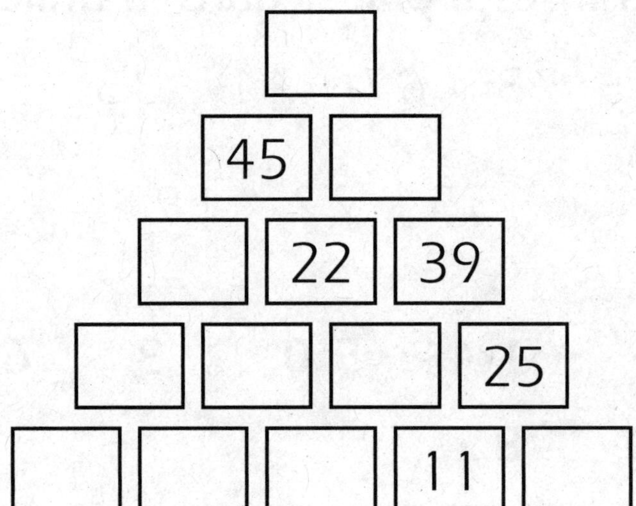

LES TROUÉS

Complétez cette grille. La somme de chaque colonne et de chaque rangée est la même.

Chiffres à placer dans la grille :

73 67 41 35

35 22 19

	14	50	3	69
0	82			
66	50	39	19	
49	41	21		63
21		58	85	23

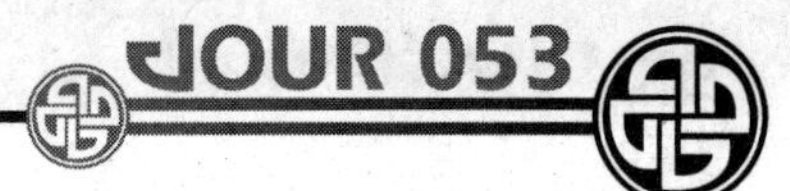

FUBUKI

Complétez le jeu.
Placez les nombres manquants de façon à obtenir par additions successives le résultat de chaque colonne et rangée.

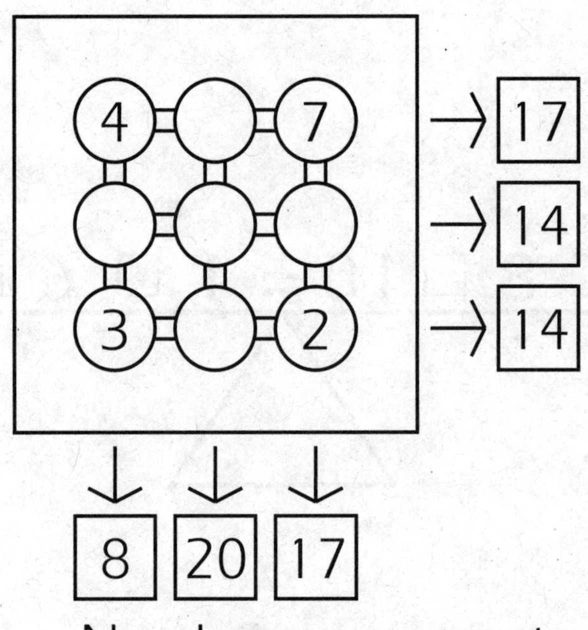

Nombres manquants
1 5 6 8 9

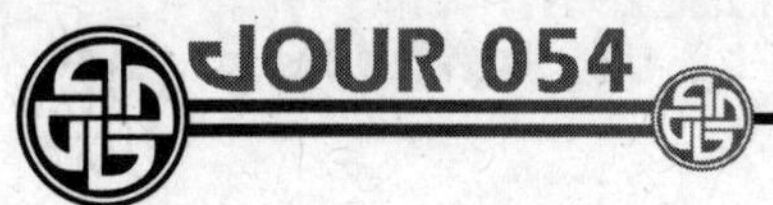

La BALANCE

Trouvez le nombre manquant.
Il suffit de placer dans les carré les signes « + » ou « – »
afin d'équilibrer les 2 plateaux de la balance.
Il n'exsite qu'une seule solution. Celle-ci peut être un nombre négatif.

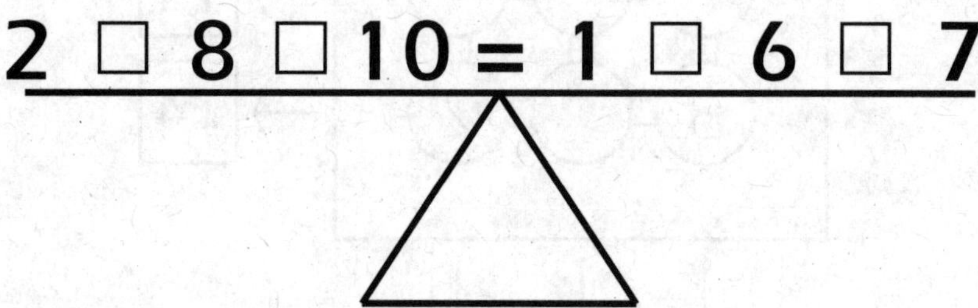

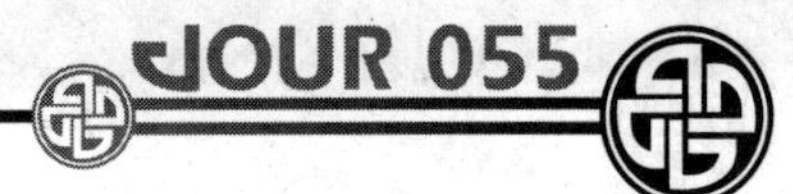

JOUR 055

Utilisez l'ADDITION.

Trouvez deux nombres dont la somme égale le nombre-code et encerclez-les. Répétez cette opération jusqu'à ce qu'il ne reste que deux nombres.

La somme de ces deux nombres réponse est : **1315**

CODE : **921**

350	523	263	630	284	756	119	861	369	709	229	815
235	606	397	524	47	582	414	692	411	637	343	507
384	862	25	825	303	596	153	552	437	594	105	781
152	666	59	822	238	813	268	742	232	755	99	658
27	483	43	816	416	686	356	498	176	653	325	698
60	768	262	896	113	878	313	513	315	537	166	863
410	509	42	894	255	510	165	879	210	789	295	565
108	659	423	904	291	583	58	773	258	846	338	511
339	578	17	620	196	683	148	728	106	891	193	711
261	571	398	660	424	643	438	489	408	608	140	484
412	505	132	724	327	808	75	874	197	725	96	689
432	626	278	802	179	769	301	663	223	618	212	745

ÉTOILE

Complétez l'étoile avec les nombres manquants.
La somme de chaque ligne est égale à 26.

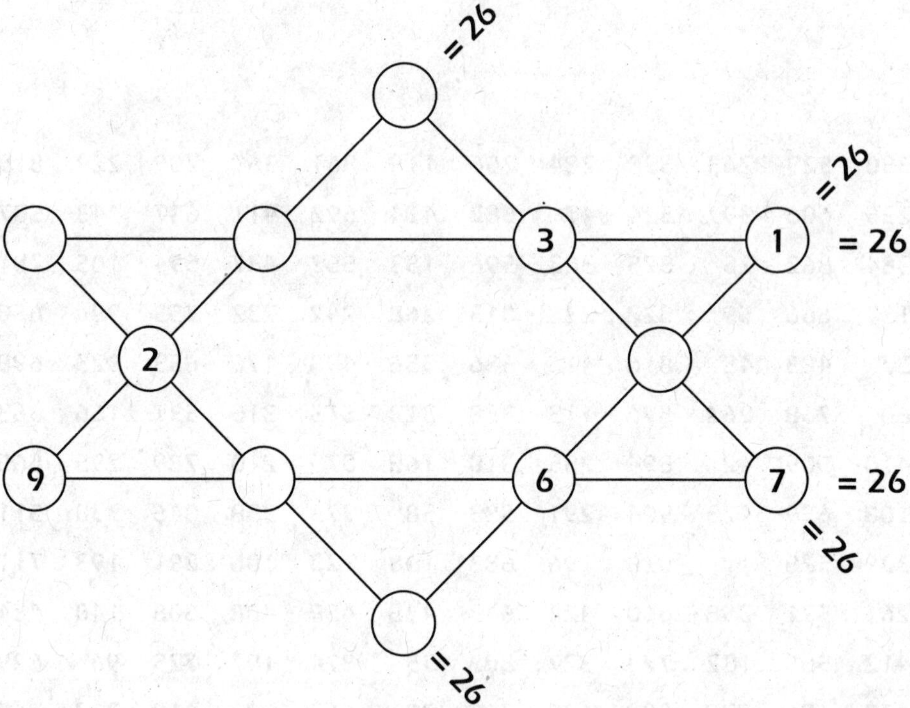

			○			
○		○		3		1
	2				○	
9		○		6		7
			○			

Chaque ligne = 26

CARRÉ MYSTÈRE

Découvrez la valeur de chacun des symboles.
Les chiffres correspondent au total de chacune des rangées et des colonnes.

□		△	○	= 20
△	□	✧		= 32
△	○	△	✧	= 28
○	○	□	△	= 21
= 27	= 14	= 39	= 21	

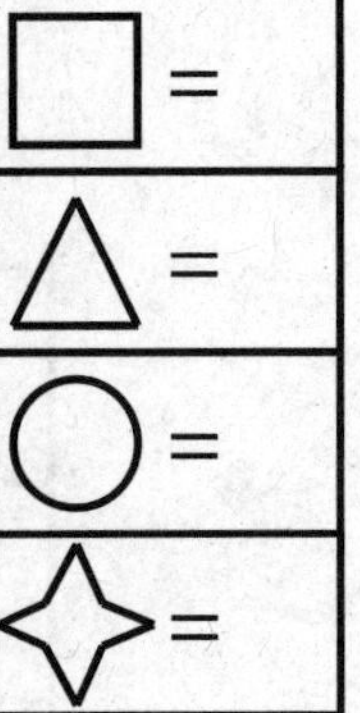

CARRÉ MAGIQUE

Complétez cette grille. La somme de chaque colonne et de chaque rangée est la même que la diagonale qui vous est donnée.

Chiffres à placer dans la grille

42 39 38 34
25 23 11 9
7 4 1

36				
	2	23		
	36	14		
				86
			86	86

LA PYRAMIDE

Complétez la pyramide avec les nombres manquants. Chaque brique contient la somme des deux cases situées en dessous de celle-ci.

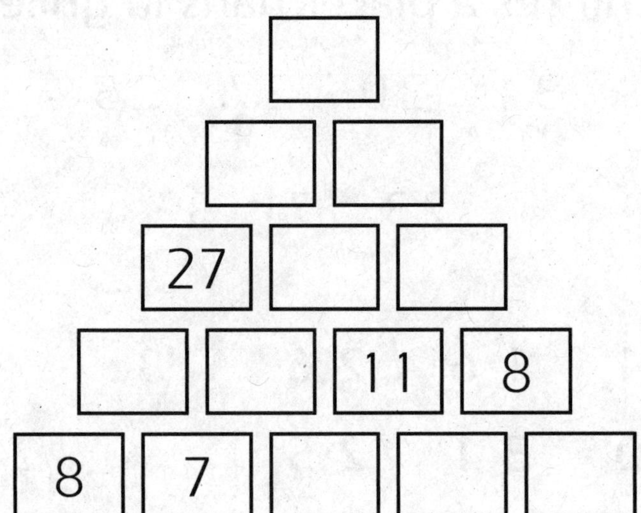

LES TROUÉS

Complétez cette grille. La somme de chaque colonne et de chaque rangée est la même.

Chiffres à placer dans la grille :

34 30 27 25

23 7 3

14	16	26	8	
10	31	25		25
31				9
20		9	23	19
	21	8	35	11

FUBUKI

Complétez le jeu.
Placez les nombres manquants de façon à obtenir par additions successives le résultat de chaque colonne et rangée.

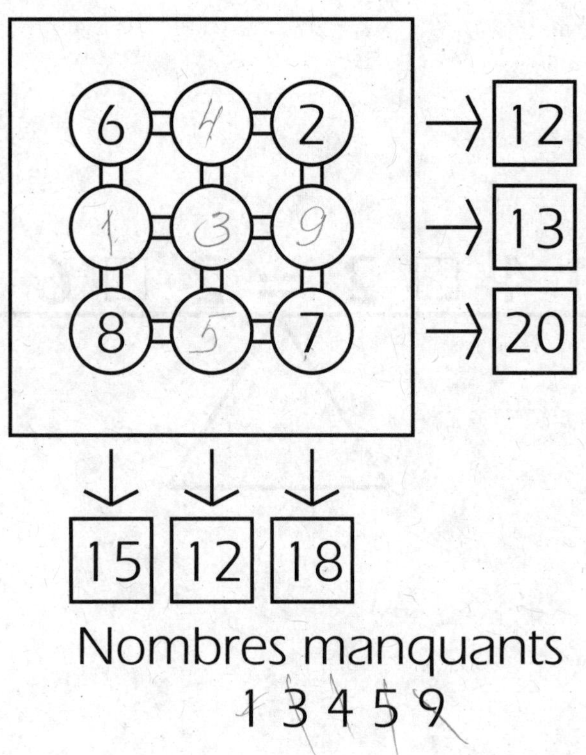

La BALANCE

Trouvez le nombre manquant.
Il suffit de placer dans les carré les signes « + » ou « – »
afin d'équilibrer les 2 plateaux de la balance.
Il n'exsite qu'une seule solution. Celle-ci peut être un nombre négatif.

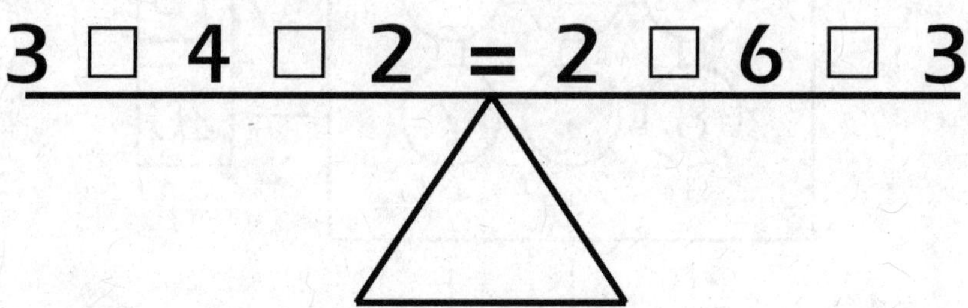

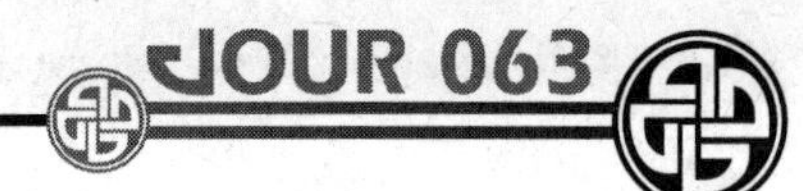

JOUR 063

Utilisez la SOUSTRACTION.

Trouvez deux nombres dont la différence égale le nombre-code et encerclez-les. Répétez cette opération jusqu'à ce qu'il ne reste que deux nombres. La somme de ces deux nombres réponse : **1629**

CODE : **917**

234	**1063**	**435**	**1222**	**149**	**1263**	**88**	**1184**	**428**	**1018**	**417**	**1339**
194	**1276**	**396**	**1192**	**111**	**1236**	**159**	**1345**	**72**	**1076**	**224**	**1346**
205	**1313**	**299**	**1099**	**384**	**1049**	**397**	**1089**	**227**	**952**	**55**	**1044**
359	**972**	**203**	**1191**	**344**	**1350**	**146**	**1045**	**147**	**1260**	**172**	**1314**
274	**1028**	**427**	**1048**	**364**	**934**	**44**	**1214**	**145**	**1055**	**132**	**1177**
182	**1241**	**424**	**958**	**343**	**1144**	**101**	**1216**	**191**	**1155**	**41**	**1251**
206	**1141**	**334**	**1062**	**152**	**1005**	**260**	**1123**	**370**	**1352**	**34**	**1064**
195	**1066**	**127**	**1081**	**433**	**1122**	**24**	**1112**	**429**	**1108**	**131**	**1041**
297	**1019**	**164**	**1281**	**128**	**937**	**275**	**1204**	**35**	**1034**	**287**	**1120**
124	**1175**	**319**	**989**	**102**	**1341**	**17**	**1143**	**61**	**978**	**226**	**951**
324	**1334**	**305**	**941**	**267**	**1344**	**20**	**1221**	**116**	**1301**	**138**	**1151**
117	**1033**	**258**	**961**	**238**	**1287**	**346**	**1111**	**304**	**1285**	**422**	**1069**

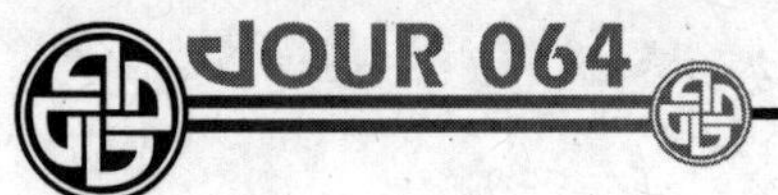

JOUR 064

ÉTOILE

Complétez l'étoile avec les nombres manquants.
La somme de chaque ligne est égale à 26.

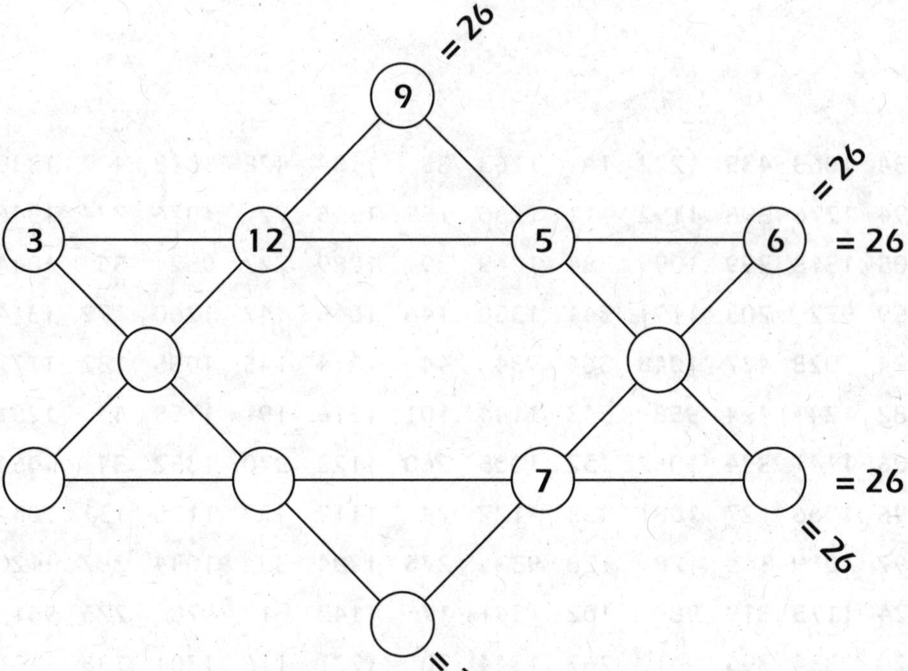

= 26

9

= 26

3 12 5 6 = 26

7 = 26

= 26

= 26

CARRÉ MYSTÈRE

Découvrez la valeur de chacun des symboles.
Les chiffres correspondent au total de chacune des rangées et des colonnes.

	✦	△	□	= 29
□		✦	○	= 30
✦	✦	△	○	= 31
✦	△	□	✦	= 38
= 32	= 24	= 35	= 37	

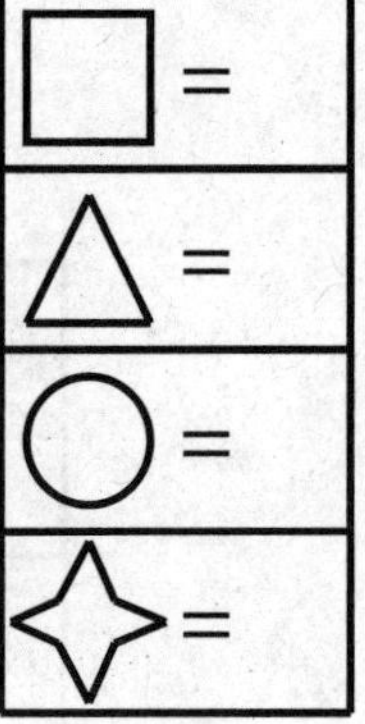

CARRÉ MAGIQUE

Complétez cette grille. La somme de chaque colonne et de chaque rangée est la même que la diagonale qui vous est donnée.

Chiffres à placer dans la grille

30 28
29 15

	13	20	
	19		
18		14	62
		62	62

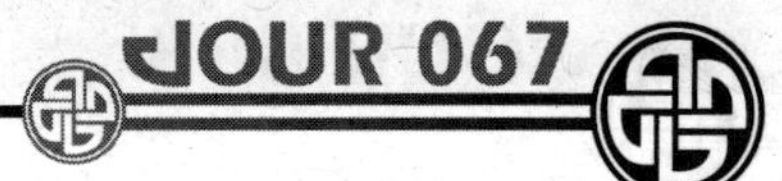

LA PYRAMIDE

Complétez la pyramide avec les nombres manquants. Chaque brique contient la somme des deux cases situées en dessous de celle-ci.

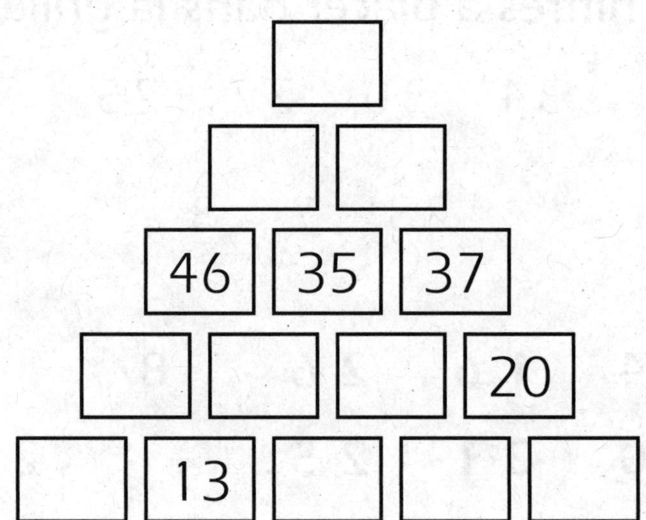

LES TROUÉS

Complétez cette grille. La somme de chaque colonne et de chaque rangée est la même.

Chiffres à placer dans la grille :

34 30 27 25

23 7 3

14	16	26	8	
10	31	25		25
31				9
20		9	23	19
	21	8	35	11

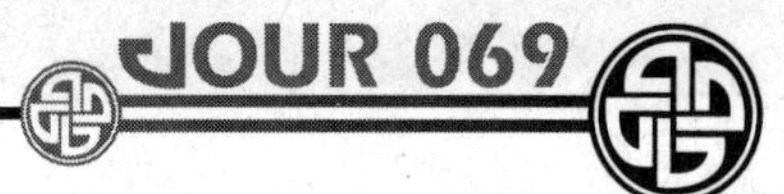

FUBUKI

Complétez le jeu.
Placez les nombres manquants de façon à obtenir par additions successives le résultat de chaque colonne et rangée.

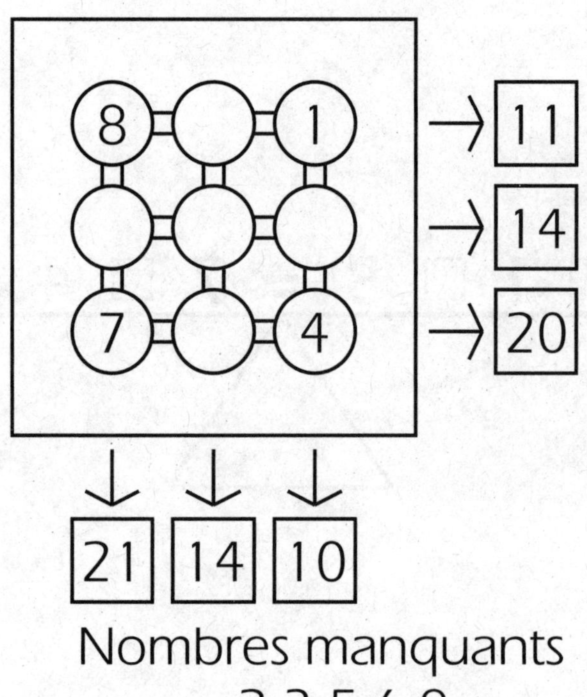

Nombres manquants
2 3 5 6 9

JOUR 070

La BALANCE

Trouvez le nombre manquant.
Il suffit de placer dans les carré les signes « + » ou « – »
afin d'équilibrer les 2 plateaux de la balance.
Il n'exsite qu'une seule solution. Celle-ci peut être un nombre négatif.

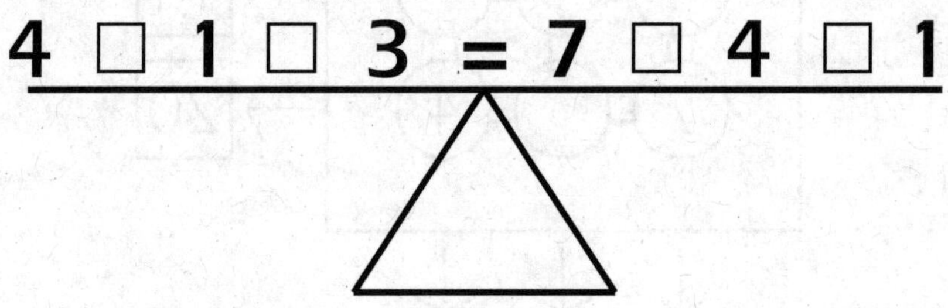

Utilisez l'ADDITION.

Trouvez deux nombres dont la somme égale le nombre-code e encerclez-les. Répétez cette opération jusqu'à ce qu'il ne reste que deux nombres.

La somme de ces deux nombres réponse est : **616**

CODE : **923**

373	503	30	683	86	864	261	759	422	758	211	501
76	756	139	816	131	836	246	755	31	769	168	506
20	596	272	837	32	528	188	783	208	751	330	798
218	659	106	765	125	884	428	893	127	771	421	892
420	712	274	860	367	850	395	749	411	792	132	677
333	791	134	590	430	813	283	891	409	562	417	782
63	796	308	512	45	732	360	735	158	784	154	715
361	556	141	593	240	493	165	762	326	640	174	597
264	764	107	529	59	789	336	673	250	578	140	514
73	651	191	804	167	563	110	560	39	615	219	502
172	495	363	817	119	649	87	847	394	662	236	878
159	687	161	587	164	704	152	550	414	509	345	705

ÉTOILE

Complétez l'étoile avec les nombres manquants.
La somme de chaque ligne est égale à 26.

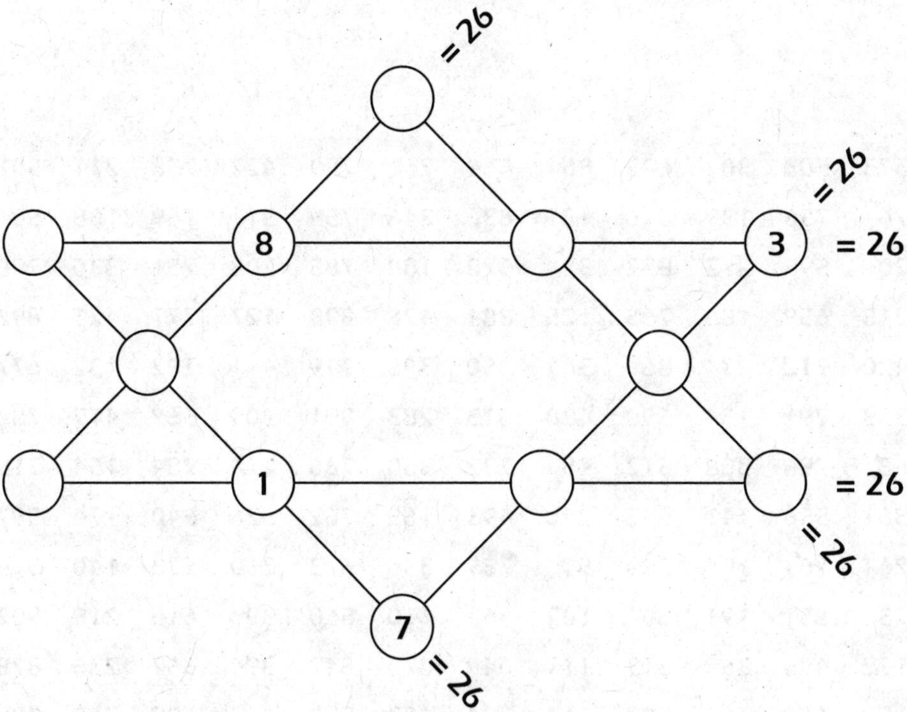

= 26

= 26

8 3 = 26

1 = 26

= 26

7

= 26

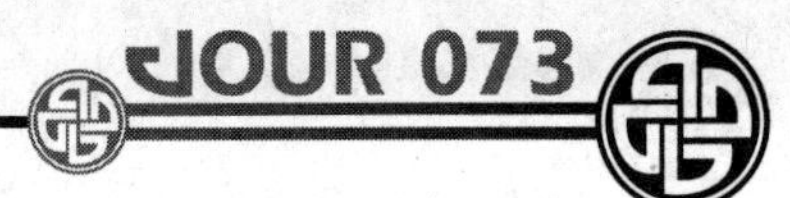

CARRÉ MYSTÈRE

Découvrez la valeur de chacun des symboles.
Les chiffres correspondent au total de chacune des rangées et des colonnes.

	○	△	□	= 23
△	○	✧		= 26
✧	△	✧	□	= 22
□	□	○	△	= 24
= 18	= 32	= 30	= 15	

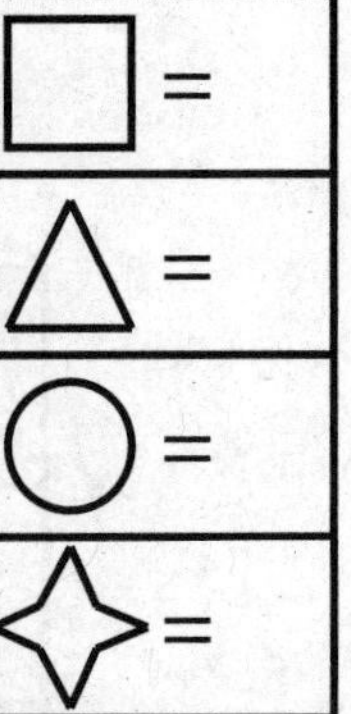

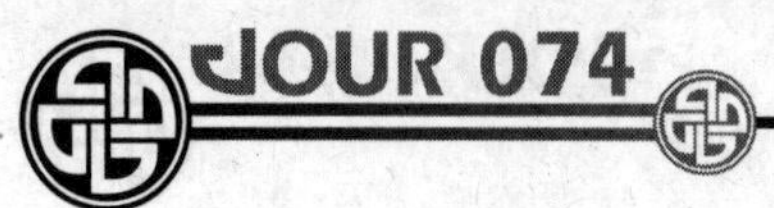

JOUR 074

CARRÉ MAGIQUE

Complétez cette grille. La somme de chaque colonne et de chaque rangée est la même que la diagonale qui vous est donnée.

Chiffres à placer dans la grille

47 38 27 26
22 18 16 13
10 9 2

15				
	6	**7**		
	6	**46**		
				77
			77	**77**

LA PYRAMIDE

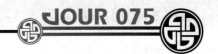

Complétez la pyramide avec les nombres manquants. Chaque brique contient la somme des deux cases situées en dessous de celle-ci.

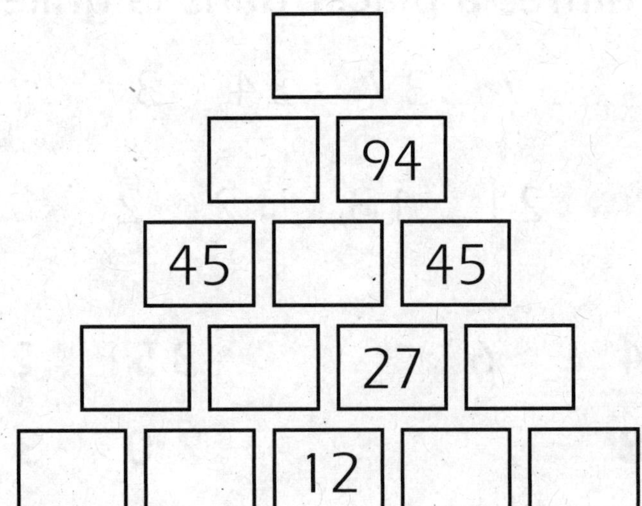

LES TROUÉS

Complétez cette grille. La somme de chaque colonne et de chaque rangée est la même.

Chiffres à placer dans la grille :

37 37 34 31

21 13 12 2

44	6		35	25
18			20	31
2	25			35
14	14		26	
	36	24	18	0

FUBUKI

Complétez le jeu.
Placez les nombres manquants de façon à obtenir par additions successives le résultat de chaque colonne et rangée.

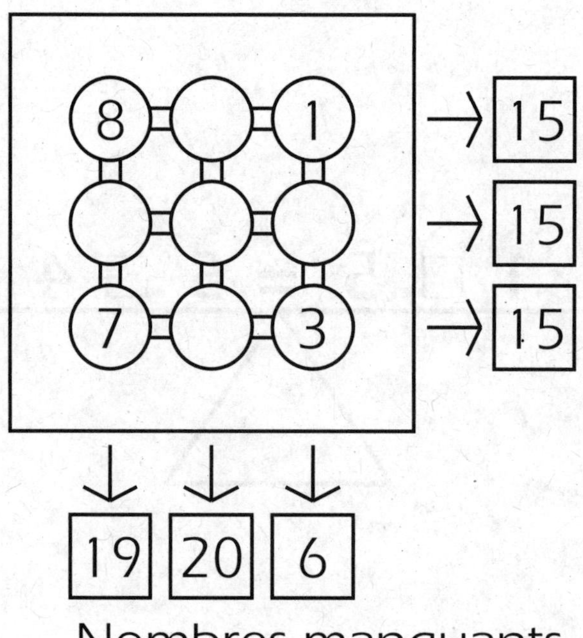

Nombres manquants
2 4 5 6 9

La BALANCE

Trouvez le nombre manquant.
Il suffit de placer dans les carré les signes « + » ou « – »
afin d'équilibrer les 2 plateaux de la balance.
Il n'exsite qu'une seule solution. Celle-ci peut être un nombre négatif.

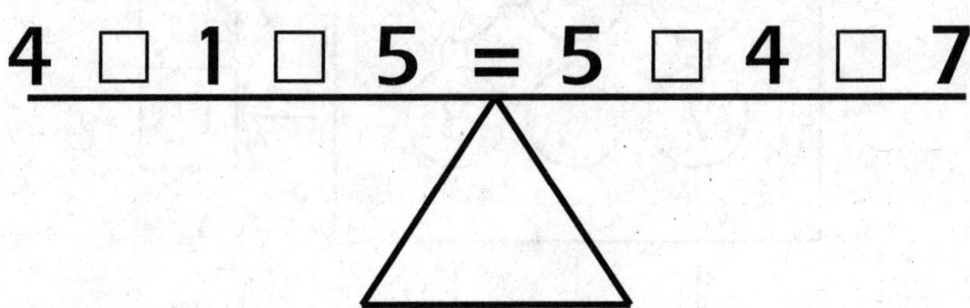

JOUR 079

Utilisez la SOUSTRACTION.
Trouvez deux nombres dont la différence égale le nombre-code et encerclez-les. Répétez cette opération jusqu'à ce qu'il ne reste que deux nombres. La somme de ces deux nombres réponse : **1251**

CODE : **922**

107	1101	371	1250	289	1067	407	1216	287	1174	65	1248
425	1118	98	956	294	1147	196	950	189	1179	298	1095
236	1215	417	1172	34	1158	183	1131	406	1232	28	1011
142	1336	240	1211	293	1341	201	1023	328	1182	414	991
295	996	122	1329	336	1075	69	1123	310	1110	79	1044
130	1258	257	1114	241	1111	260	1166	80	1140	155	1201
165	1157	17	1087	437	1163	245	1339	337	1359	145	1167
218	1186	74	1159	262	1246	415	1077	188	1358	419	1328
182	1259	209	1105	101	1064	436	1052	192	1029	244	1209
173	1335	250	1173	119	1161	264	1220	153	1337	237	987
235	1002	252	939	225	1041	413	1217	239	1112	251	1293
279	1347	326	1025	179	1104	190	1184	324	1001	103	1020

JOUR 080

ÉTOILE

Complétez l'étoile avec les nombres manquants.
La somme de chaque ligne est égale à 26.

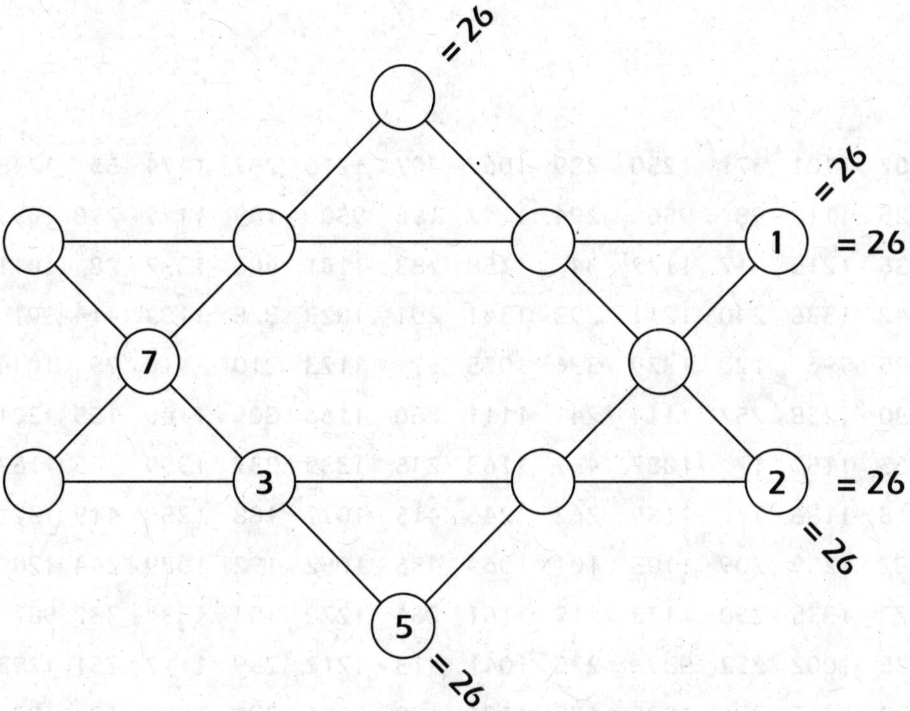

= 26

= 26

1 = 26

7

3 2 = 26

= 26

5

= 26

CARRÉ MYSTÈRE

Découvrez la valeur de chacun des symboles.
Les chiffres correspondent au total de chacune des rangées
et des colonnes.

△		□	○	= 16
□	✧	○		= 21
□	△	✧	✧	= 24
△	□	□	○	= 24
= 20	= 17	= 29	= 19	

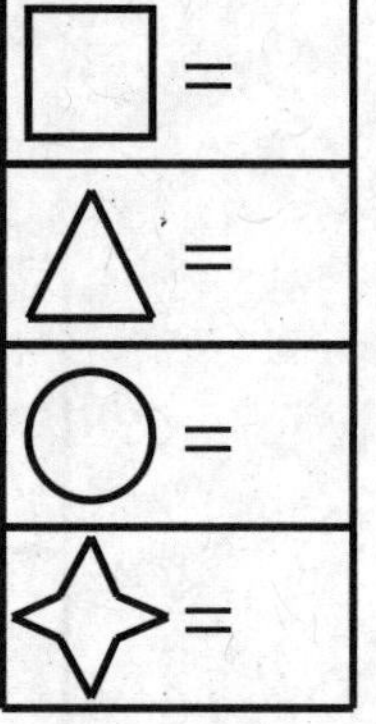

CARRÉ MAGIQUE

Complétez cette grille. La somme de chaque colonne et de chaque rangée est la même que la diagonale qui vous est donnée.

Chiffres à placer dans la grille

72 10

20 0

18		62	
		28	
82	8		100
		100	100

LA PYRAMIDE

Complétez la pyramide avec les nombres manquants. Chaque brique contient la somme des deux cases situées en dessous de celle-ci.

		137		
	32	32		
	13	2		

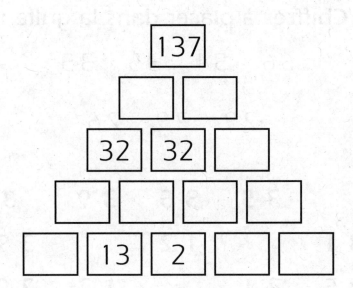

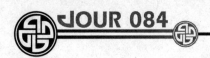

LES TROUÉS

Complétez cette grille. La somme de chaque colonne et de chaque rangée est la même.

Chiffres à placer dans la grille :

66 54 35 35

29 29 26

	35	35	39	8
31		12		39
25	21		17	29
40		41		4
21	20	4	35	

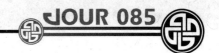

FUBUKI

Complétez le jeu.
Placez les nombres manquants de façon à obtenir par additions successives le résultat de chaque colonne et rangée.

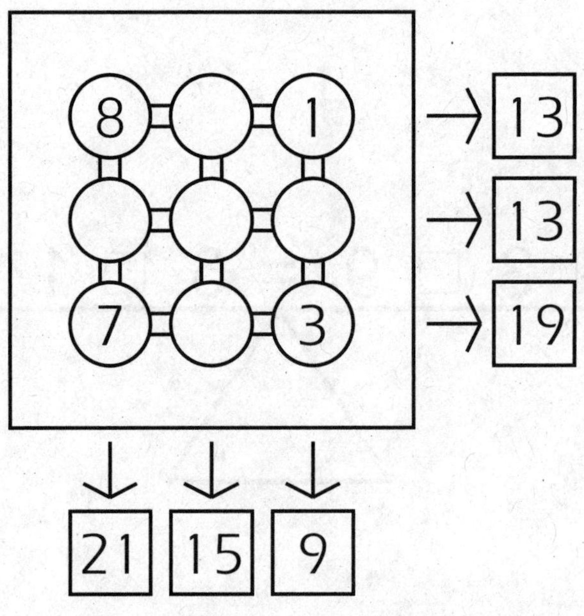

Nombres manquants
2 4 5 6 9

La BALANCE

Trouvez le nombre manquant.
Il suffit de placer dans les carré les signes « + » ou « – »
afin d'équilibrer les 2 plateaux de la balance.
Il n'exsite qu'une seule solution. Celle-ci peut être un nombre négatif.

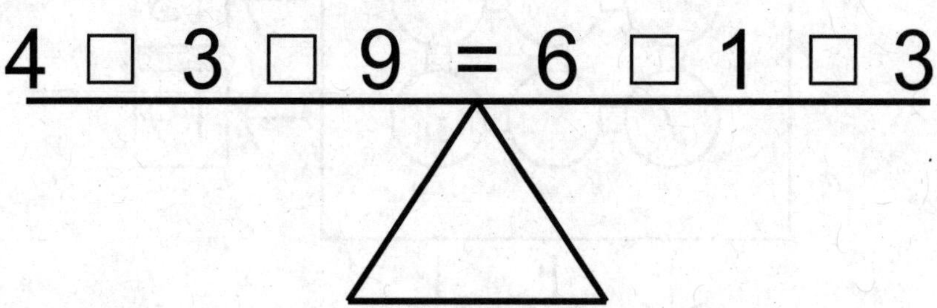

Utilisez l'ADDITION.

Trouvez deux nombres dont la somme égale le nombre-code et encerclez-les. Répétez cette opération jusqu'à ce qu'il ne reste que deux nombres.

La somme de ces deux nombres réponse est : **1280**

CODE : **925**

93	493	259	531	394	496	352	710	100	666	327	673
194	864	239	644	62	903	78	594	22	519	47	743
336	570	281	607	218	583	197	563	298	687	246	810
225	679	380	685	182	863	363	616	398	600	252	564
70	562	345	573	258	700	190	595	429	797	126	902
60	527	238	859	361	667	54	865	102	585	66	580
318	589	322	598	215	825	420	505	125	693	330	878
432	823	128	833	115	588	240	546	383	735	20	728
285	686	104	545	342	579	362	542	359	543	337	603
393	821	406	504	152	832	379	627	25	566	61	640
346	768	382	773	340	707	157	871	309	900	23	855
355	799	232	905	92	731	325	800	421	847	331	887

ÉTOILE

Complétez l'étoile avec les nombres manquants.
La somme de chaque ligne est égale à 26.

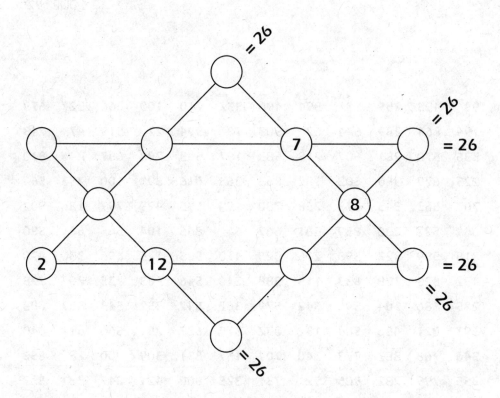

= 26

7

= 26

= 26

8

2

12

= 26

= 26

= 26

CARRÉ MYSTÈRE

Découvrez la valeur de chacun des symboles. Les chiffres correspondent au total de chacune des rangées et des colonnes.

△		✧	○	= 20
	○	✧	□	= 14
□	○	△	△	= 33
✧	✧	△	○	= 21
= 15	= 19	= 22	= 32	

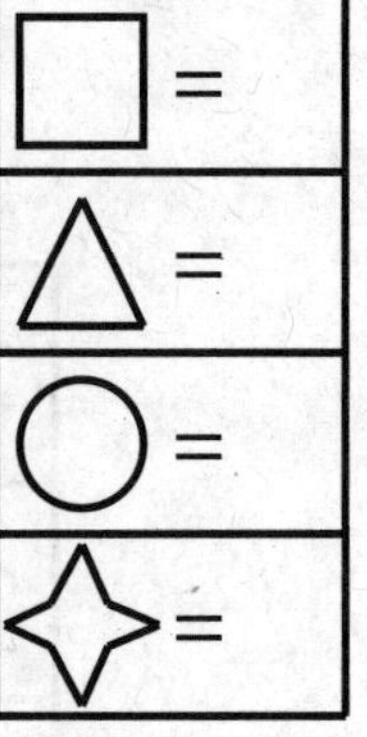

CARRÉ MAGIQUE

Complétez cette grille. La somme de chaque colonne et de chaque rangée est la même que la diagonale qui vous est donnée.

Chiffres à placer dans la grille

48 31 29 26
19 13 13 9
9 5 2

28	**17**	**21**		
		30		
			16	**79**
			79	**79**

LA PYRAMIDE

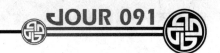

Complétez la pyramide avec les nombres manquants.Chaque brique contient la somme des deux cases situées en dessous de celle-ci.

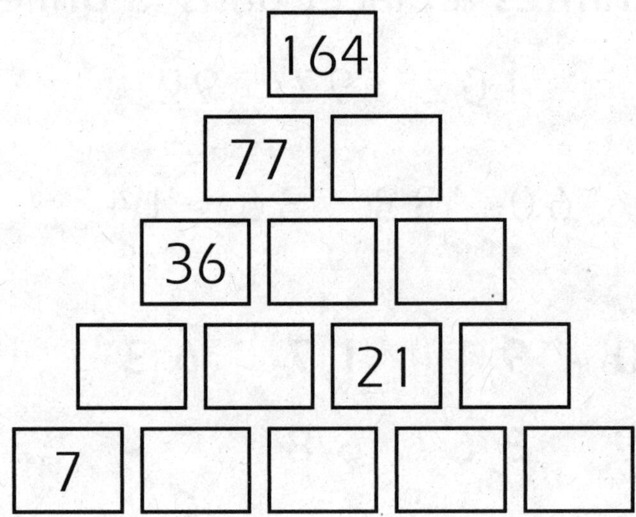

LES TROUÉS

Complétez cette grille. La somme de chaque colonne et de chaque rangée est la même.

Chiffres à placer dans la grille :

102 97 92

60 38 36 14

90	91	17	63	
49	86	68		21
43			39	45
103		91	76	13
		43	46	182

FUBUKI

Complétez le jeu.
Placez les nombres manquants de façon à obtenir par additions successives le résultat de chaque colonne et rangée.

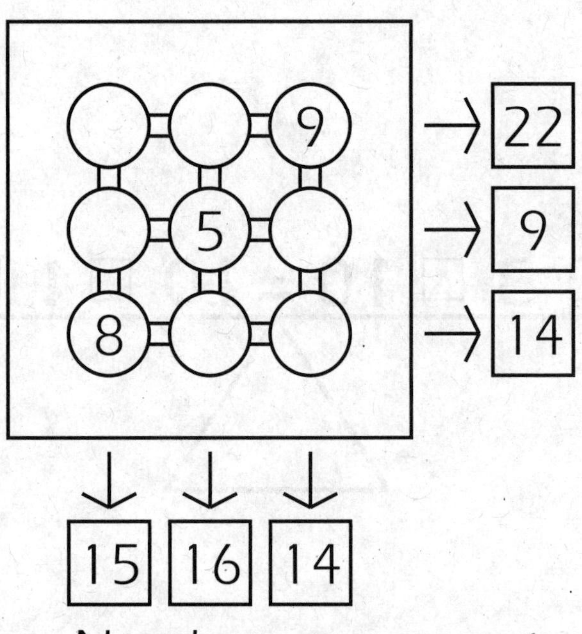

Nombres manquants
1 2 3 4 6 7

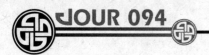

La BALANCE

Trouvez le nombre manquant.
Il suffit de placer dans les carré les signes « + » ou « – »
afin d'équilibrer les 2 plateaux de la balance.
Il n'exsite qu'une seule solution. Celle-ci peut être un nombre négatif.

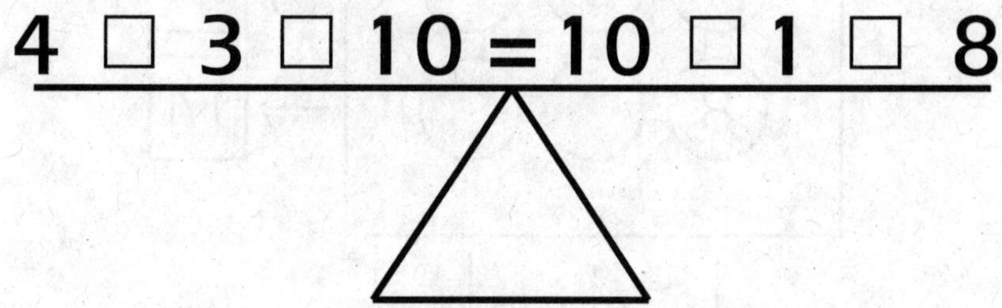

JOUR 095

Utilisez la SOUSTRACTION.

Trouvez deux nombres dont la différence égale le nombre-code et encerclez-les. Répétez cette opération jusqu'à ce qu'il ne reste que deux nombres. La somme de ces deux nombres réponse : **1485**

CODE : **926**

89	1006	286	1212	305	1349	373	1055	235	985	184	1290
234	1160	154	1216	408	1357	272	987	327	1113	80	951
404	1268	340	1073	368	1016	271	1278	41	1104	423	1031
414	968	25	961	61	1020	75	1051	311	1035	115	1050
213	1334	147	1060	219	1041	416	1221	125	1347	114	1015
35	1266	109	989	364	1145	129	1153	178	1345	17	1163
159	1299	200	1161	140	1340	59	965	39	1064	352	1170
42	1237	90	1231	94	1253	377	971	100	967	317	1139
227	1155	199	1072	43	1182	421	1197	105	1026	146	941
431	1198	138	1243	295	1110	244	1292	15	1126	237	1040
366	1208	124	1164	256	1330	63	1085	342	1342	187	943
290	1303	134	969	238	1080	282	1125	45	1294	229	1001

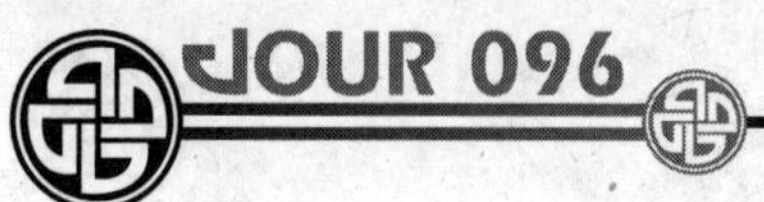

ÉTOILE

Complétez l'étoile avec les nombres manquants.
La somme de chaque ligne est égale à 26.

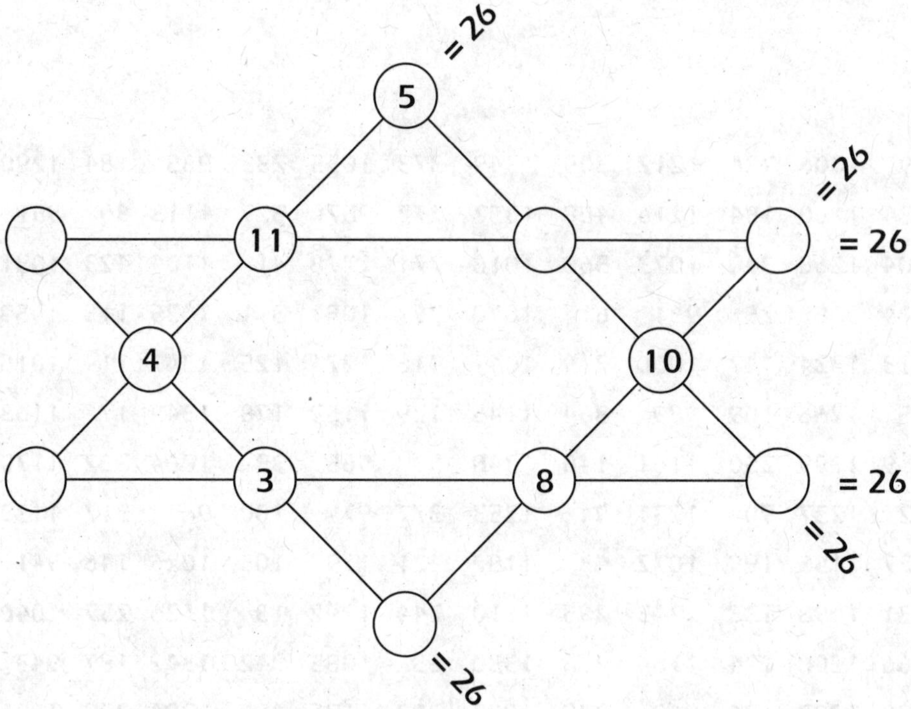

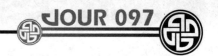

CARRÉ MYSTÈRE

Découvrez la valeur de chacun des symboles.
Les chiffres correspondent au total de chacune des rangées et des colonnes.

△		✧	○	= 28
□	△		✧	= 26
△	□	○	□	= 21
□	△	✧	✧	= 37
= 30	= 28	= 26	= 28	

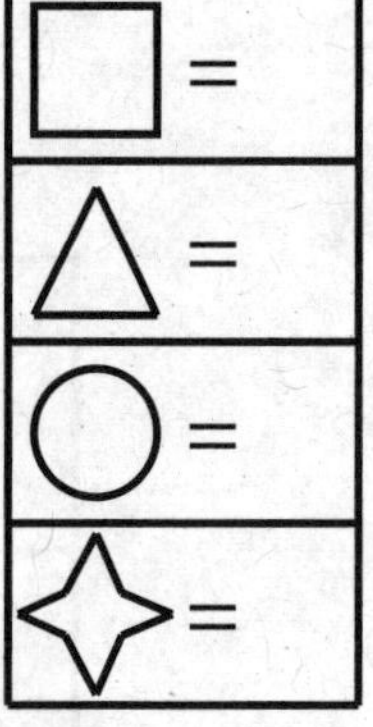

CARRÉ MAGIQUE

Complétez cette grille. La somme de chaque colonne et de chaque rangée est la même que la diagonale qui vous est donnée.

Chiffres à placer dans la grille

57 20

33 7

	3		
29	44		
31		16	80
		80	80

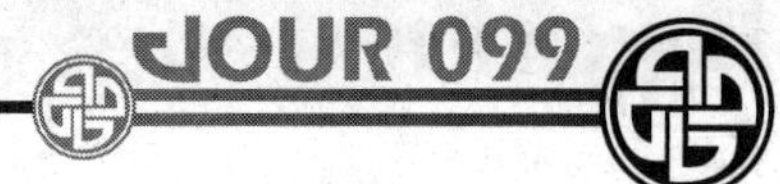

LA PYRAMIDE

Complétez la pyramide avec les nombres manquants.Chaque brique contient la somme des deux cases situées en dessous de celle-ci.

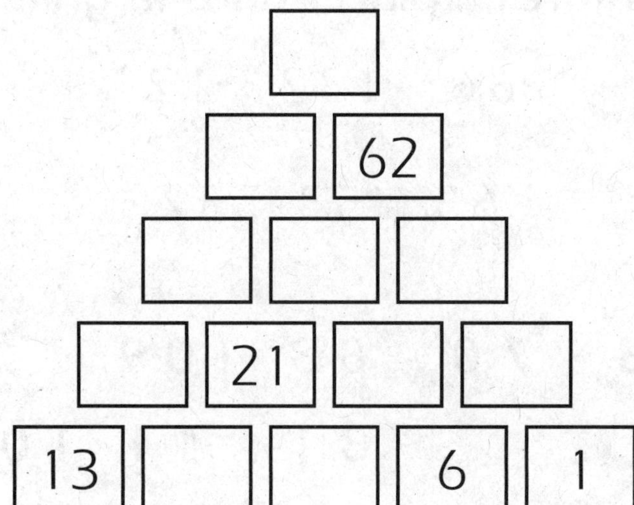

JOUR 100

LES TROUÉS

Complétez cette grille. La somme de chaque colonne et de chaque rangée est la même.

Chiffres à placer dans la grille :

166 132 121

65 53 52

43	70	83	109	
		31	41	100
53	73		31	34
64	117	14		41
	44	63	55	130

FUBUKI

Complétez le jeu.
Placez les nombres manquants de façon à obtenir par additions successives le résultat de chaque colonne et rangée.

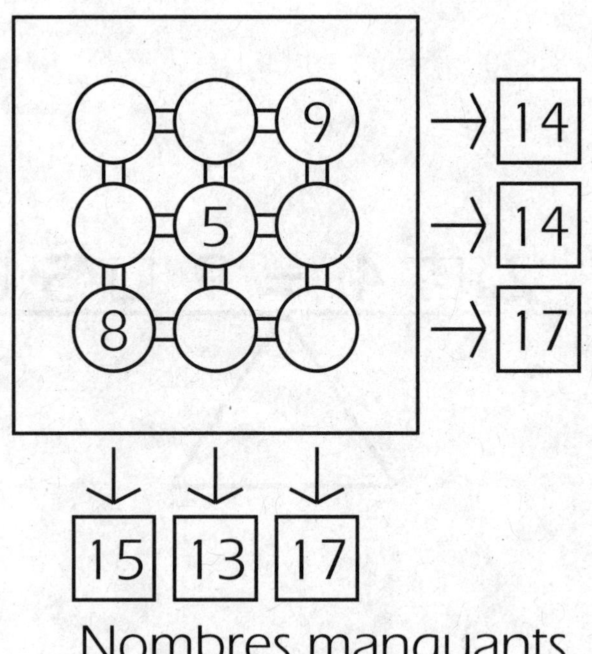

Nombres manquants
1 2 3 4 6 7

La BALANCE

Trouvez le nombre manquant.
Il suffit de placer dans les carré les signes « + » ou « – »
afin d'équilibrer les 2 plateaux de la balance.
Il n'exsite qu'une seule solution. Celle-ci peut être un nombre négatif.

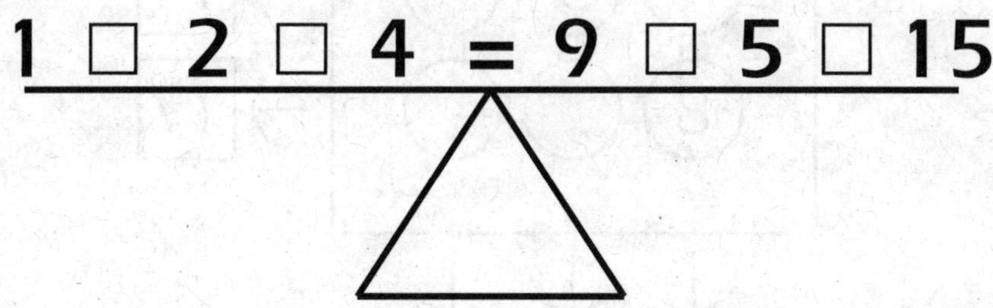

JOUR 103

Utilisez l'ADDITION.

Trouvez deux nombres dont la somme égale le nombre-code et encerclez-les. Répétez cette opération jusqu'à ce qu'il ne reste que deux nombres.

La somme de ces deux nombres réponse est : **644**

CODE : **937**

65	642	190	778	109	658	293	872	48	755	346	718
107	543	304	500	365	632	226	905	46	529	412	631
79	531	239	796	189	830	408	517	340	510	427	664
267	800	181	699	250	874	141	873	406	614	309	841
273	767	284	628	334	858	238	730	147	711	266	892
182	769	158	597	168	536	305	779	45	738	118	570
367	807	170	633	104	687	159	891	186	616	437	651
400	819	342	653	295	751	180	591	137	889	394	712
306	790	401	833	130	748	199	644	290	537	420	603
286	680	207	698	63	647	219	806	279	904	225	880
57	828	33	648	257	586	126	756	96	671	64	595
32	572	351	811	131	525	28	757	289	670	323	747

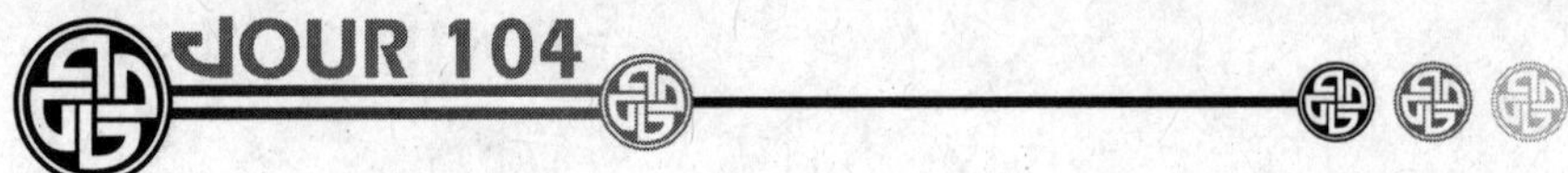

JOUR 104

ÉTOILE

Complétez l'étoile avec les nombres manquants.
La somme de chaque ligne est égale à 26.

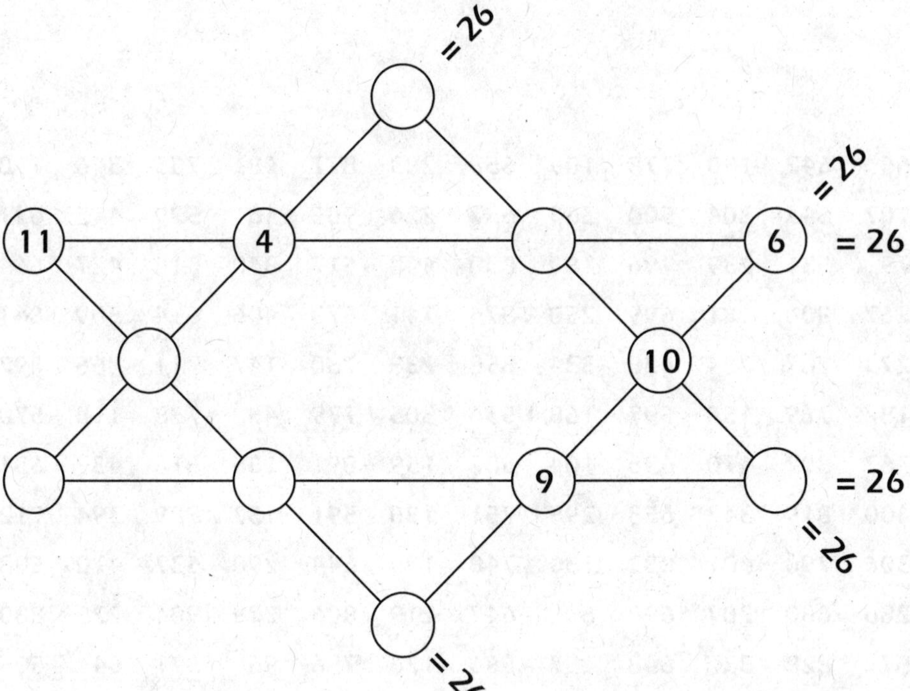

= 26

11 4 6 = 26

10

9 = 26

= 26

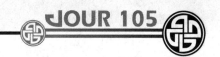

CARRÉ MYSTÈRE

Découvrez la valeur de chacun des symboles.
Les chiffres correspondent au total de chacune des rangées et des colonnes.

△	○	□		= 18
✧		△	○	= 11
□	○	○	✧	= 21
✧	✧	△	○	= 17
= 29	= 8	= 22	= 8	

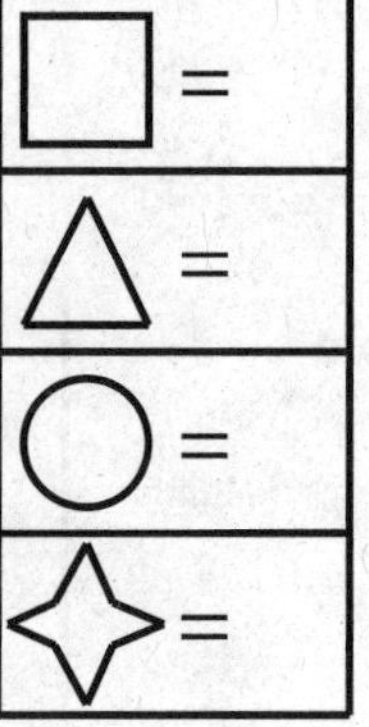

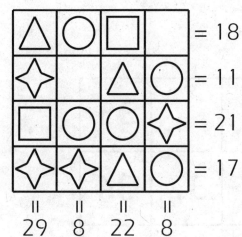

JOUR 106

CARRÉ MAGIQUE

Complétez cette grille. La somme de chaque colonne et de chaque rangée est la même que la diagonale qui vous est donnée.

Chiffres à placer dans la grille

40 8

11 5

37		35	
	32	34	
29			77
		77	77

LA PYRAMIDE

Complétez la pyramide avec les nombres manquants.Chaque brique contient la somme des deux cases situées en dessous de celle-ci.

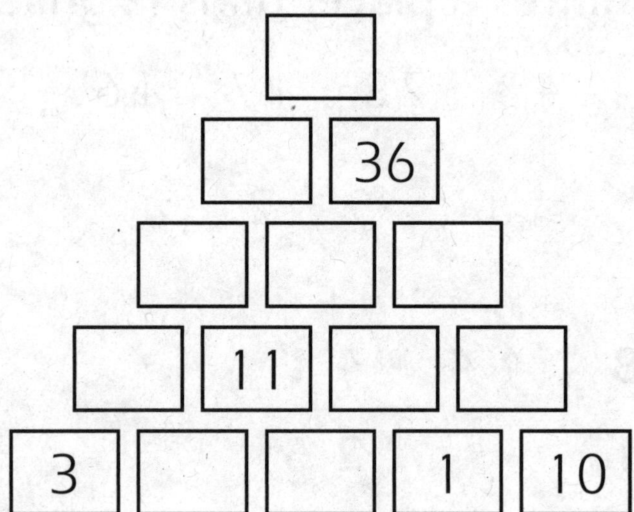

LES TROUÉS

Complétez cette grille. La somme de chaque colonne et de chaque rangée est la même.

Chiffres à placer dans la grille :

43 28 17 16

16 9 2 2

18	44	41		8
51		26		
15	57	42		
39	33		34	31
	3	28	18	74

FUBUKI

Complétez le jeu.
Placez les nombres manquants de façon à obtenir par additions successives le résultat de chaque colonne et rangée.

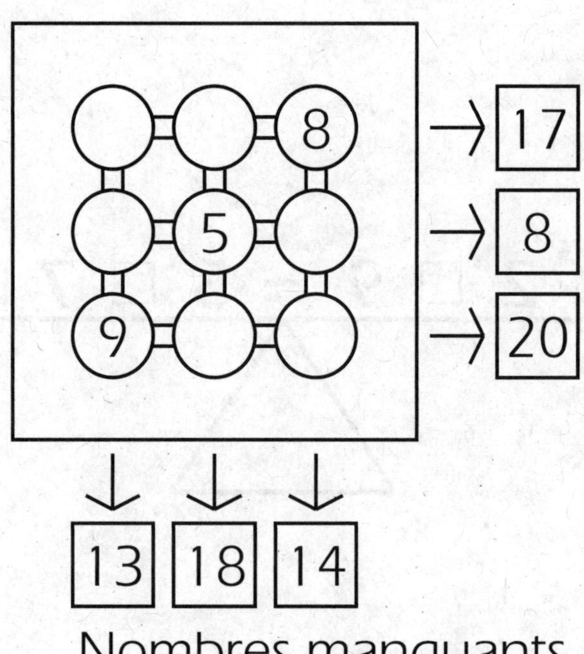

Nombres manquants

1 2 3 4 6 7

La BALANCE

Trouvez le nombre manquant.
Il suffit de placer dans les carré les signes « + » ou « – »
afin d'équilibrer les 2 plateaux de la balance.
Il n'exsite qu'une seule solution. Celle-ci peut être un nombre négatif.

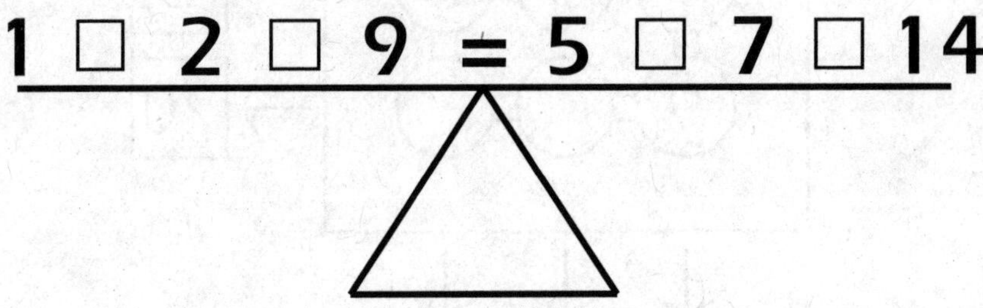

Utilisez la SOUSTRACTION.
Trouvez deux nombres dont la différence égale le nombre-code et encerclez-les. Répétez cette opération jusqu'à ce qu'il ne reste que deux nombres. La somme de ces deux nombres réponse : **1257**

CODE : **931**

307	**1344**	**196**	**1182**	**248**	**976**	**54**	**1116**	**250**	**985**	**123**	**1185**
162	**1329**	**312**	**959**	**27**	**994**	**136**	**1186**	**367**	**1335**	**398**	**990**
76	**1001**	**134**	**1209**	**59**	**977**	**341**	**1374**	**216**	**1181**	**109**	**1005**
150	**1032**	**428**	**1065**	**255**	**1018**	**184**	**1357**	**35**	**1272**	**278**	**1371**
254	**961**	**404**	**1067**	**217**	**1216**	**91**	**1010**	**87**	**1148**	**160**	**1022**
94	**1093**	**251**	**957**	**394**	**1298**	**443**	**1269**	**269**	**1193**	**79**	**1238**
101	**1196**	**46**	**1147**	**153**	**1325**	**285**	**1220**	**80**	**1161**	**262**	**1347**
26	**1285**	**276**	**1179**	**198**	**1166**	**413**	**1115**	**265**	**1200**	**224**	**1180**
416	**1011**	**249**	**958**	**235**	**1155**	**107**	**1038**	**230**	**1081**	**337**	**1007**
70	**1243**	**289**	**1026**	**71**	**966**	**430**	**1002**	**338**	**1207**	**354**	**1361**
440	**1359**	**406**	**1268**	**30**	**1129**	**95**	**1084**	**45**	**1025**	**146**	**1077**
74	**1097**	**28**	**1040**	**63**	**1076**	**145**	**1337**	**185**	**1054**	**426**	**1127**

ÉTOILE

Complétez l'étoile avec les nombres manquants.
La somme de chaque ligne est égale à 26.

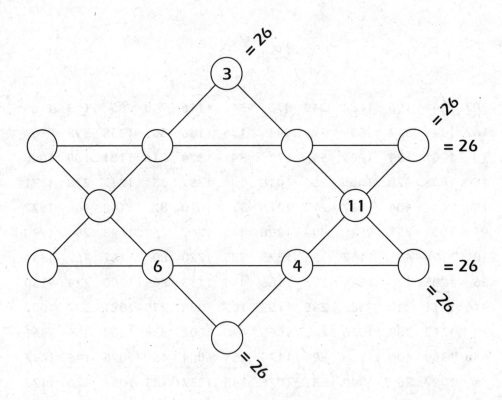

= 26

3

= 26

= 26

11

6 4

= 26

= 26

= 26

CARRÉ MYSTÈRE

Découvrez la valeur de chacun des symboles.
Les chiffres correspondent au total de chacune des rangées et des colonnes.

△	○	□		= 18
✧		○	△	= 19
✧	□	△	✧	= 13
△	○	△	✧	= 21
=	=	=	=	
12	29	20	10	

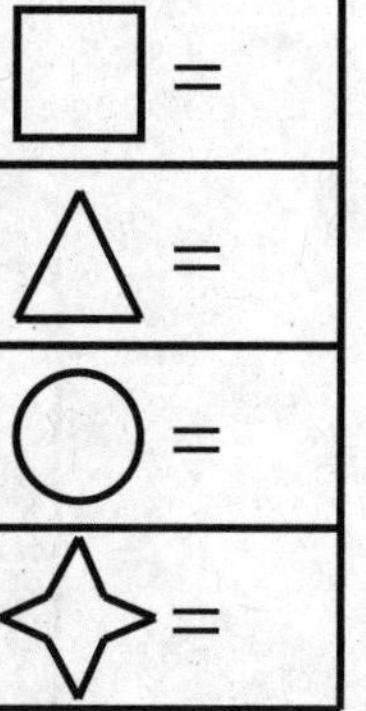

CARRÉ MAGIQUE

Complétez cette grille. La somme de chaque colonne et de chaque rangée est la même que la diagonale qui vous est donnée.

Chiffres à placer dans la grille

24 14

18 2

		22	
38	12		
	34	28	64
		64	64

LA PYRAMIDE

Complétez la pyramide avec les nombres manquants. Chaque brique contient la somme des deux cases situées en dessous de celle-ci.

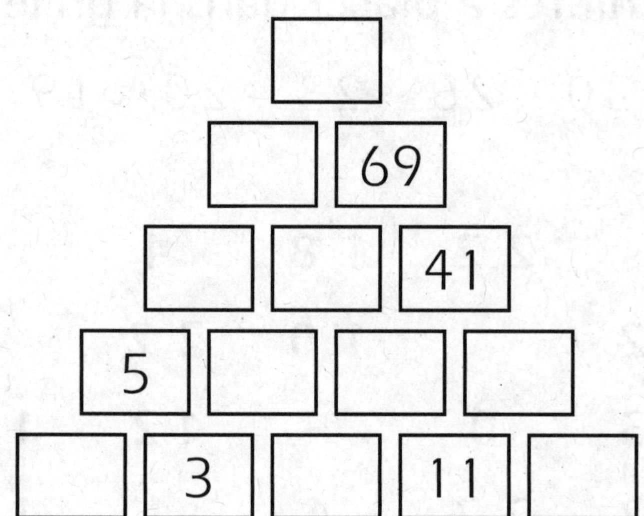

LES TROUÉS

Complétez cette grille. La somme de chaque colonne et de chaque rangée est la même.

Chiffres à placer dans la grille :

30 26 23 20 19

	22	18	4	3
12		10	22	7
13	0		12	19
13	22	4		11
9	7	12	12	

FUBUKI

Complétez le jeu.
Placez les nombres manquants de façon à obtenir par additions successives le résultat de chaque colonne et rangée.

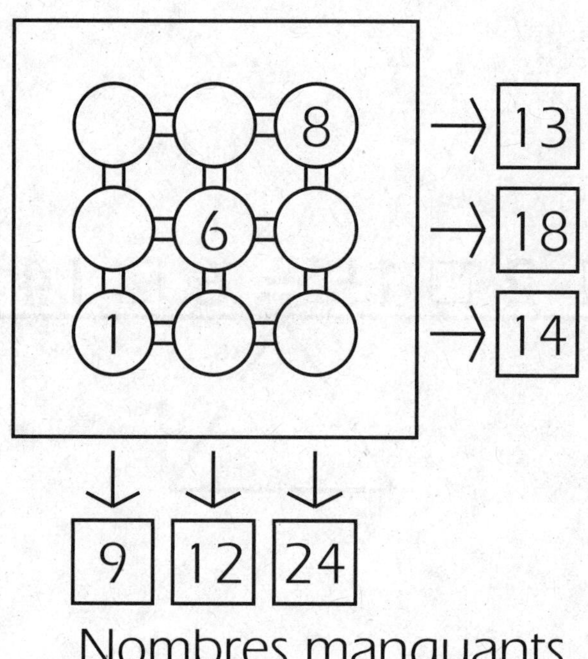

Nombres manquants
2 3 4 5 7 9

JOUR 118

La BALANCE

Trouvez le nombre manquant.
Il suffit de placer dans les carré les signes « + » ou « – »
afin d'équilibrer les 2 plateaux de la balance.
Il n'exsite qu'une seule solution. Celle-ci peut être un nombre négatif.

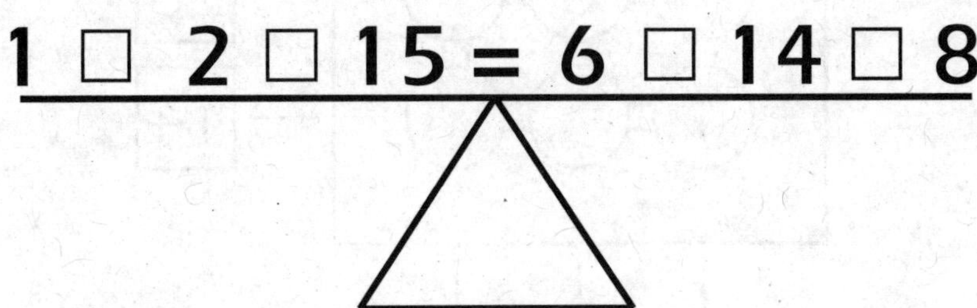

JOUR 119

Utilisez l'ADDITION.

Trouvez deux nombres dont la somme égale le nombre-code et encerclez-les. Répétez cette opération jusqu'à ce qu'il ne reste que deux nombres.

La somme de ces deux nombres réponse est : **1137**

CODE : **939**

374	901	241	923	442	500	19	875	401	542	305	705
257	889	36	721	270	634	160	729	339	853	387	668
104	541	16	551	357	569	50	645	444	663	170	849
370	683	269	647	271	766	292	669	90	904	320	920
64	681	337	600	303	507	181	835	112	808	210	641
42	827	41	898	131	915	391	651	274	619	324	552
106	602	439	874	146	779	168	908	432	548	388	862
218	822	397	514	186	670	430	836	234	515	79	495
35	833	258	698	38	636	256	897	173	528	117	769
31	707	276	582	30	787	424	615	65	771	103	497
281	903	77	758	298	658	288	565	294	665	425	538
86	793	229	753	411	909	152	860	398	682	24	710

ÉTOILE

Complétez l'étoile avec les nombres manquants.
La somme de chaque ligne est égale à 26.

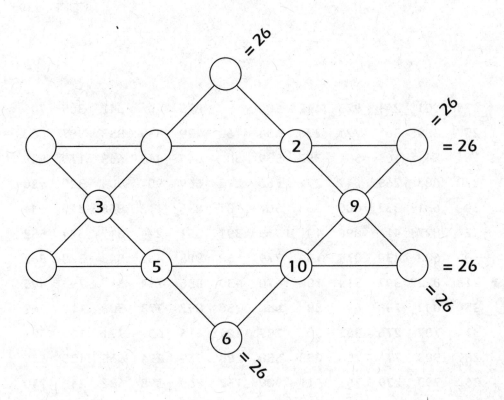

= 26

= 26

2

= 26

3

9

5

10

= 26

= 26

6

= 26

CARRÉ MYSTÈRE

Découvrez la valeur de chacun des symboles.
Les chiffres correspondent au total de chacune des rangées et des colonnes.

△	○	✧		= 19
	△	○	□	= 20
✧	△	□	△	= 25
✧	✧	○	△	= 22
= 15	= 28	= 21	= 22	

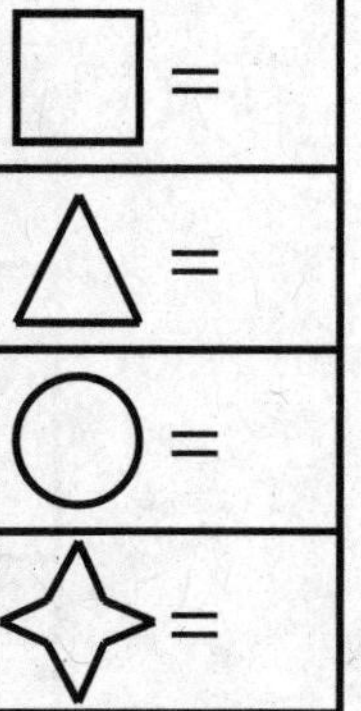

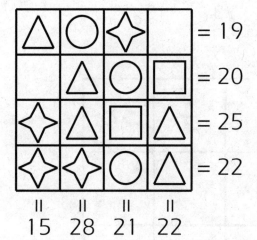

CARRÉ MAGIQUE

Complétez cette grille. La somme de chaque colonne et de chaque rangée est la même que la diagonale qui vous est donnée.

Chiffres à placer dans la grille

38 13

38 13

	4	38	
4			
	13	4	55
		55	55

LA PYRAMIDE

Complétez la pyramide avec les nombres manquants. Chaque brique contient la somme des deux cases situées en dessous de celle-ci.

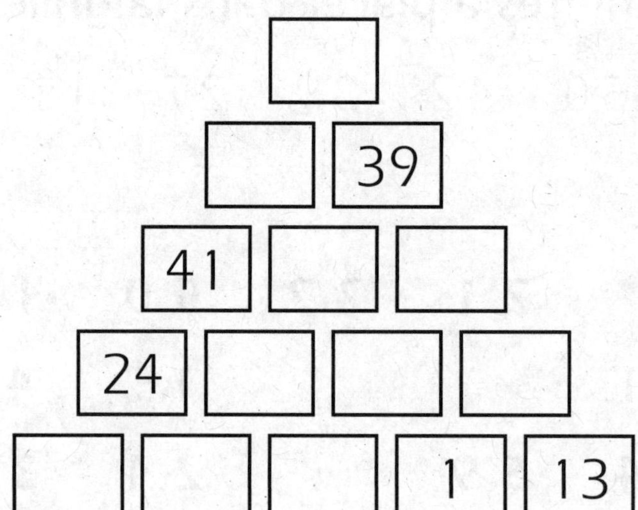

LES TROUÉS

Complétez cette grille. La somme de chaque colonne et de chaque rangée est la même.

Chiffres à placer dans la grille :

50 42 39 27 11

	21	22	50	14
51		1	15	43
24	59		24	31
14	1	96		11
18	29	19	33	

FUBUKI

Complétez le jeu.
Placez les nombres manquants de façon à obtenir par additions successives le résultat de chaque colonne et rangée.

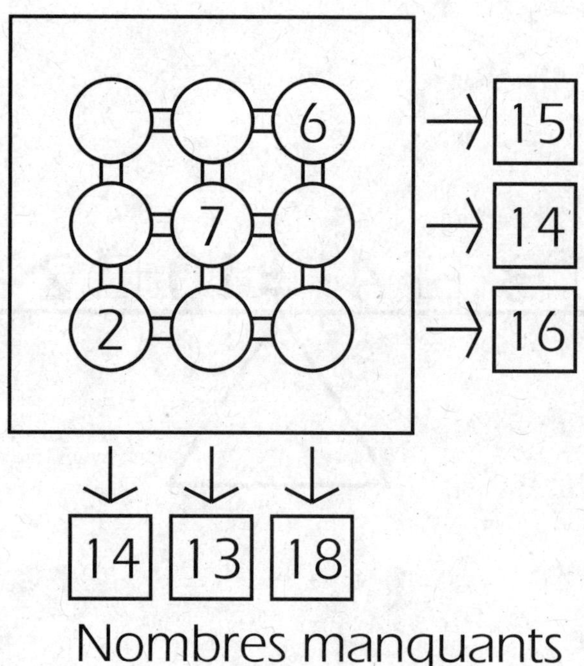

Nombres manquants
1 3 4 5 8 9

La BALANCE

Trouvez le nombre manquant.
Il suffit de placer dans les carré les signes « + » ou « – »
afin d'équilibrer les 2 plateaux de la balance.
Il n'exsite qu'une seule solution. Celle-ci peut être un nombre négatif.

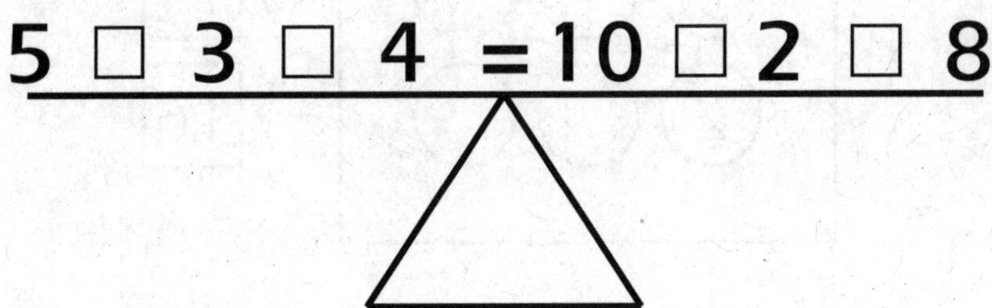

JOUR 127

Utilisez la SOUSTRACTION.
Trouvez deux nombres dont la différence égale le nombre-code et encerclez-les. Répétez cette opération jusqu'à ce qu'il ne reste que deux nombres. La somme de ces deux nombres réponse : **1462**

CODE : **938**

270	1225	308	1260	353	1121	290	1268	322	1103	40	1235
314	1339	84	1130	175	1243	285	1179	241	971	274	992
345	1247	74	1196	186	1329	256	1242	299	1124	153	1113
234	1362	73	1320	361	1258	222	1223	76	1034	145	1020
362	1226	94	1252	401	1208	121	1328	82	1115	110	1048
297	1300	135	978	355	1014	383	989	279	1217	304	1073
183	964	54	1299	188	1237	242	1032	165	1160	205	1321
56	1091	258	1022	26	1194	192	993	305	994	181	1283
356	1220	330	1119	105	1325	287	1095	424	1294	16	1172
382	1293	55	1228	237	1083	154	1059	177	1330	309	1246
236	1302	33	1143	392	1092	364	1043	96	1011	320	1180
387	1291	282	1175	157	1012	390	1126	391	1212	51	954

ÉTOILE

Complétez l'étoile avec les nombres manquants.
La somme de chaque ligne est égale à 26.

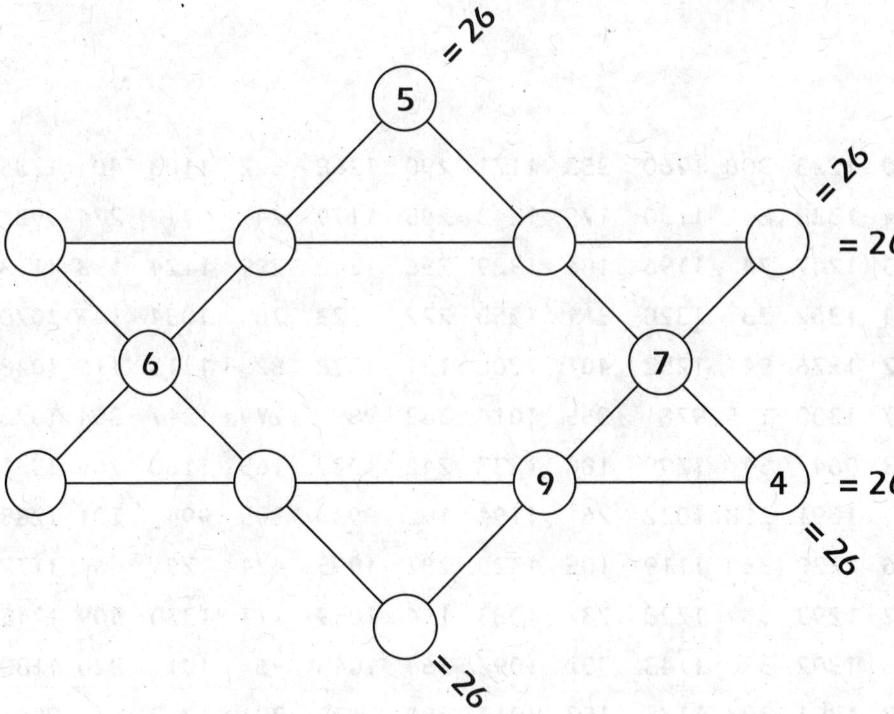

= 26

5

= 26

= 26

6

7

9

4

= 26

= 26

= 26

CARRÉ MYSTÈRE

Découvrez la valeur de chacun des symboles.
Les chiffres correspondent au total de chacune des rangées et des colonnes.

△	○	□		= 18
✧		□	△	= 8
✧	✧	○	□	= 21
△	△	✧	□	= 9
= 6	= 15	= 24	= 11	

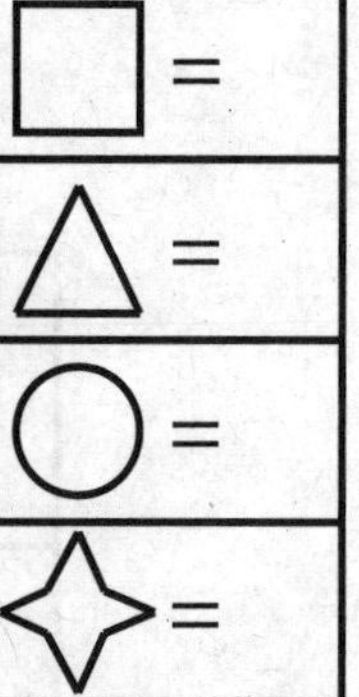

CARRÉ MAGIQUE

Complétez cette grille. La somme de chaque colonne et de chaque rangée est la même que la diagonale qui vous est donnée.

Chiffres à placer dans la grille

11 4

6 2

13	15		
		15	
	11	13	30
		30	30

LA PYRAMIDE

Complétez la pyramide avec les nombres manquants.Chaque brique contient la somme des deux cases situées en dessous de celle-ci.

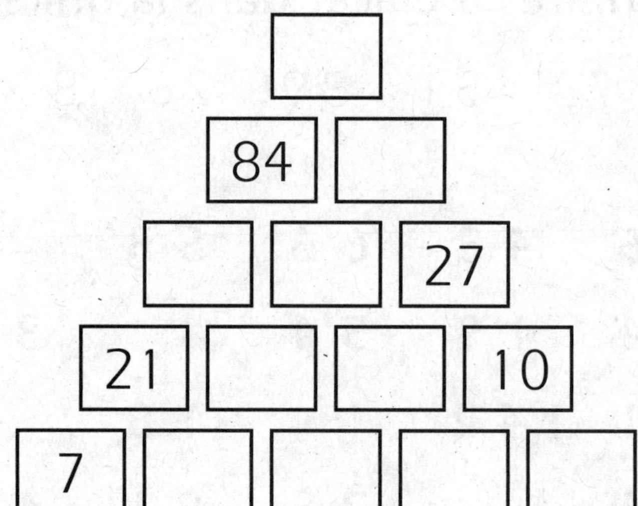

JOUR 132

LES TROUÉS

Complétez cette grille. La somme de chaque colonne et de chaque rangée est la même.

Chiffres à placer dans la grille :

73 51 39 26 8

66	43	66	53	
54	19	54		36
21	142		18	4
56		28	81	45
	6	37	11	143

FUBUKI

Complétez le jeu.
Placez les nombres manquants de façon à obtenir par additions successives le résultat de chaque colonne et rangée.

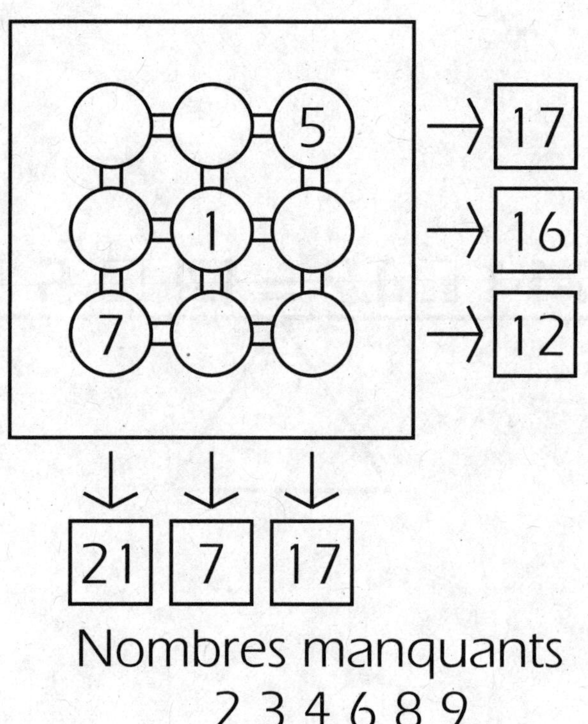

Nombres manquants
2 3 4 6 8 9

La BALANCE

Trouvez le nombre manquant.
Il suffit de placer dans les carré les signes «+» ou «–»
afin d'équilibrer les 2 plateaux de la balance.
Il n'exsite qu'une seule solution. Celle-ci peut être un nombre négatif.

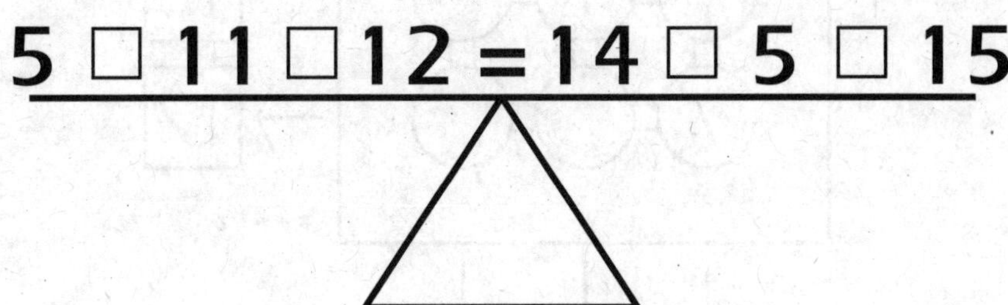

JOUR 135

Utilisez l'ADDITION.

Trouvez deux nombres dont la somme égale le nombre-code et encerclez-les. Répétez cette opération jusqu'à ce qu'il ne reste que deux nombres.

La somme de ces deux nombres réponse est : **1142**

CODE : **941**

350	883	173	771	146	849	370	518	354	750	345	837
429	726	352	523	256	768	260	856	411	588	163	757
346	596	105	875	194	795	49	902	415	888	167	616
270	669	93	509	378	591	53	571	272	512	54	773
360	581	244	526	373	915	314	892	418	916	71	870
215	553	385	503	324	595	388	617	92	910	353	903
191	568	58	707	357	541	184	545	30	697	376	630
90	587	338	772	72	589	250	720	311	774	118	570
168	603	396	869	432	670	25	685	325	911	438	565
371	671	423	681	39	836	31	691	289	563	407	530
420	627	234	887	170	778	221	747	66	848	26	652
104	556	85	851	169	584	400	823	239	534	271	521

ÉTOILE

Complétez l'étoile avec les nombres manquants.
La somme de chaque ligne est égale à 26.

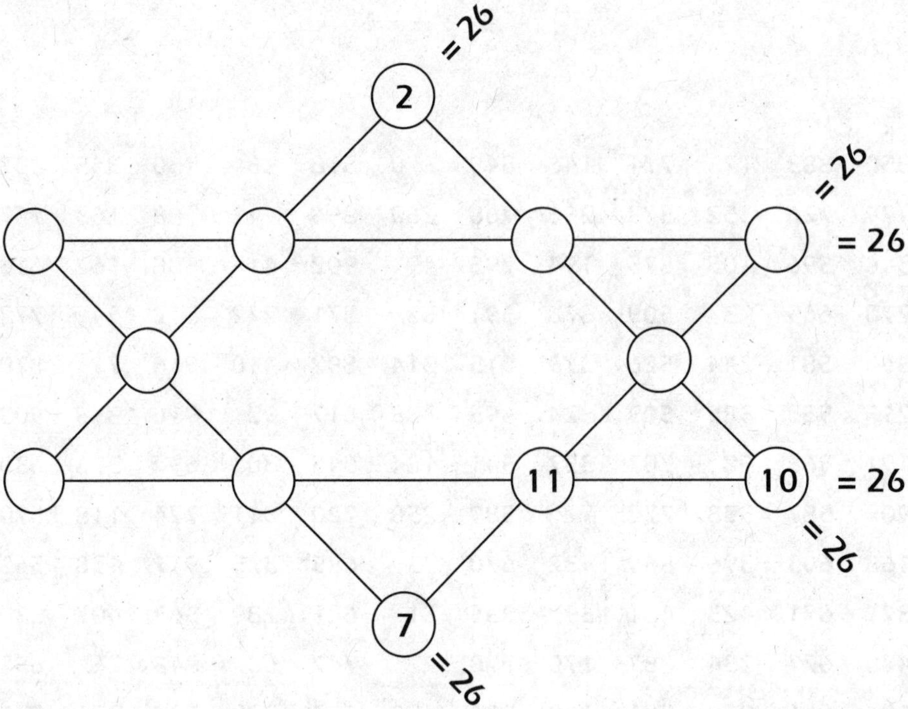

2

= 26

= 26

= 26

11 10 = 26

= 26

7

= 26

CARRÉ MYSTÈRE

Découvrez la valeur de chacun des symboles.
Les chiffres correspondent au total de chacune des rangées et des colonnes.

○	△	✧		= 21
□	○		△	= 32
✧	□	△	✧	= 29
○	△	△	✧	= 27
= 41	= 38	= 16	= 14	

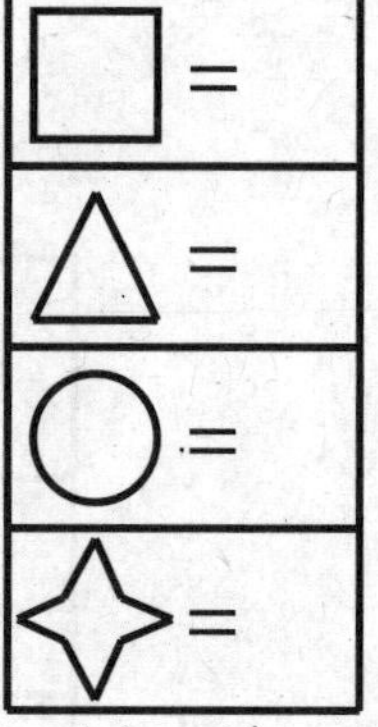

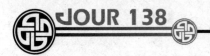

CARRÉ MAGIQUE

Complétez cette grille. La somme de chaque colonne et de chaque rangée est la même que la diagonale qui vous est donnée.

Chiffres à placer dans la grille

24 14
20 9
17 7

13		2	18	
	18		3	
5		14		
23	8		5	50
			50	50

LA PYRAMIDE

Complétez la pyramide avec les nombres manquants.Chaque brique contient la somme des deux cases situées en dessous de celle-ci.

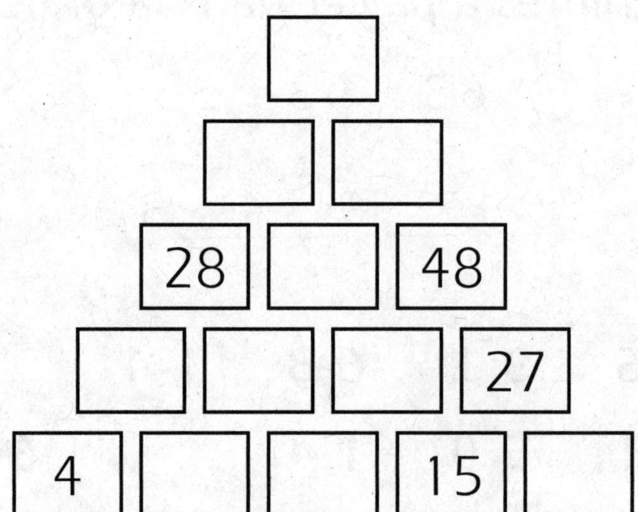

LES TROUÉS

Complétez cette grille. La somme de chaque colonne et de chaque rangée est la même.

Chiffres à placer dans la grille :

63 53 35

13 9 4 3

55	31	63	14	
71	50	14		60
18				51
50		32	66	41
	45	36	102	11

FUBUKI

Complétez le jeu.

Placez les nombres manquants de façon à obtenir par additions successives le résultat de chaque colonne et rangée.

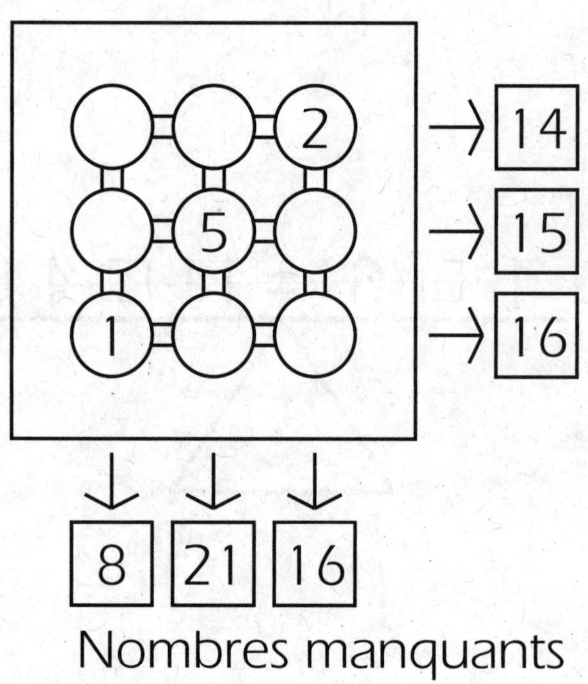

Nombres manquants

3 4 6 7 8 9

La BALANCE

Trouvez le nombre manquant.
Il suffit de placer dans les carré les signes « + » ou « – »
afin d'équilibrer les 2 plateaux de la balance.
Il n'exsite qu'une seule solution. Celle-ci peut être un nombre négatif.

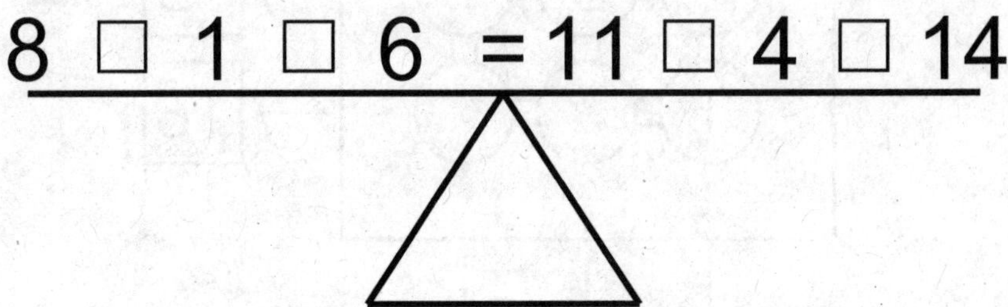

JOUR 143

Utilisez la SOUSTRACTION.
Trouvez deux nombres dont la différence égale le nombre-code et encerclez-les. Répétez cette opération jusqu'à ce qu'il ne reste que deux nombres. La somme de ces deux nombres réponse : **1763**

CODE : **942**

187	1080	433	1373	19	1165	255	982	223	1237	108	1021
111	1197	145	1375	80	1337	20	1336	53	1098	24	1139
84	1348	295	1145	63	1295	156	1268	148	978	87	995
326	1057	62	969	353	1282	204	1326	44	1300	358	1228
319	1070	43	1018	372	1129	128	1111	259	980	169	1117
197	1286	76	1143	436	1050	138	1005	75	1146	340	1010
394	1128	127	1022	27	1201	373	958	94	1318	61	977
213	1378	406	985	216	1261	261	1100	395	1131	431	1314
79	1090	115	961	36	1259	308	962	175	1087	317	1155
376	1250	193	1004	203	1315	189	1180	137	986	344	1384
238	1069	186	1029	286	966	158	1135	38	1158	442	1079
201	1053	35	1203	16	1003	40	1036	437	1026	68	1017

ÉTOILE

Complétez l'étoile avec les nombres manquants.
La somme de chaque ligne est égale à 26.

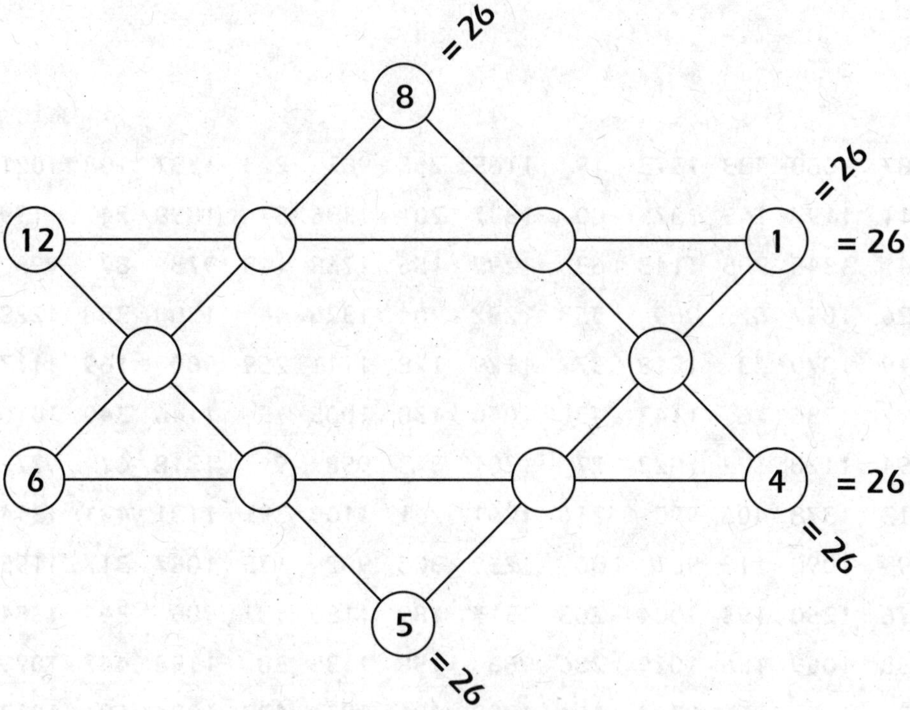

= 26

8

= 26

12 1 = 26

6 4 = 26

= 26

5

= 26

CARRÉ MYSTÈRE

Découvrez la valeur de chacun des symboles. Les chiffres correspondent au total de chacune des rangées et des colonnes.

✦		△	□	= 18
	○	△	□	= 24
○	□	✦	○	= 34
○	○	□	△	= 33
=	=	=	=	
21	31	20	37	

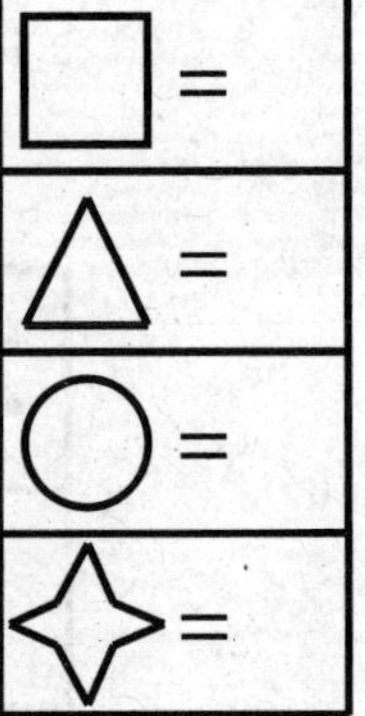

CARRÉ MAGIQUE

Complétez cette grille. La somme de chaque colonne et de chaque rangée est la même que la diagonale qui vous est donnée.

Chiffres à placer dans la grille

22	6
12	6
10	5

24	1		15	
		22	7	
10		8		
7	27		2	46
			46	46

LA PYRAMIDE

Complétez la pyramide avec les nombres manquants.Chaque brique contient la somme des deux cases situées en dessous de celle-ci.

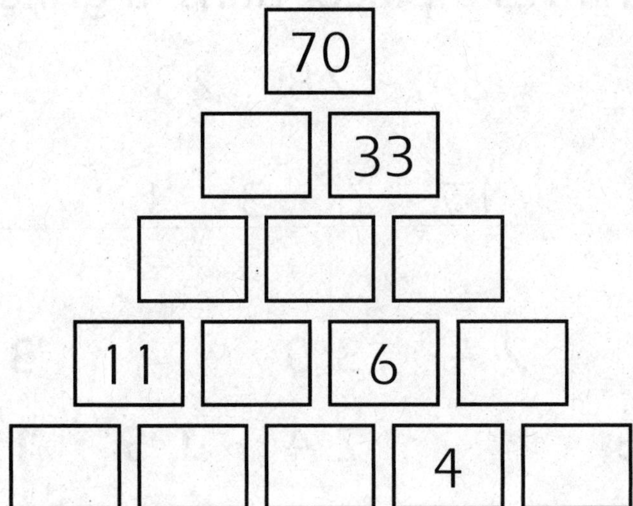

LES TROUÉS

Complétez cette grille. La somme de chaque colonne et de chaque rangée est la même.

Chiffres à placer dans la grille :

37 28 23

17 6 3 1

	24	30		31
35		24	15	18
	45	41	15	5
	6		33	27
11	17	8	45	

FUBUKI

Complétez le jeu.
Placez les nombres manquants de façon à obtenir par additions successives le résultat de chaque colonne et rangée.

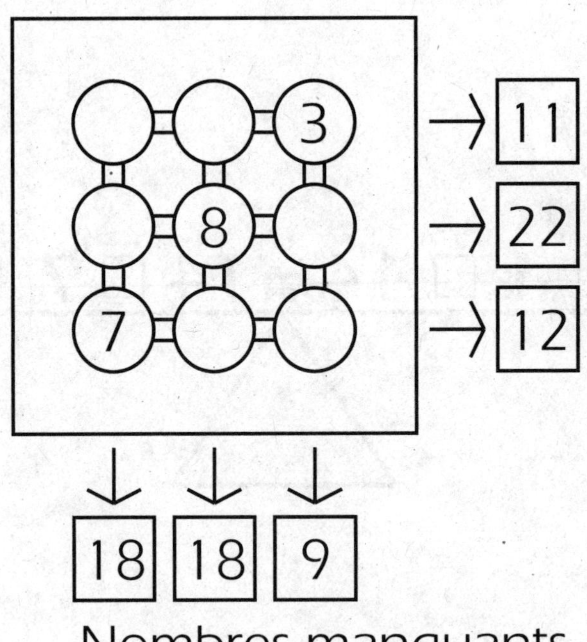

Nombres manquants
1 2 4 5 6 9

La BALANCE

Trouvez le nombre manquant.
Il suffit de placer dans les carré les signes « + » ou « – »
afin d'équilibrer les 2 plateaux de la balance.
Il n'exsite qu'une seule solution. Celle-ci peut être un nombre négatif.

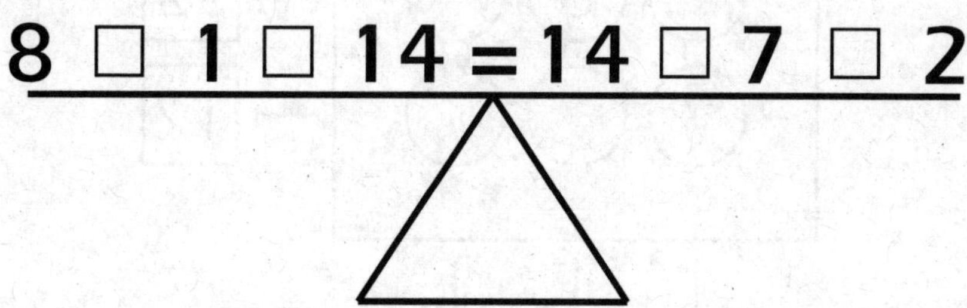

Utilisez l'ADDITION.

Trouvez deux nombres dont la somme égale le nombre-code et encerclez-les. Répétez cette opération jusqu'à ce qu'il ne reste que deux nombres.

La somme de ces deux nombres réponse est : **1292**

CODE : **945**

72	691	343	710	199	714	160	923	258	672	433	726
172	602	177	928	405	722	53	699	54	580	193	518
365	628	235	506	195	764	248	791	175	687	357	753
120	689	142	902	242	801	341	541	227	770	317	813
192	572	246	762	132	816	219	746	439	613	17	711
231	846	129	554	392	632	313	891	362	645	131	814
181	718	438	696	223	512	249	652	43	588	154	900
399	768	421	611	112	747	334	788	183	657	232	841
198	833	305	773	404	908	300	583	332	640	99	524
256	803	257	825	144	546	37	697	49	507	234	896
254	752	427	873	391	540	104	750	22	688	102	843
373	670	157	892	293	703	273	604	275	713	288	785

ÉTOILE

Complétez l'étoile avec les nombres manquants.
La somme de chaque ligne est égale à 26.

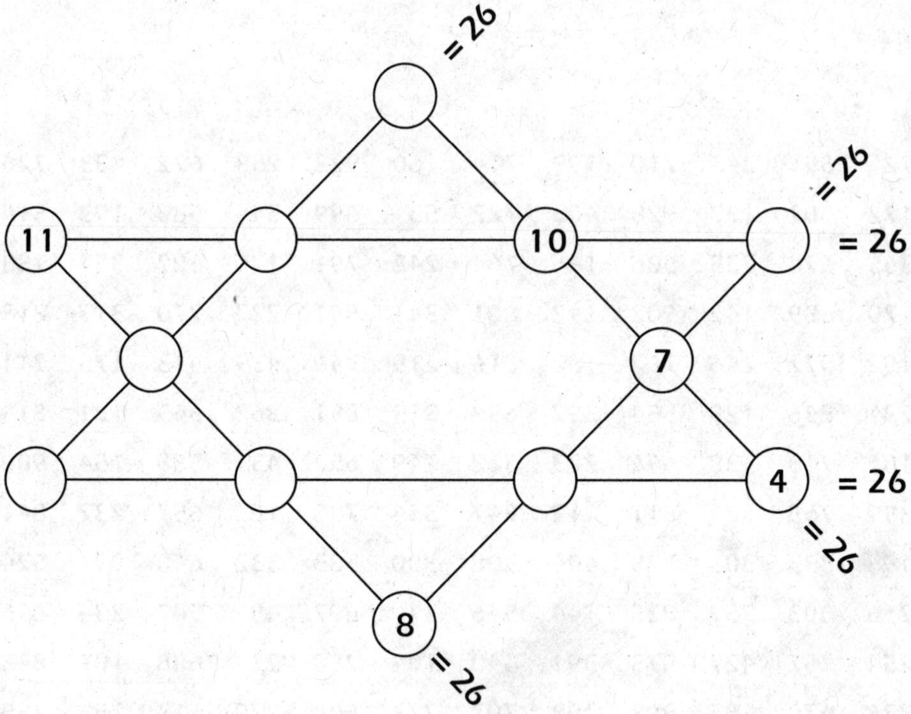

11, 10, 7, 4, 8

= 26
= 26
= 26
= 26
= 26
= 26

CARRÉ MYSTÈRE

Découvrez la valeur de chacun des symboles.
Les chiffres correspondent au total de chacune des rangées et des colonnes.

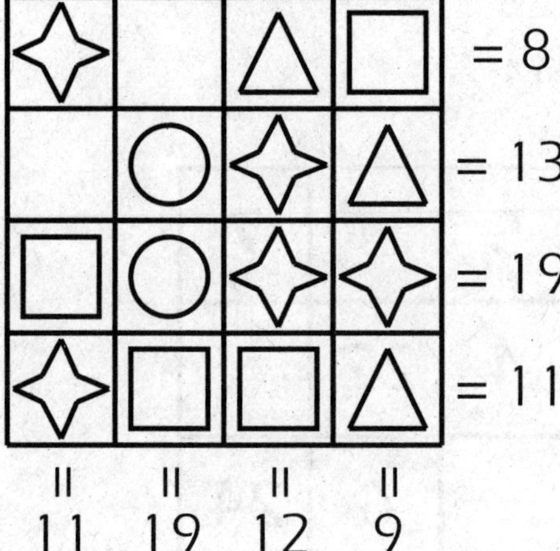

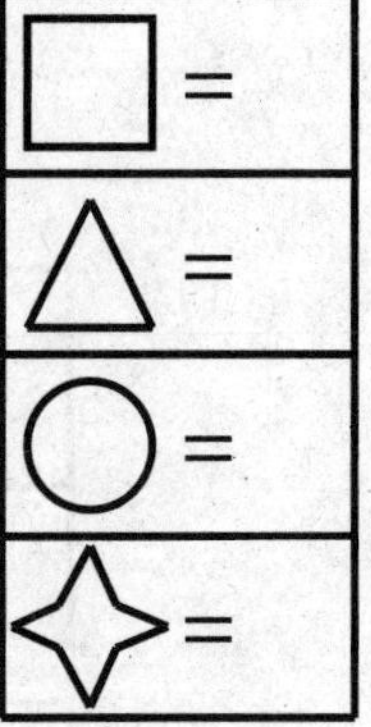

CARRÉ MAGIQUE

Complétez cette grille. La somme de chaque colonne et de chaque rangée est la même que la diagonale qui vous est donnée.

Chiffres à placer dans la grille

30 12

23 9

14 1

	5		7	
19	4	22		
		6	24	
4	22		14	54
			54	54

LA PYRAMIDE

Complétez la pyramide avec les nombres manquants.Chaque brique contient la somme des deux cases situées en dessous de celle-ci.

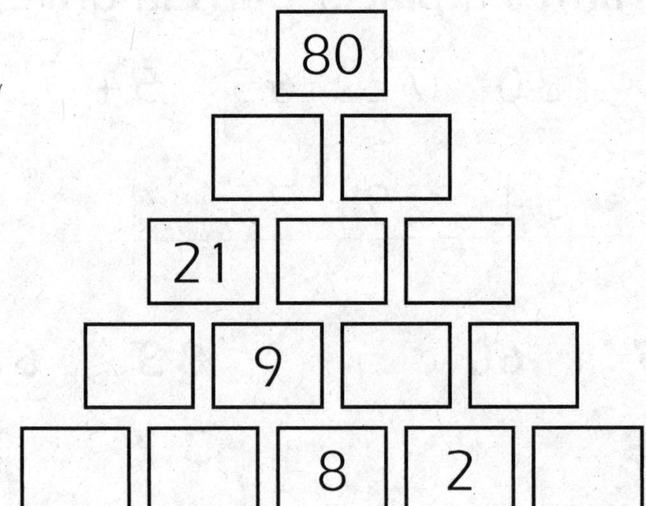

LES TROUÉS

Complétez cette grille. La somme de chaque colonne et de chaque rangée est la même.

Chiffres à placer dans la grille :

130 72 65 54

54 29 23 6

7	60		83	60
168			37	7
6	105			82
29	6		27	
	64	51	52	43

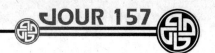

FUBUKI

Complétez le jeu.
Placez les nombres manquants de façon à obtenir par additions successives le résultat de chaque colonne et rangée.

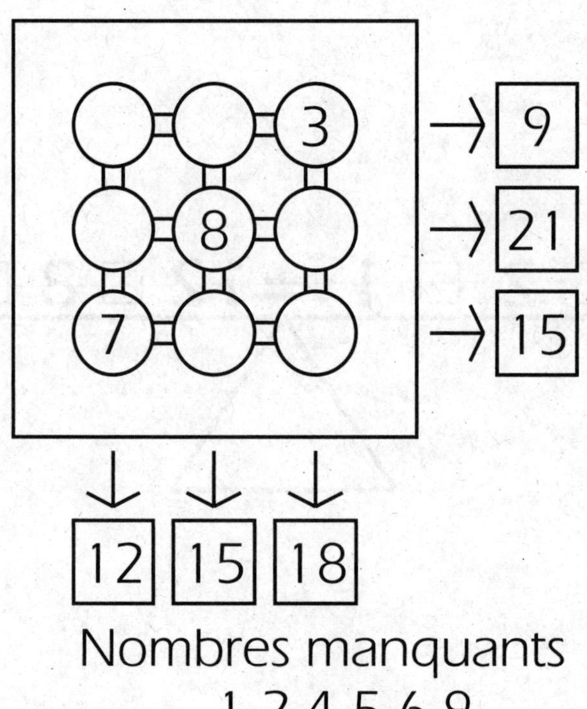

La BALANCE

Trouvez le nombre manquant.
Il suffit de placer dans les carré les signes « + » ou « – »
afin d'équilibrer les 2 plateaux de la balance.
Il n'exsite qu'une seule solution. Celle-ci peut être un nombre négatif.

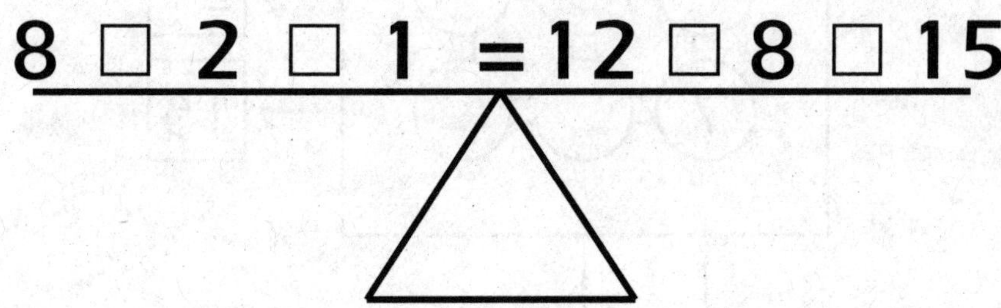

JOUR 159

Utilisez la SOUSTRACTION.
Trouvez deux nombres dont la différence égale le nombre-code et encerclez-les. Répétez cette opération jusqu'à ce qu'il ne reste que deux nombres. La somme de ces deux nombres réponse : **1230**

CODE : **944**

233	982	384	1114	441	1096	152	1002	292	1170	58	1385
425	1284	124	1177	119	1305	342	1349	343	1362	106	1171
146	1015	355	970	444	1221	304	1049	148	1236	303	1069
278	1234	136	1228	296	1225	71	1123	83	1384	388	1092
173	1157	179	1299	39	1329	300	1388	410	1287	421	1369
224	1047	281	1353	157	1244	93	1063	105	1136	411	1374
38	1240	125	1248	192	1080	418	1097	116	995	385	1286
110	1050	227	1328	115	1009	65	1189	290	1059	430	1365
361	1168	285	1267	445	1090	277	1242	434	1332	103	1117
73	1054	153	1354	323	1068	41	1017	26	1037	243	1116
440	983	213	1247	172	1027	409	1229	245	1355	405	1107
226	1101	163	1378	340	1187	284	1389	298	1222	51	985

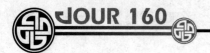

ÉTOILE

Complétez l'étoile avec les nombres manquants.
La somme de chaque ligne est égale à 26.

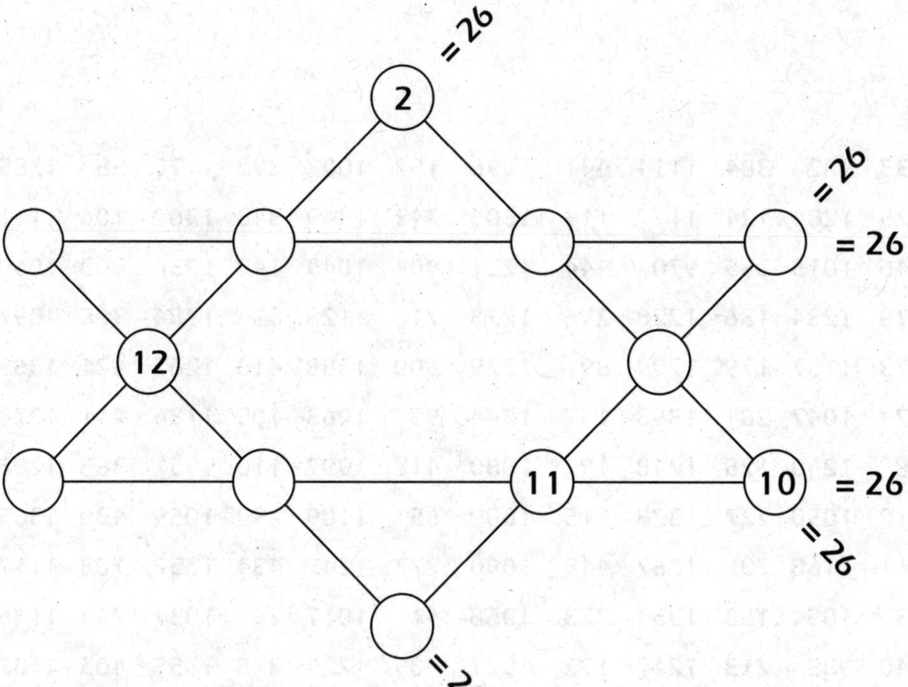

2

= 26

= 26

= 26

12

11

10

= 26

= 26

= 26

CARRÉ MYSTÈRE

Découvrez la valeur de chacun des symboles.
Les chiffres correspondent au total de chacune des rangées et des colonnes.

✧		□	○	= 16
○	✧	△		= 20
△	✧	△	□	= 43
✧	△	○	△	= 35
= 22	= 19	= 44	= 29	

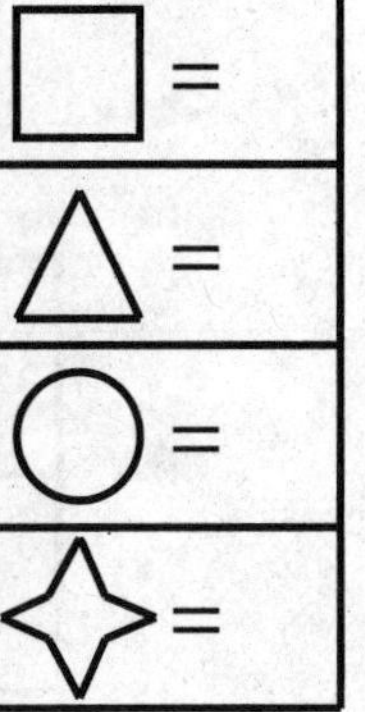

CARRÉ MAGIQUE

Complétez cette grille. La somme de chaque colonne et de chaque rangée est la même que la diagonale qui vous est donnée.

Chiffres à placer dans la grille

28 12

16 11

15 3

7			4	
2	9			
	1	4	5	
1	16		18	38
			38	38

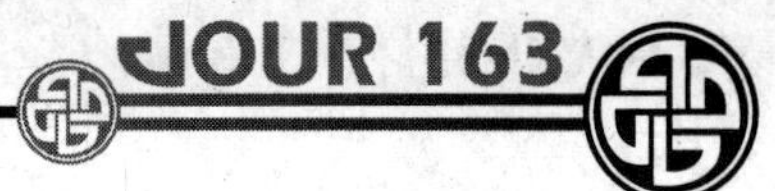

LA PYRAMIDE

Complétez la pyramide avec les nombres manquants.Chaque brique contient la somme des deux cases situées en dessous de celle-ci.

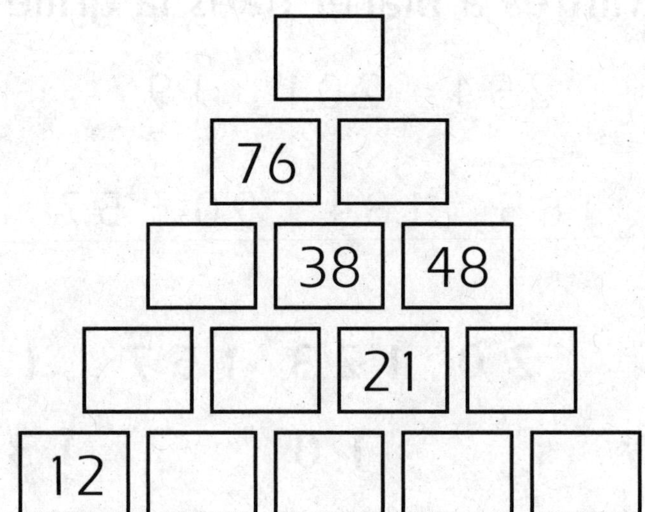

LES TROUÉS

Complétez cette grille. La somme de chaque colonne et de chaque rangée est la même.

Chiffres à placer dans la grille :

254 201 197

185 184 90 57

	20	123	157	15
69		10		134
20	212		36	48
127		66		49
99	14	117	16	

FUBUKI

Complétez le jeu.
Placez les nombres manquants de façon à obtenir par additions successives le résultat de chaque colonne et rangée.

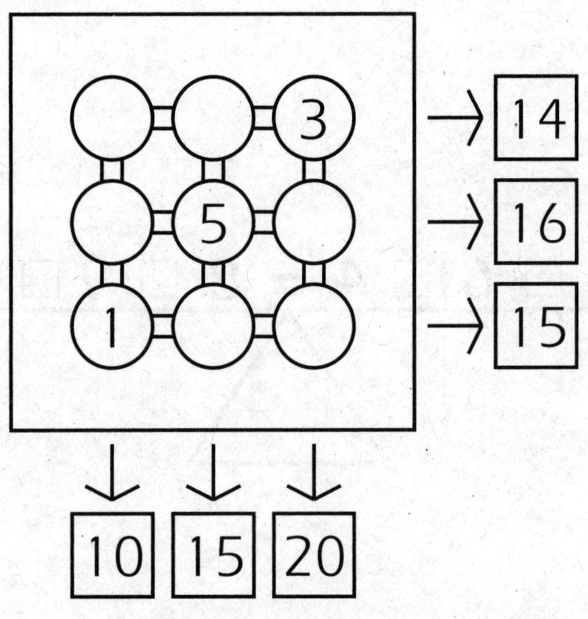

Nombres manquants
2 4 6 7 8 9

La BALANCE

Trouvez le nombre manquant.
Il suffit de placer dans les carré les signes « + » ou « – »
afin d'équilibrer les 2 plateaux de la balance.
Il n'exsite qu'une seule solution. Celle-ci peut être un nombre négatif.

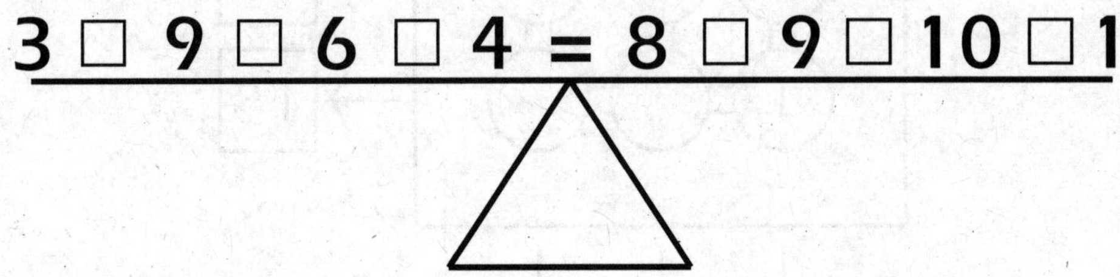

Utilisez l'ADDITION.

Trouvez deux nombres dont la somme égale le nombre-code et encerclez-les. Répétez cette opération jusqu'à ce qu'il ne reste que deux nombres.

La somme de ces deux nombres réponse est : **873**

CODE : **947**

38	894	72	828	56	771	94	645	215	917	232	502
222	629	210	911	200	881	77	647	183	853	202	586
121	581	164	503	361	660	286	768	206	873	346	846
229	891	319	530	423	628	307	843	95	750	445	732
120	524	22	589	179	576	235	925	416	745	287	661
139	682	114	712	197	833	336	926	271	611	66	676
30	640	304	909	358	659	75	506	267	601	101	708
265	852	119	523	21	737	90	741	153	920	27	715
74	764	104	872	318	808	300	826	53	823	252	531
36	801	51	646	124	695	288	585	417	847	366	827
362	500	301	680	444	783	302	875	447	896	176	644
100	725	146	870	441	857	371	747	424	794	239	643

ÉTOILE

Complétez l'étoile avec les nombres manquants.
La somme de chaque ligne est égale à 26.

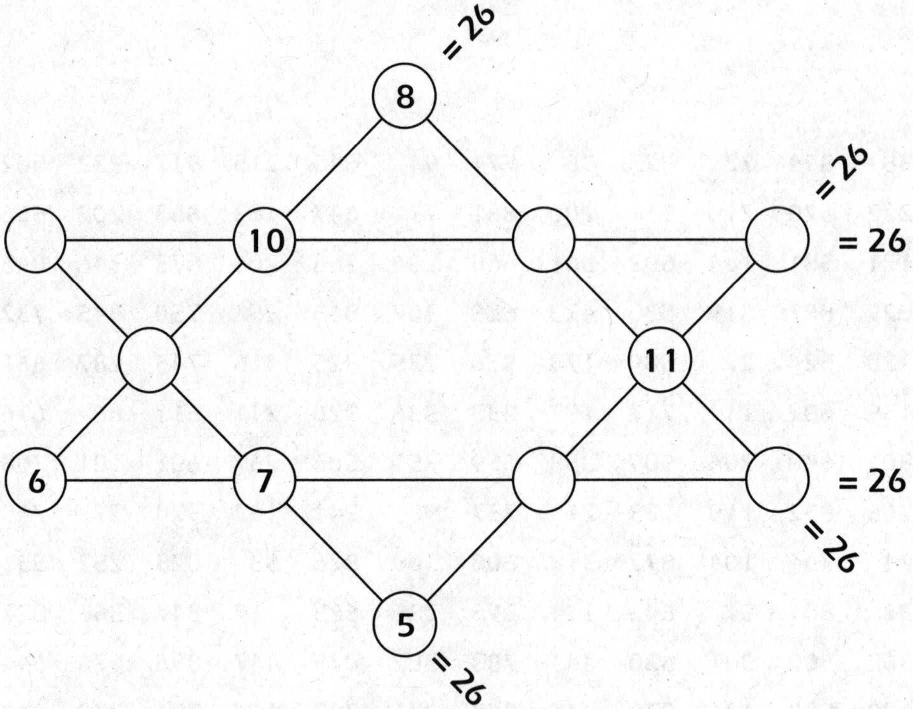

= 26

8

= 26

10 = 26

11

6 7 = 26

= 26

5

= 26

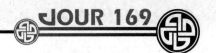

CARRÉ MYSTÈRE

Découvrez la valeur de chacun des symboles. Les chiffres correspondent au total de chacune des rangées et des colonnes.

	✧	△	□	= 20
○	□		✧	= 31
△	□	△	○	= 22
✧	△	□	✧	= 31
= 24	= 28	= 10	= 42	

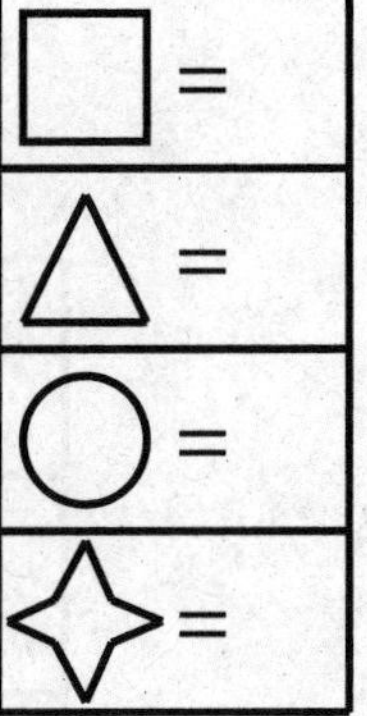

CARRÉ MAGIQUE

Complétez cette grille. La somme de chaque colonne et de chaque rangée est la même que la diagonale qui vous est donnée.

Chiffres à placer dans la grille

14 5

13 1

12 0

8	6		8	
	10	4	1	
	10	4		
7			5	27
			27	27

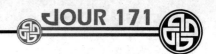

LA PYRAMIDE

Complétez la pyramide avec les nombres manquants. Chaque brique contient la somme des deux cases situées en dessous de celle-ci.

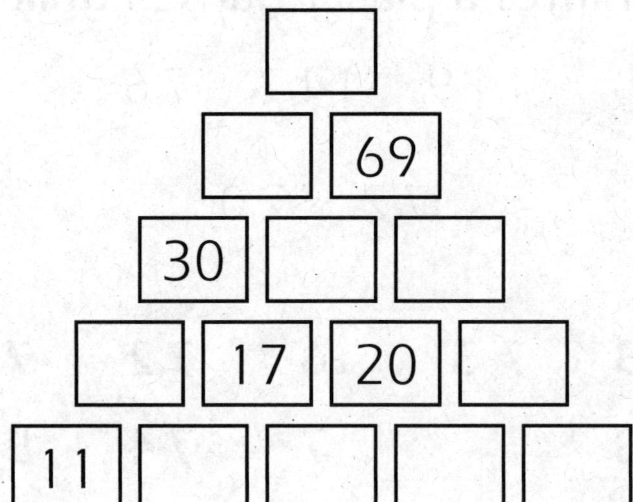

LES TROUÉS

Complétez cette grille. La somme de chaque colonne et de chaque rangée est la même.

Chiffres à placer dans la grille :

119 117 76

72 20

73	73	6	72	72
43		7	74	55
77	46	95	2	76
83	1	119	65	28
	59	69	83	65

FUBUKI

Complétez le jeu.
Placez les nombres manquants de façon à obtenir par additions successives le résultat de chaque colonne et rangée.

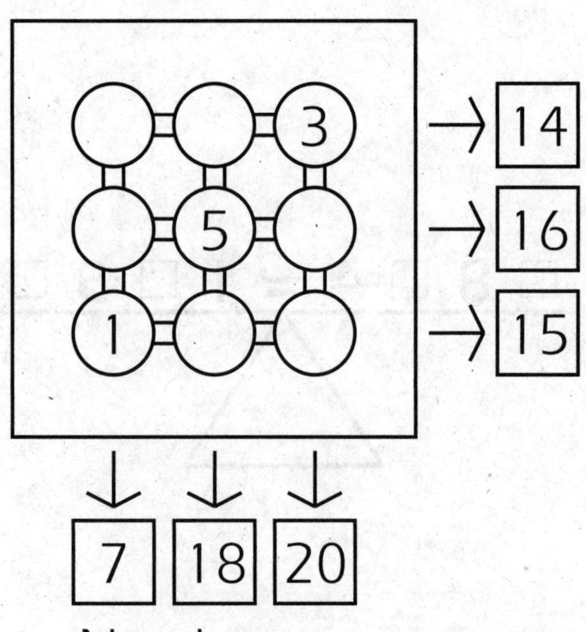

Nombres manquants
2 4 6 7 8 9

La BALANCE

Trouvez le nombre manquant.
Il suffit de placer dans les carré les signes « + » ou « – »
afin d'équilibrer les 2 plateaux de la balance.
Il n'exsite qu'une seule solution. Celle-ci peut être un nombre négatif.

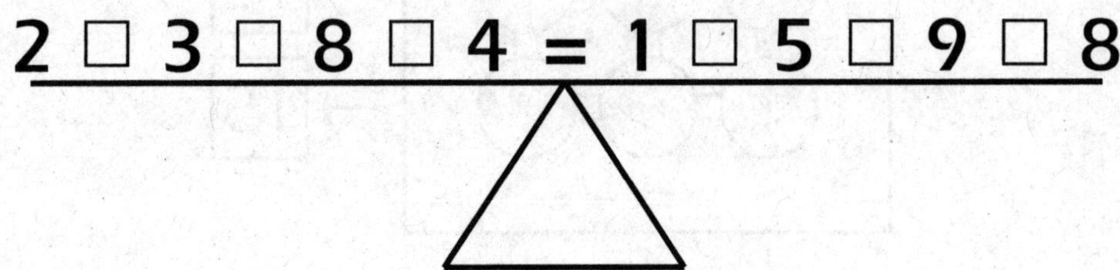

JOUR 175

Utilisez la SOUSTRACTION.
Trouvez deux nombres dont la différence égale le nombre-code et encerclez-les. Répétez cette opération jusqu'à ce qu'il ne reste que deux nombres. La somme de ces deux nombres réponse : **1269**

CODE : **946**

125	1114	262	1141	239	1228	75	1134	103	1170	225	1387
222	1311	305	1043	197	1051	450	1386	193	1211	56	1095
265	1139	333	1208	68	1143	48	1374	224	1083	442	1233
440	994	134	1049	258	1281	102	1231	211	1021	47	1204
354	1120	210	989	424	1380	105	1291	342	1067	97	1025
137	969	446	1110	164	1156	169	1253	168	1185	219	1115
37	1303	195	1171	338	983	278	1165	22	1392	428	1275
162	1108	175	993	174	1080	441	1121	163	1079	152	1002
140	1169	434	1370	23	1157	43	1168	32	1048	149	1270
121	1086	329	1372	357	1251	345	1279	287	1284	79	961
426	1300	15	1224	335	1109	307	1333	223	978	188	968
365	1201	282	1388	133	1098	285	1071	387	1396	324	1288

JOUR 176

ÉTOILE

Complétez l'étoile avec les nombres manquants.
La somme de chaque ligne est égale à 26.

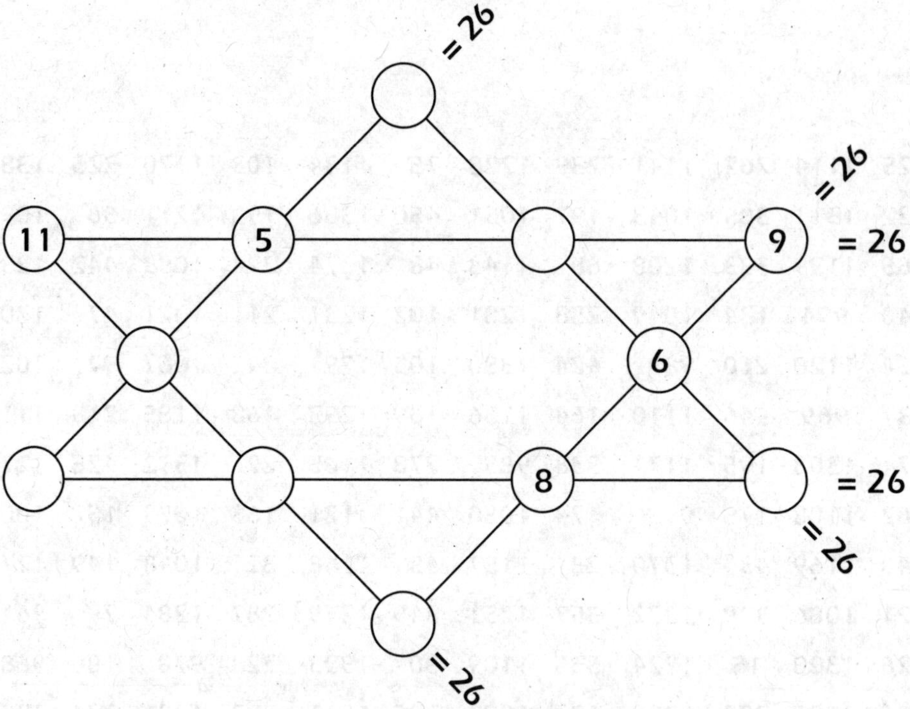

= 26

= 26

11 5 9 = 26

6

8 = 26

= 26

= 26

CARRÉ MYSTÈRE

Découvrez la valeur de chacun des symboles.
Les chiffres correspondent au total de chacune des rangées et des colonnes.

	✦	△	○	= 33
□		✦	○	= 27
△	✦	△	□	= 40
○	△	○	✦	= 48
= 37	= 22	= 47	= 42	

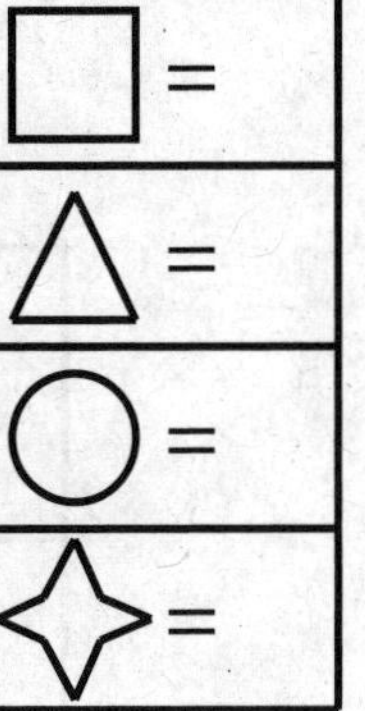

CARRÉ MAGIQUE

Complétez cette grille. La somme de chaque colonne et de chaque rangée est la même que la diagonale qui vous est donnée.

Chiffres à placer dans la grille

4 10

6 12

10	8		
		8	
2	12		24
		24	24

LA PYRAMIDE

Complétez la pyramide avec les nombres manquants. Chaque brique contient la somme des deux cases situées en dessous de celle-ci.

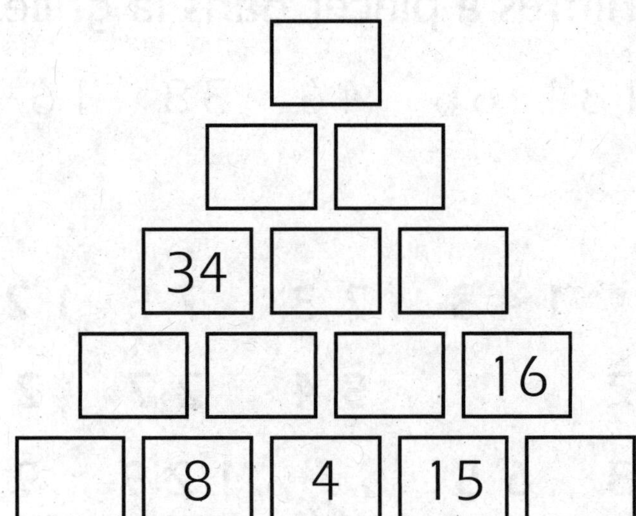

JOUR 180

LES TROUÉS

Complétez cette grille. La somme de chaque colonne et de chaque rangée est la même.

Chiffres à placer dans la grille :

184 66 46 38 16

	143	73	75	129
142		54	27	29
113	65		129	91
19	32	218		121
146	12	53	159	

FUBUKI

Complétez le jeu.
Placez les nombres manquants de façon à obtenir par additions successives le résultat de chaque colonne et rangée.

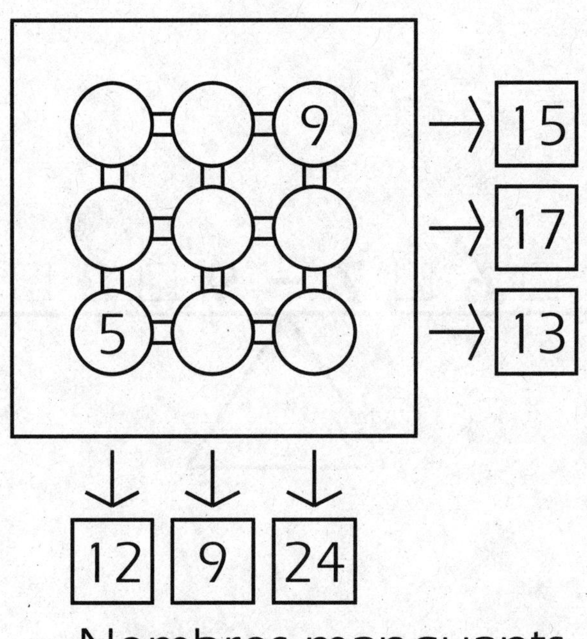

Nombres manquants
1 2 3 4 6 7 8

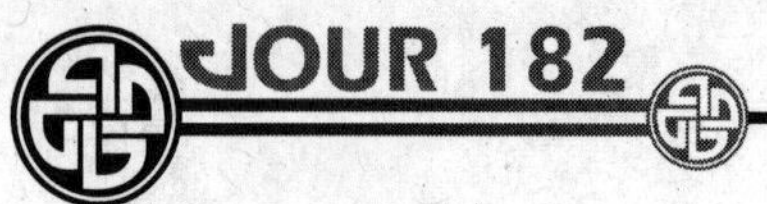

La BALANCE

Trouvez le nombre manquant.
Il suffit de placer dans les carré les signes « + » ou « – »
afin d'équilibrer les 2 plateaux de la balance.
Il n'exsite qu'une seule solution. Celle-ci peut être un nombre négatif.

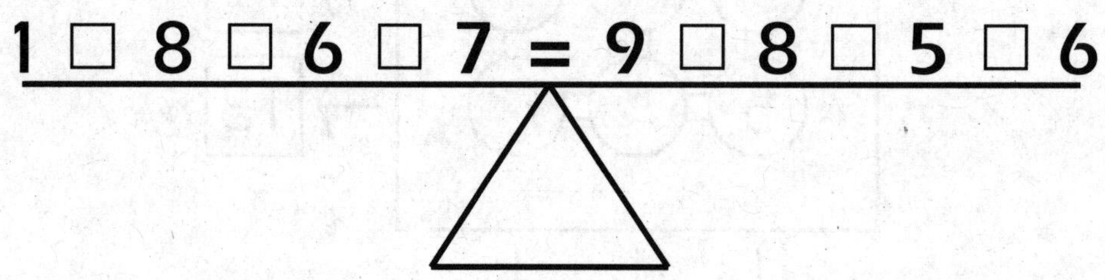

Utilisez l'ADDITION.

Trouvez deux nombres dont la somme égale le nombre-code et encerclez-les. Répétez cette opération jusqu'à ce qu'il ne reste que deux nombres.

La somme de ces deux nombres réponse est : **1046**

CODE : **949**

319	845	323	544	358	790	405	927	143	692	257	625
203	641	215	718	420	777	422	508	41	793	104	603
441	908	157	859	380	794	119	724	378	822	331	630
123	614	375	816	22	597	324	667	352	882	207	613
87	573	232	569	67	529	308	581	225	554	84	556
283	618	254	666	82	615	445	691	444	606	318	695
395	746	336	527	289	534	179	584	171	716	133	778
90	717	159	631	282	862	368	867	365	846	440	604
127	574	334	886	338	763	172	675	103	571	346	801
393	881	436	826	231	806	415	902	148	839	110	660
47	505	258	626	233	513	155	504	376	865	186	792
63	830	345	611	68	734	156	770	335	742	274	591

JOUR 184

ÉTOILE

Complétez l'étoile avec les nombres manquants.
La somme de chaque ligne est égale à 26.

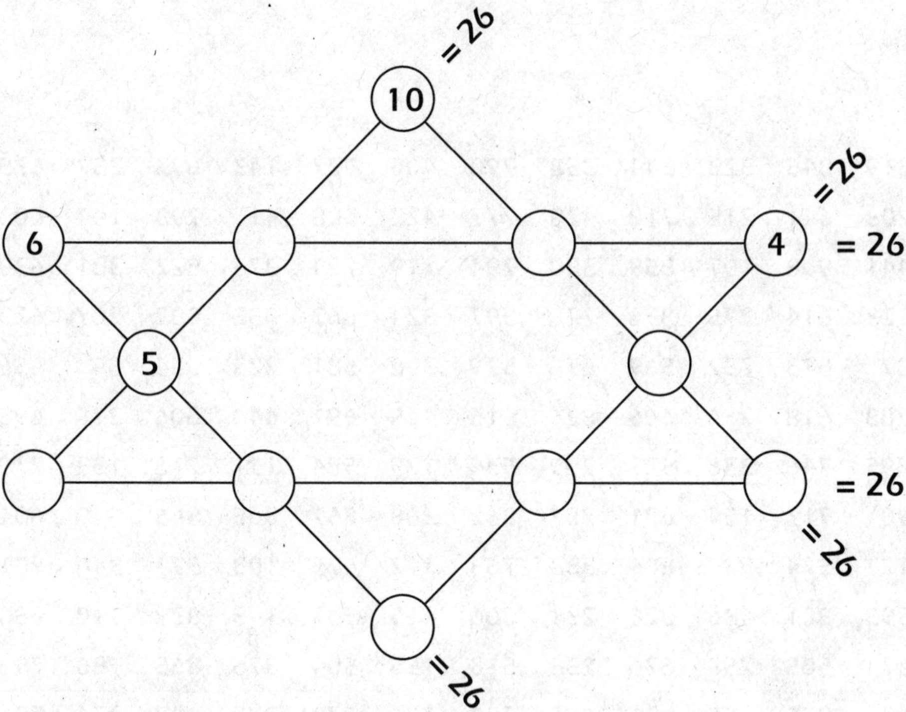

= 26

10

= 26

6

4 = 26

5

= 26

= 26

= 26

CARRÉ MYSTÈRE

Découvrez la valeur de chacun des symboles.
Les chiffres correspondent au total de chacune des rangées et des colonnes.

	✦	△	○	= 25
○		✦	□	= 20
□	□	✦	△	= 27
△	✦	○	○	= 29
= 15	= 29	= 38	= 19	

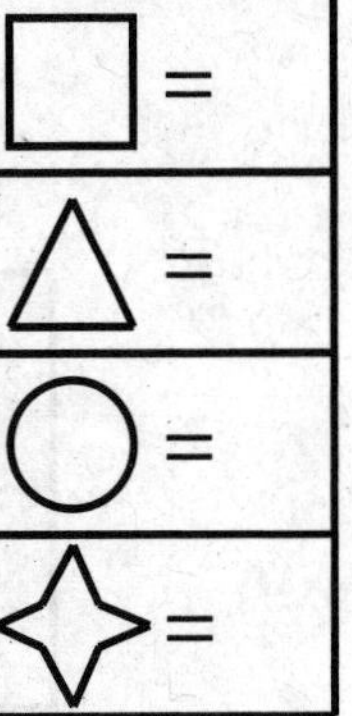

CARRÉ MAGIQUE

Complétez cette grille. La somme de chaque colonne et de chaque rangée est la même que la diagonale qui vous est donnée.

Chiffres à placer dans la grille

22 13
20 10
20 8

10	9		27	
		28	3	
23	25			
	10	10	26	66
			66	66

LA PYRAMIDE

Complétez la pyramide avec les nombres manquants. Chaque brique contient la somme des deux cases situées en dessous de celle-ci.

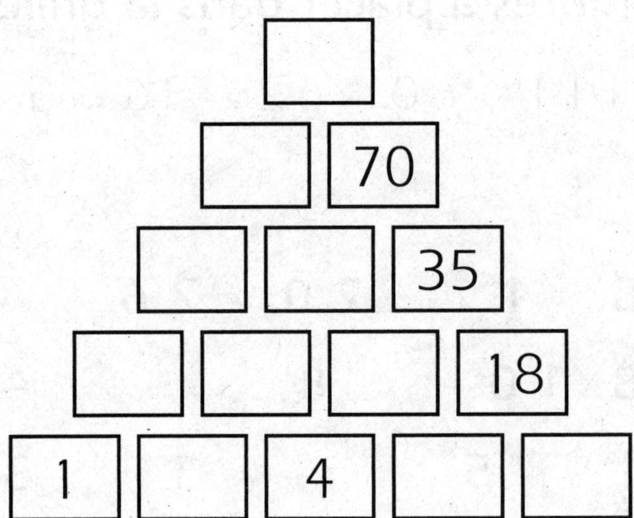

LES TROUÉS

Complétez cette grille. La somme de chaque colonne et de chaque rangée est la même.

Chiffres à placer dans la grille :

111 60 52 36 5

78	11	20	26	
28	101	8		45
21	5		11	39
24		28	63	12
	10	20	82	39

FUBUKI

Complétez le jeu.
Placez les nombres manquants de façon à obtenir par additions successives le résultat de chaque colonne et rangée.

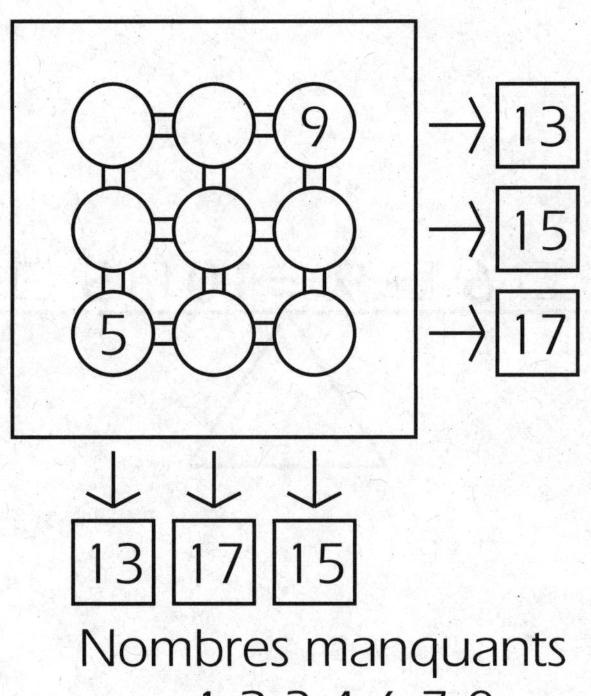

Nombres manquants
1 2 3 4 6 7 8

La BALANCE

Trouvez le nombre manquant.
Il suffit de placer dans les carré les signes « + » ou « – »
afin d'équilibrer les 2 plateaux de la balance.
Il n'exsite qu'une seule solution. Celle-ci peut être un nombre négatif.

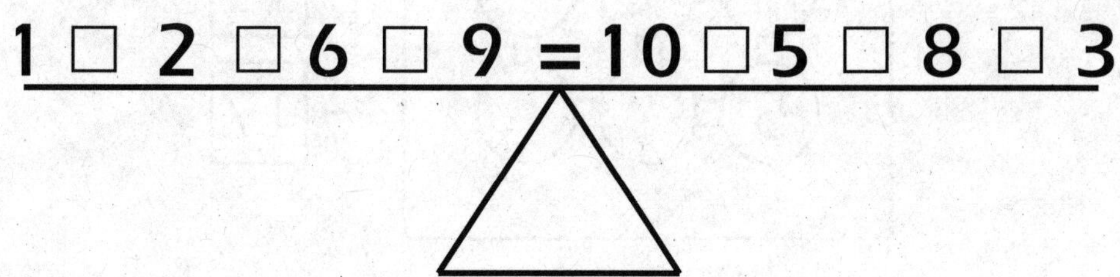

JOUR 191

Utilisez la SOUSTRACTION.

Trouvez deux nombres dont la différence égale le nombre-code et encerclez-les. Répétez cette opération jusqu'à ce qu'il ne reste que deux nombres. La somme de ces deux nombres réponse : **1149**

CODE : **950**

81	1386	112	1153	84	1210	272	1030	59	966	126	1135
15	1376	37	1046	304	1225	398	1193	167	1254	185	1300
293	1033	204	1076	426	1208	387	1034	247	1296	372	1197
405	1018	202	1082	80	1211	55	1186	441	1222	215	1000
274	1294	172	1394	260	1155	403	1068	161	1322	67	969
343	1156	360	1372	362	1077	58	1243	444	1337	227	1190
258	1293	132	1111	96	1134	191	1122	108	1062	261	1017
127	1009	243	1117	206	1177	236	1154	198	1349	16	1353
344	1005	350	1058	346	1141	184	1165	83	986	153	1391
436	1355	203	1008	240	1182	342	987	68	981	233	1292
197	1348	422	1183	31	1224	36	1310	399	1253	19	1148
205	1147	303	1012	62	1312	232	1152	50	1103	275	965

ÉTOILE

Complétez l'étoile avec les nombres manquants.
La somme de chaque ligne est égale à 26.

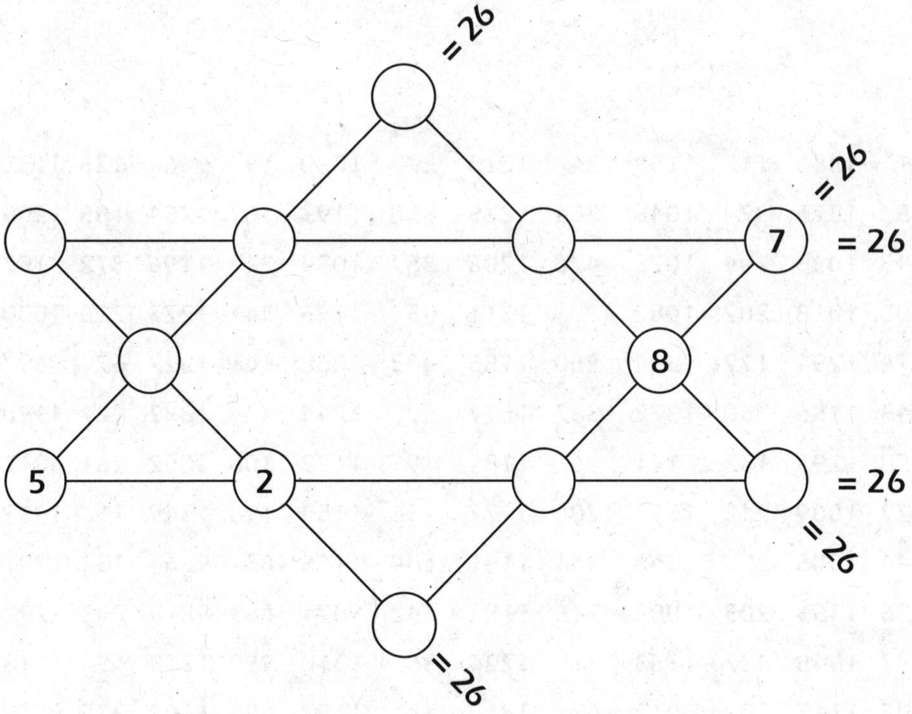

= 26

= 26

7 = 26

8

5 2 = 26

= 26

= 26

CARRÉ MYSTÈRE

Découvrez la valeur de chacun des symboles.
Les chiffres correspondent au total de chacune des rangées et des colonnes.

	✦	○	□	= 26
△	□		✦	= 14
□	□	△	○	= 22
□	△	✦	✦	= 23
= 9	= 18	= 23	= 35	

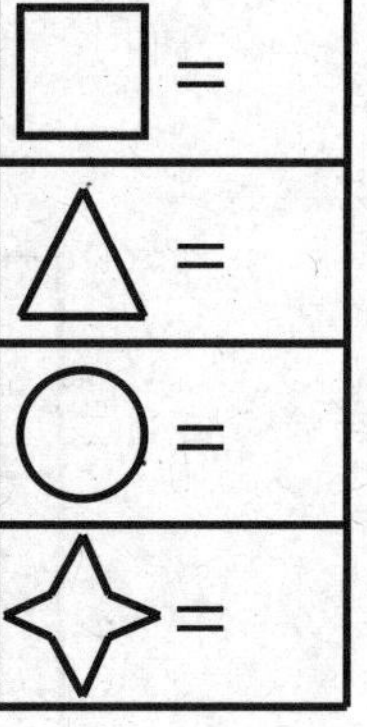

CARRÉ MAGIQUE

Complétez cette grille. La somme de chaque colonne et de chaque rangée est la même que la diagonale qui vous est donnée.

Chiffres à placer dans la grille

22	8
21	5
15	4

			11	
15	0	7		
	23	14	2	
3	17		9	44
			44	44

LA PYRAMIDE

Complétez la pyramide avec les nombres manquants. Chaque brique contient la somme des deux cases situées en dessous de celle-ci.

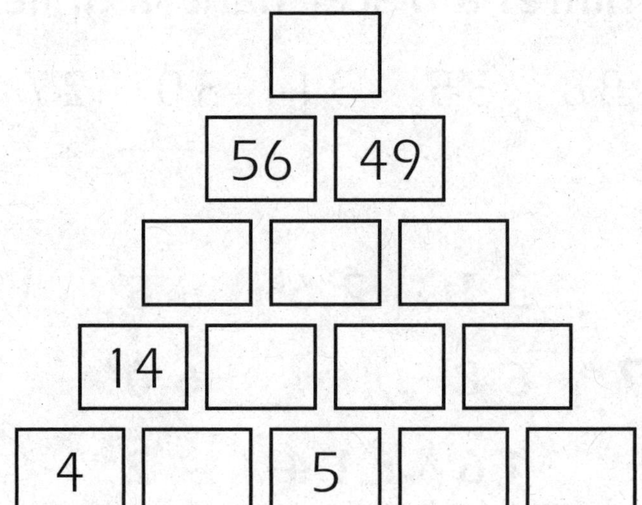

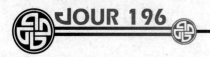

LES TROUÉS

Complétez cette grille. La somme de chaque colonne et de chaque rangée est la même.

Chiffres à placer dans la grille :

88 35 31 30 27

	31	26	38	17
37	68		60	4
1	16	114	42	
38	55	25		47
36		4	25	105

FUBUKI

Complétez le jeu.
Placez les nombres manquants de façon à obtenir par additions successives le résultat de chaque colonne et rangée.

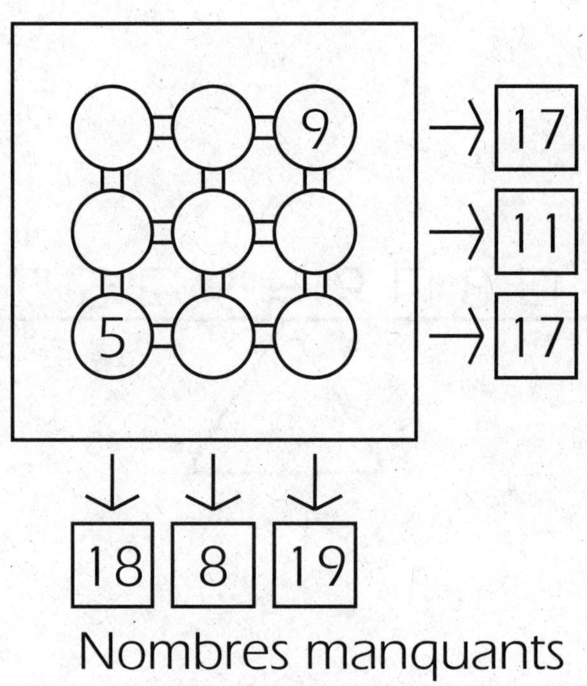

Nombres manquants
1 2 3 4 6 7 8

La BALANCE

Trouvez le nombre manquant.
Il suffit de placer dans les carré les signes « + » ou « – »
afin d'équilibrer les 2 plateaux de la balance.
Il n'exsite qu'une seule solution. Celle-ci peut être un nombre négatif.

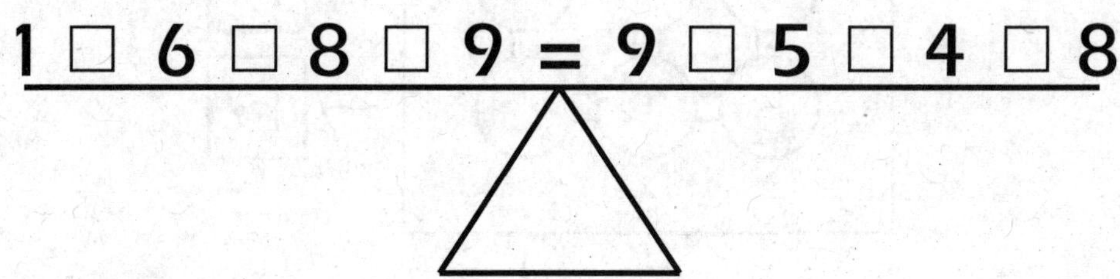

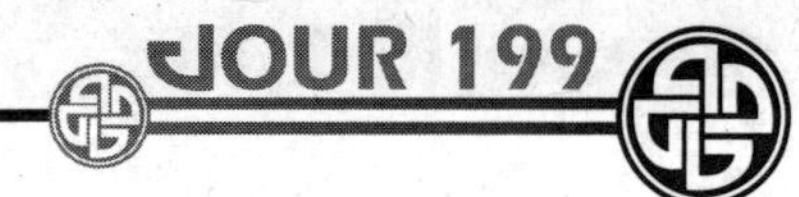

JOUR 199

Utilisez l'ADDITION.

Trouvez deux nombres dont la somme égale le nombre-code et encerclez-les. Répétez cette opération jusqu'à ce qu'il ne reste que deux nombres.

La somme de ces deux nombres réponse est : **1097**

CODE : **958**

109	639	381	789	337	832	198	751	114	631	55	855
26	689	355	651	374	880	97	808	236	735	232	815
151	597	125	554	419	722	273	644	143	603	48	759
184	877	154	849	100	746	81	886	434	833	215	727
389	718	207	885	150	539	327	804	272	754	73	758
103	905	405	760	161	585	192	889	382	677	93	807
404	528	373	858	141	932	314	726	126	524	430	684
361	577	446	743	362	618	204	766	162	553	213	576
223	797	200	596	31	621	281	685	269	777	78	903
69	619	276	682	274	686	72	927	240	584	339	788
53	817	134	861	199	844	319	569	455	865	340	774
170	824	279	910	181	745	212	503	231	679	169	796

ÉTOILE

Complétez l'étoile avec les nombres manquants.
La somme de chaque ligne est égale à 26.

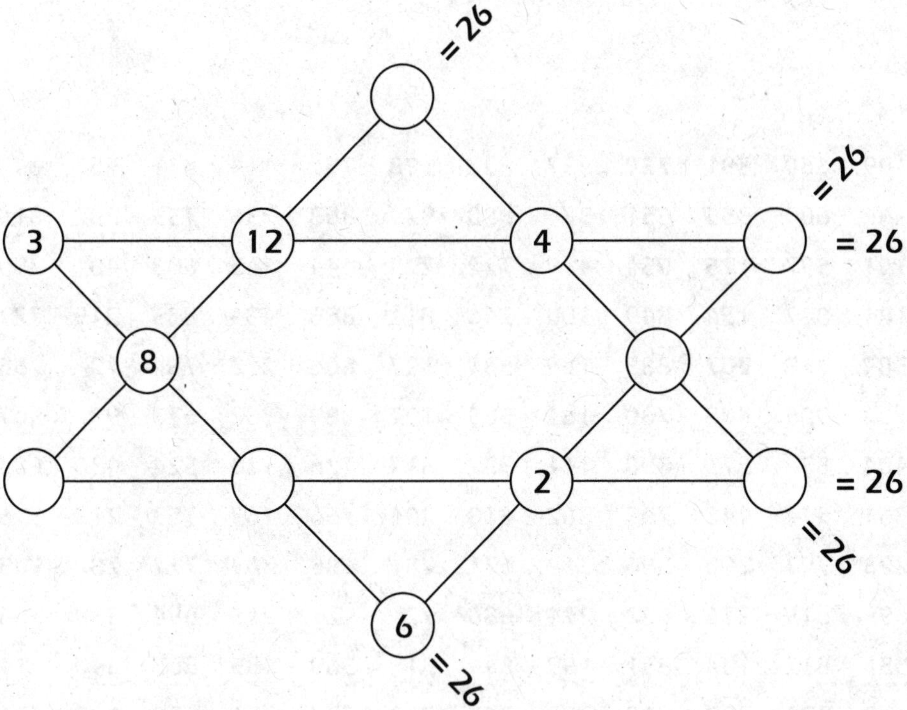

= 26

= 26

3 12 4 = 26

8

2 = 26

= 26

6

= 26

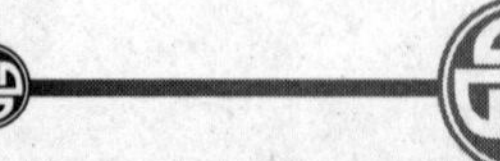

CARRÉ MYSTÈRE

Découvrez la valeur de chacun des symboles.
Les chiffres correspondent au total de chacune des rangées et des colonnes.

	✧	○	□	= 35
○	△	✧		= 22
□	○	△	△	= 31
□	○	✧	✧	= 43
= 42	= 34	= 30	= 25	

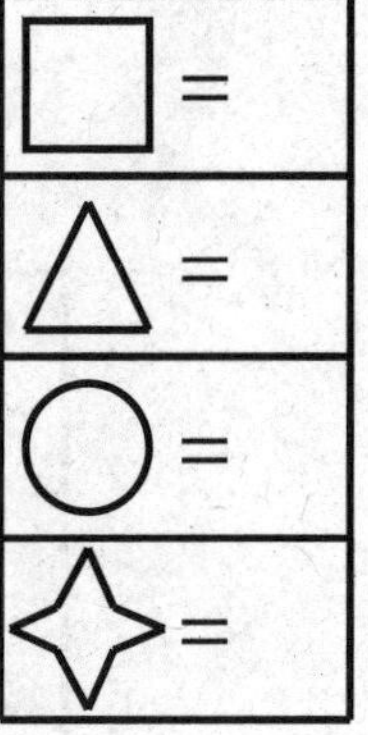

CARRÉ MAGIQUE

Complétez cette grille. La somme de chaque colonne et de chaque rangée est la même que la diagonale qui vous est donnée.

Chiffres à placer dans la grille

12 8

9 8

9 8

10	5	1		
2		8	5	
4		3		
	2		2	24
			24	24

   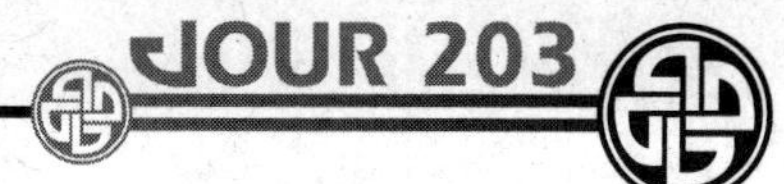

LA PYRAMIDE

Complétez la pyramide avec les nombres manquants.Chaque brique contient la somme des deux cases situées en dessous de celle-ci.

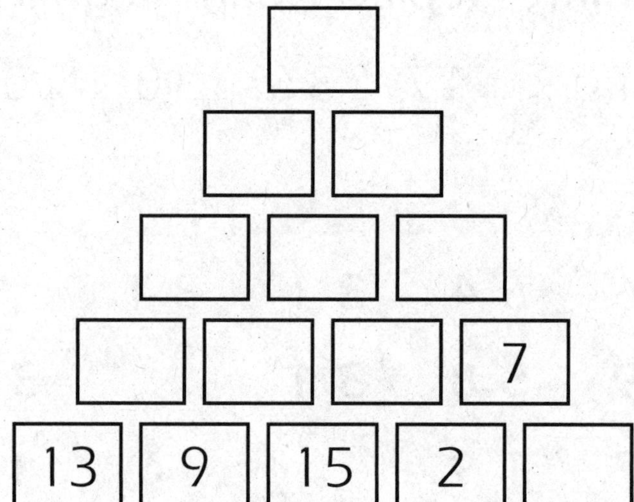

LES TROUÉS

Complétez cette grille. La somme de chaque colonne et de chaque rangée est la même.

Chiffres à placer dans la grille :

109 47 36 30 20

16	64	31	31	
49	58	31		31
37	19		6	18
51		14	49	45
	18	4	83	48

FUBUKI

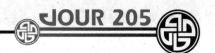

Complétez le jeu.
Placez les nombres manquants de façon à obtenir par additions successives le résultat de chaque colonne et rangée.

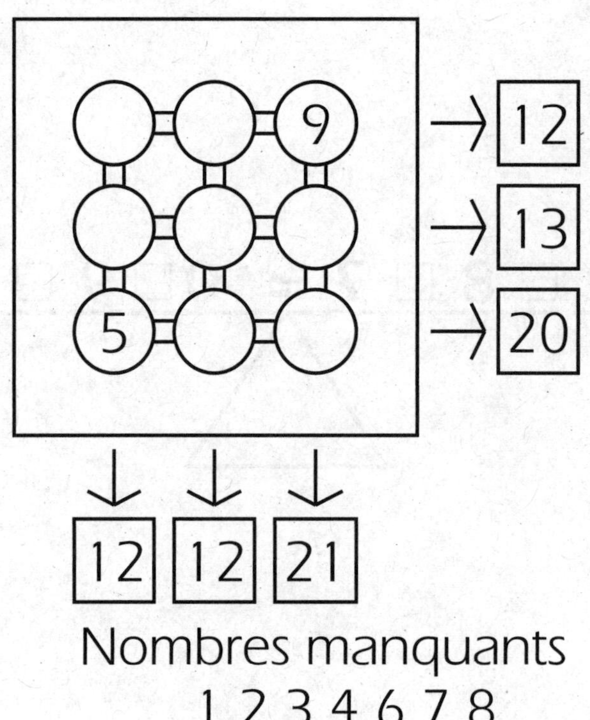

La BALANCE

Trouvez le nombre manquant.
Il suffit de placer dans les carré les signes « + » ou « – »
afin d'équilibrer les 2 plateaux de la balance.
Il n'exsite qu'une seule solution. Celle-ci peut être un nombre négatif.

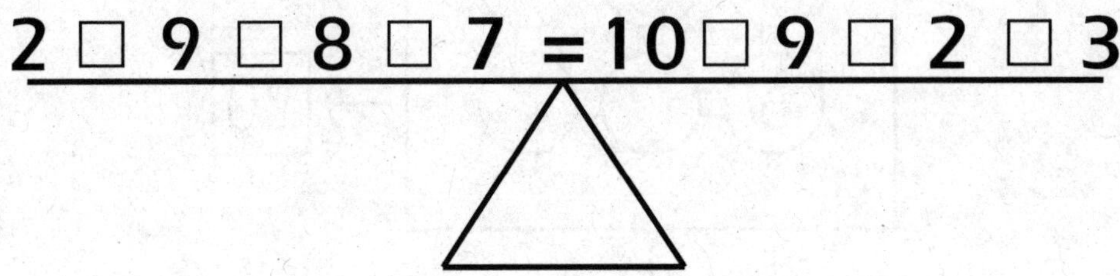

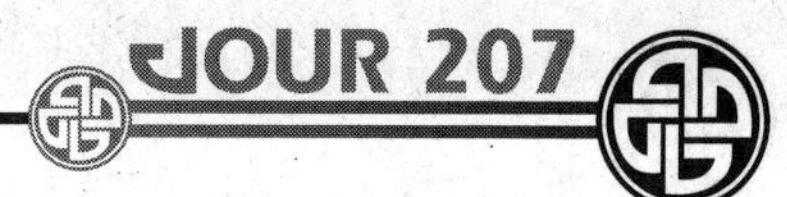

Utilisez la SOUSTRACTION.

Trouvez deux nombres dont la différence égale le nombre-code et encerclez-les. Répétez cette opération jusqu'à ce qu'il ne reste que deux nombres. La somme de ces deux nombres réponse : **1704**

CODE : **955**

308	1021	314	1330	285	1216	331	1128	102	1336	428	1402
267	1270	286	1180	95	1163	199	1204	255	1031	260	1241
429	1078	16	971	49	1057	418	1251	447	1380	144	1025
382	1030	176	1215	82	1263	193	1221	359	1159	324	1162
173	1317	284	1184	70	1086	441	1005	208	1154	76	1164
261	1314	204	1286	315	994	18	1269	89	1044	376	1337
75	1240	336	1009	421	1037	415	1124	293	1059	156	1373
323	1383	153	973	92	1236	381	1004	123	1248	54	1036
90	1376	209	1050	229	1148	249	1294	281	1131	360	1315
83	1222	131	1178	81	1045	39	1331	266	1239	207	1278
375	1396	50	1273	66	1210	339	1038	296	1372	169	1370
318	1291	225	1108	223	1111	362	1384	104	1047	417	1099

ÉTOILE

Complétez l'étoile avec les nombres manquants.
La somme de chaque ligne est égale à 26.

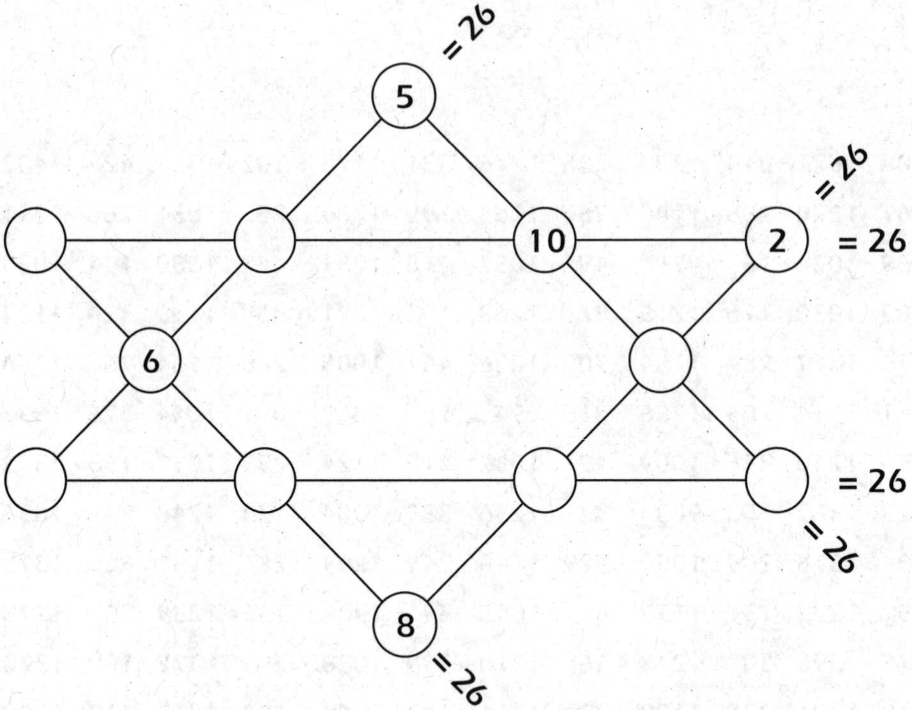

= 26

5

= 26

10 2 = 26

6

= 26

= 26

8

= 26

CARRÉ MYSTÈRE

Découvrez la valeur de chacun des symboles.
Les chiffres correspondent au total de chacune des rangées et des colonnes.

	✧	○	△	= 28
□		✧	△	= 27
✧	□	✧	○	= 53
○	○	△	✧	= 43
= 41	= 41	= 40	= 29	

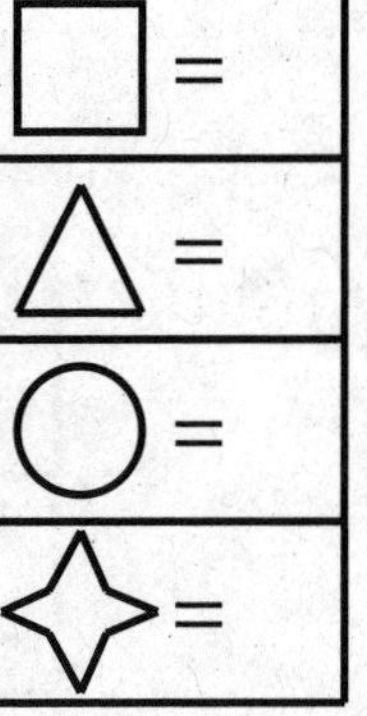

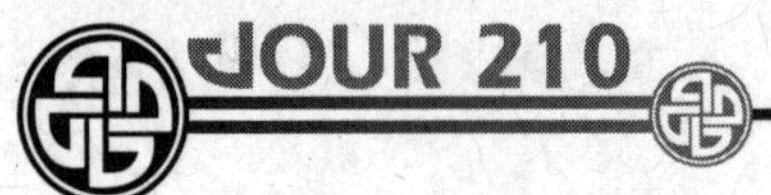

CARRÉ MAGIQUE

Complétez cette grille. La somme de chaque colonne et de chaque rangée est la même que la diagonale qui vous est donnée.

Chiffres à placer dans la grille

11 5

9 4

7 2

8	3		10	
		6	14	
6		13		
13	13		4	32
			32	32

LA PYRAMIDE

Complétez la pyramide avec les nombres manquants. Chaque brique contient la somme des deux cases situées en dessous de celle-ci.

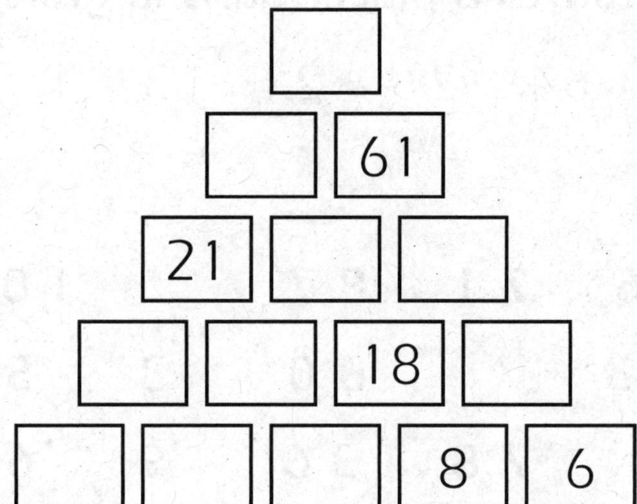

LES TROUÉS

Complétez cette grille. La somme de chaque colonne et de chaque rangée est la même.

Chiffres à placer dans la grille :

64 26 21 13 1

36	71	87		103
153		80	3	53
	78	136	9	61
36	90		154	29
59	50	6	131	

FUBUKI

Complétez le jeu.
Placez les nombres manquants de façon à obtenir par additions successives le résultat de chaque colonne et rangée.

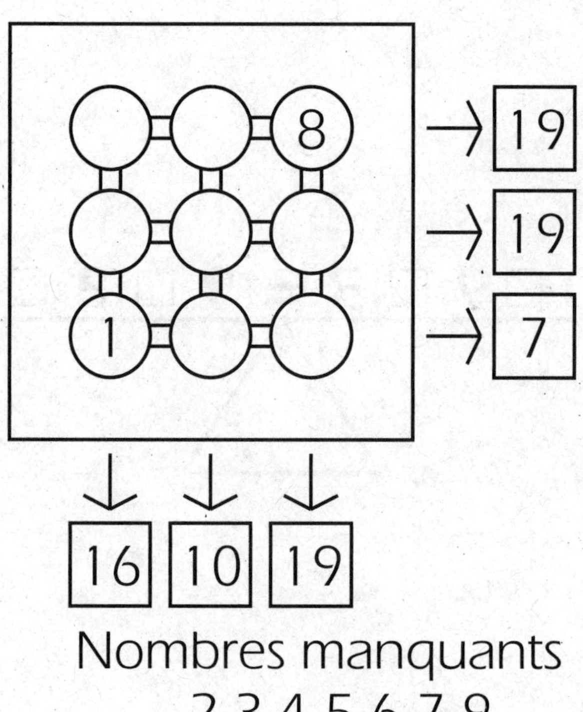

Nombres manquants
2 3 4 5 6 7 9

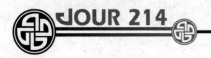

La BALANCE

Trouvez le nombre manquant.
Il suffit de placer dans les carré les signes « + » ou « – »
afin d'équilibrer les 2 plateaux de la balance.
Il n'exsite qu'une seule solution. Celle-ci peut être un nombre négatif.

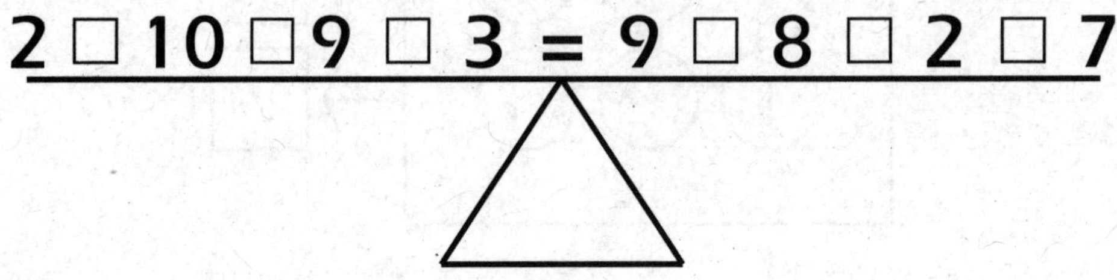

JOUR 215

Utilisez l'ADDITION.

Trouvez deux nombres dont la somme égale le nombre-code et encerclez-les. Répétez cette opération jusqu'à ce qu'il ne reste que deux nombres.

La somme de ces deux nombres réponse est : **645**

CODE : **961**

89	909	24	642	385	731	412	690	374	627	289	549
345	512	210	588	248	860	348	894	449	931	387	850
201	548	424	900	238	868	413	587	267	523	227	504
58	695	313	750	143	672	30	713	372	905	457	903
233	570	61	802	100	539	52	872	369	694	72	726
444	699	367	811	389	592	427	628	159	543	19	835
422	728	148	594	438	537	67	666	418	869	101	871
285	603	262	574	92	589	373	576	333	639	450	818
360	676	230	534	180	511	193	751	150	648	111	572
334	601	211	706	56	616	90	707	255	937	266	813
293	861	254	768	295	760	391	668	235	734	319	781
93	833	322	517	42	613	128	889	126	942	271	723

ÉTOILE

Complétez l'étoile avec les nombres manquants.
La somme de chaque ligne est égale à 26.

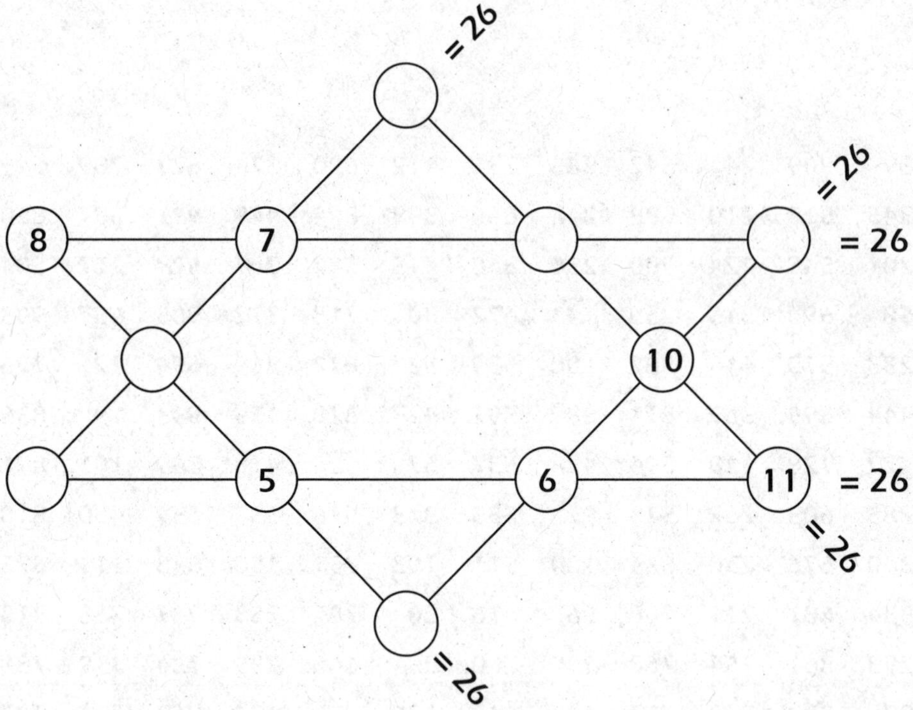

= 26

8 7 = 26

10

5 6 11 = 26

= 26

= 26

= 26

CARRÉ MYSTÈRE

Découvrez la valeur de chacun des symboles.
Les chiffres correspondent au total de chacune des rangées et des colonnes.

	✦	○	△	= 35
✦	○	□		= 34
□	△	✦	□	= 31
△	○	✦	✦	= 50
= 26	= 49	= 49	= 26	

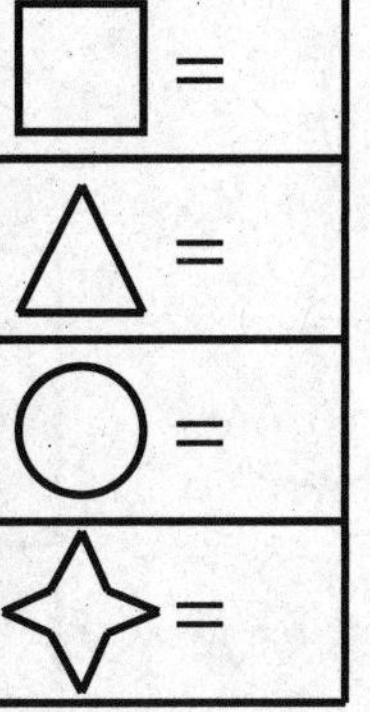

CARRÉ MAGIQUE

Complétez cette grille. La somme de chaque colonne et de chaque rangée est la même que la diagonale qui vous est donnée.

Chiffres à placer dans la grille

1 5

4 6

2	1		
3			
	3	2	16
		16	16

LA PYRAMIDE

Complétez la pyramide avec les nombres manquants. Chaque brique contient la somme des deux cases situées en dessous de celle-ci.

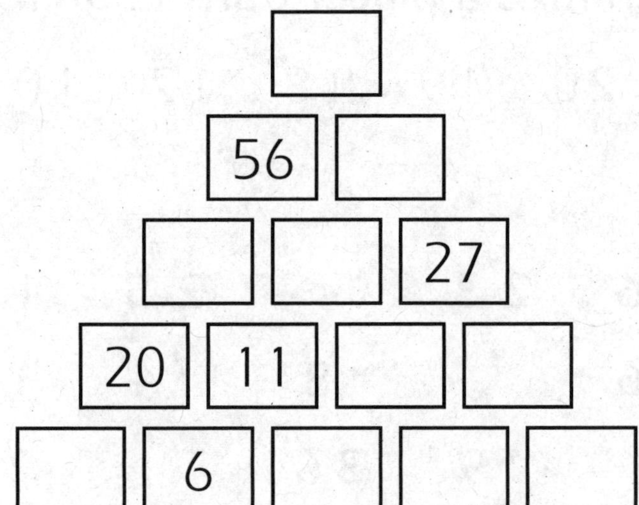

LES TROUÉS

Complétez cette grille. La somme de chaque colonne et de chaque rangée est la même.

Chiffres à placer dans la grille :

20 19 18 12 10

16	23		25	10
36		8	14	15
6	19	36		20
25	7	6	37	
	24	24	5	30

FUBUKI

Complétez le jeu.
Placez les nombres manquants de façon à obtenir par additions successives le résultat de chaque colonne et rangée.

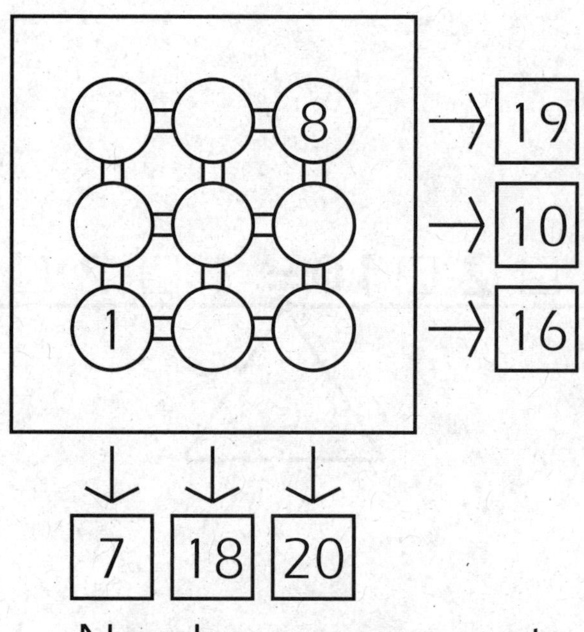

Nombres manquants
2 3 4 5 6 7 9

La BALANCE

Trouvez le nombre manquant.
Il suffit de placer dans les carré les signes « + » ou « – »
afin d'équilibrer les 2 plateaux de la balance.
Il n'exsite qu'une seule solution. Celle-ci peut être un nombre négatif.

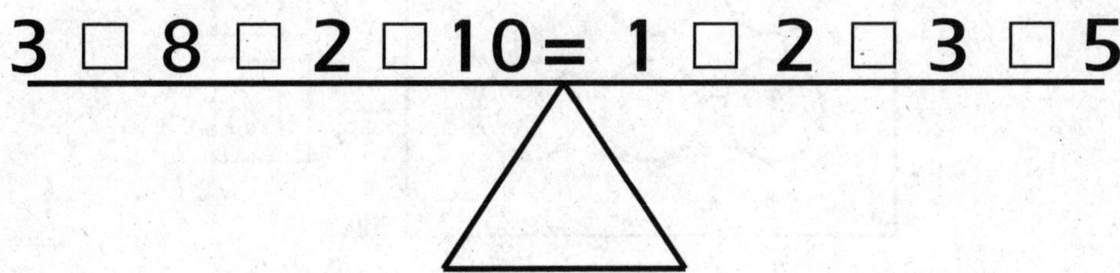

Utilisez la SOUSTRACTION.
Trouvez deux nombres dont la différence égale le nombre-code et encerclez-les. Répétez cette opération jusqu'à ce qu'il ne reste que deux nombres. La somme de ces deux nombres réponse : **1639**

CODE : **959**

427 1159 254 1237 310 1188 411 1034 107 1032 285 1040
371 1086 125 1142 394 1149 250 1359 109 1106 400 1164
325 1196 168 1239 311 1259 253 1092 141 1213 190 1127
227 1271 205 1414 442 1068 276 1244 218 1330 372 1235
139 1076 149 1400 194 1035 344 1043 134 1296 73 1246
312 1303 222 1337 81 1084 229 1270 52 1224 331 1098
256 1375 354 1401 127 1212 84 1412 98 1089 287 1209
75 1177 370 1153 337 1011 200 1039 147 1327 453 1353
76 1329 80 1386 133 1339 130 1284 368 1215 88 1186
437 1396 153 1370 148 1181 265 1053 455 1348 380 1108
237 1112 117 1313 239 1093 378 1331 183 1269 280 1057
278 1107 389 1290 355 1047 416 1066 300 1100 94 1314

ÉTOILE

Complétez l'étoile avec les nombres manquants.
La somme de chaque ligne est égale à 26.

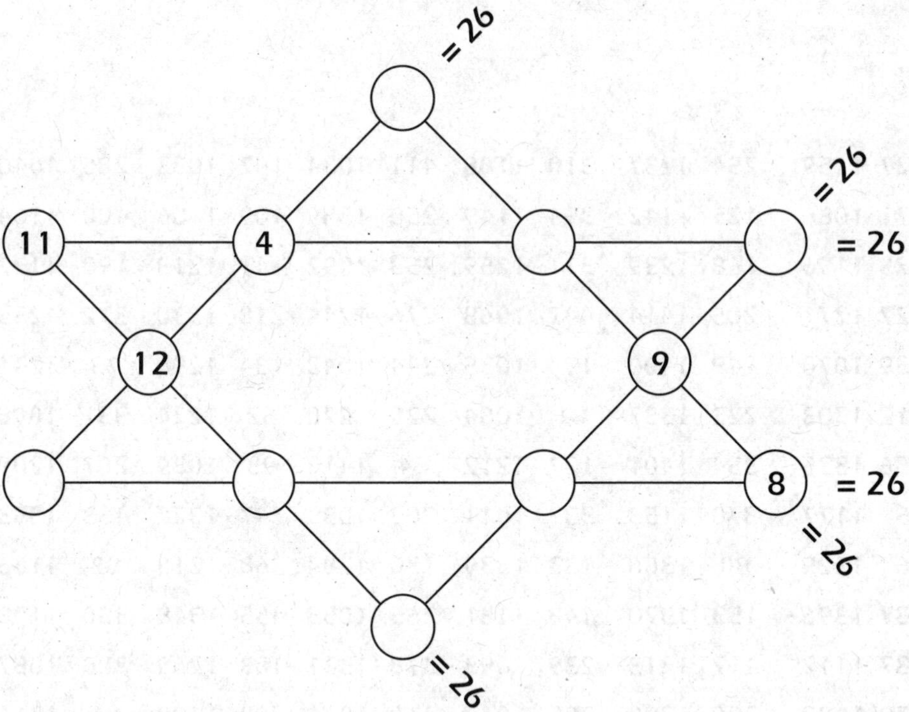

= 26

= 26

11 4 = 26

12 9

8 = 26

= 26

= 26

CARRÉ MYSTÈRE

Découvrez la valeur de chacun des symboles.
Les chiffres correspondent au total de chacune des rangées et des colonnes.

□		○	△	= 23
	✧	△	○	= 29
✧	□	○	○	= 24
○	△	□	□	= 29
= 21	= 32	= 26	= 26	

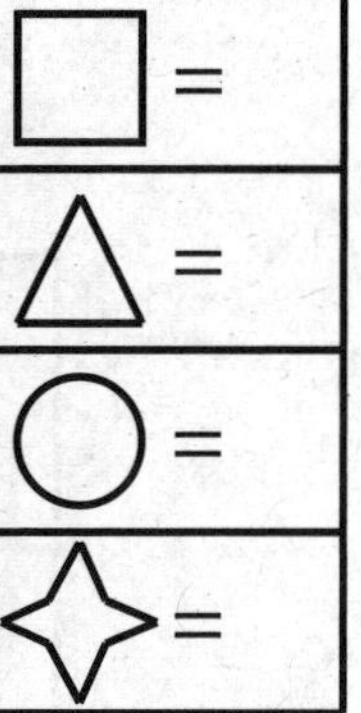

JOUR 226

CARRÉ MAGIQUE

Complétez cette grille. La somme de chaque colonne et de chaque rangée est la même que la diagonale qui vous est donnée.

Chiffres à placer dans la grille

1 4

2 9

5		11	
3	10		
	6		17
		17	17

LA PYRAMIDE

Complétez la pyramide avec les nombres manquants.Chaque brique contient la somme des deux cases situées en dessous de celle-ci.

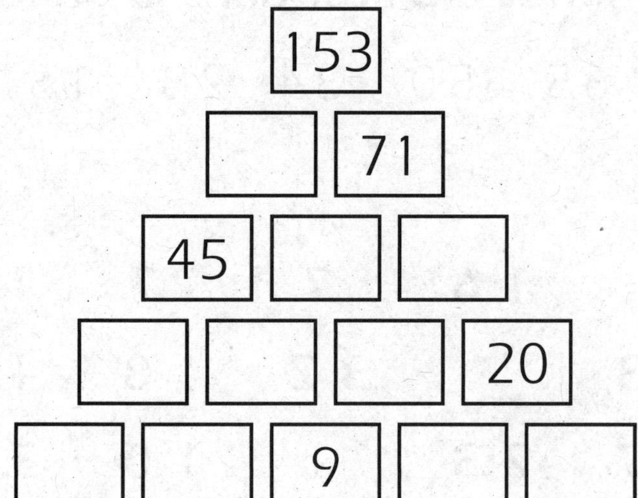

LES TROUÉS

Complétez cette grille. La somme de chaque colonne et de chaque rangée est la même.

Chiffres à placer dans la grille :

65 50 34 28 15

	16	7	27	17
13		32	18	41
17	23		10	32
14	35	22		27
23	30	21	43	

FUBUKI

Complétez le jeu.
Placez les nombres manquants de façon à obtenir par additions successives le résultat de chaque colonne et rangée.

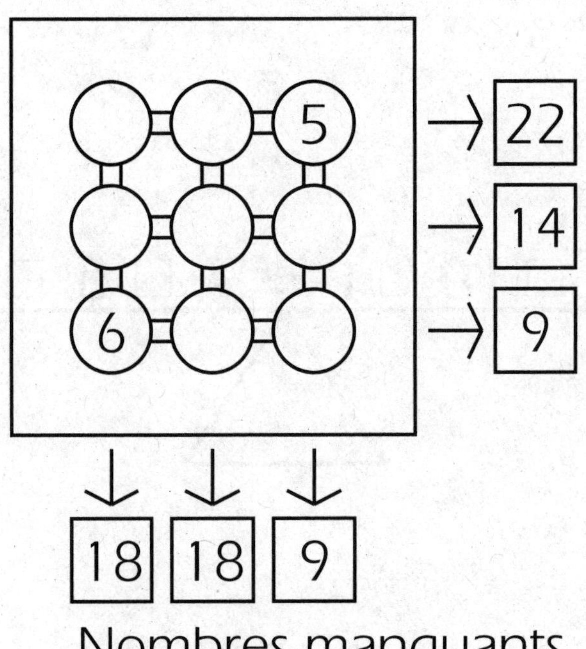

Nombres manquants

1 2 3 4 7 8 9

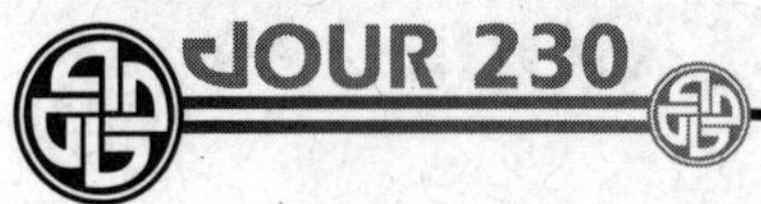

La BALANCE

Trouvez le nombre manquant.
Il suffit de placer dans les carré les signes « + » ou « – »
afin d'équilibrer les 2 plateaux de la balance.
Il n'exsite qu'une seule solution. Celle-ci peut être un nombre négatif.

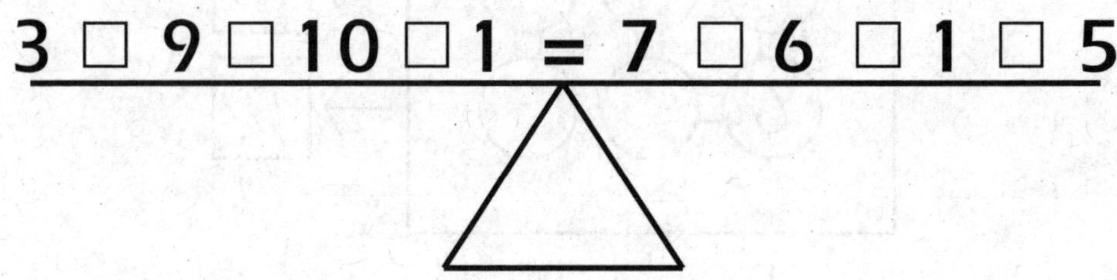

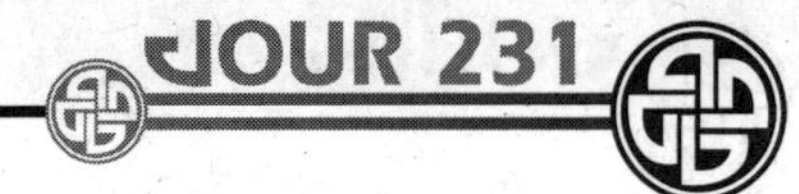

Utilisez l'ADDITION.

Trouvez deux nombres dont la somme égale le nombre-code et encerclez-les. Répétez cette opération jusqu'à ce qu'il ne reste que deux nombres.

La somme de ces deux nombres réponse est : **1219**

CODE : **964**

131	838	236	598	455	689	367	772	439	601	288	762
217	676	302	602	342	927	435	820	353	590	115	917
447	919	216	653	311	512	127	580	374	685	111	529
297	729	126	833	179	938	404	539	192	597	79	849
313	605	279	803	202	667	319	728	384	511	338	837
359	517	206	785	26	885	119	660	366	822	272	747
173	564	252	745	218	712	363	735	275	797	142	904
201	659	362	611	167	620	180	791	60	555	235	507
144	525	452	623	130	878	425	748	185	651	309	834
457	746	431	779	86	763	305	645	37	509	400	548
341	845	415	853	416	626	219	784	409	694	304	655
453	560	270	549	229	692	161	622	45	533	344	758

ÉTOILE

Complétez l'étoile avec les nombres manquants.
La somme de chaque ligne est égale à 26.

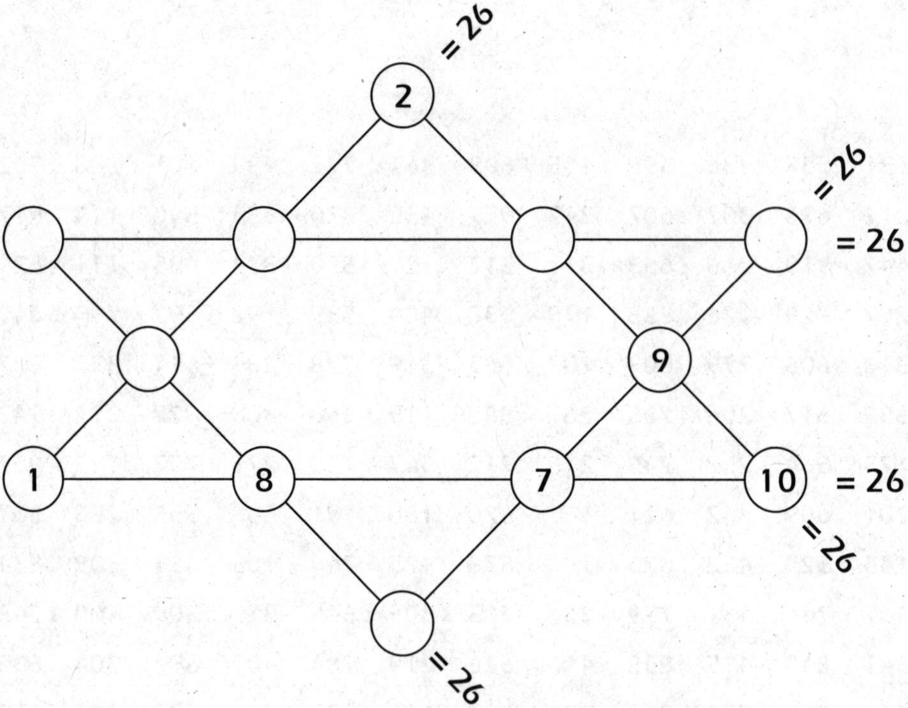

= 26

2

= 26

= 26

9

1 8 7 10 = 26

= 26

= 26

CARRÉ MYSTÈRE

Découvrez la valeur de chacun des symboles.
Les chiffres correspondent au total de chacune des rangées et des colonnes.

□		△	○	= 26
✧	○		□	= 18
△	△	○	✧	= 38
□	○	△	□	= 28
= 18	= 37	= 35	= 20	

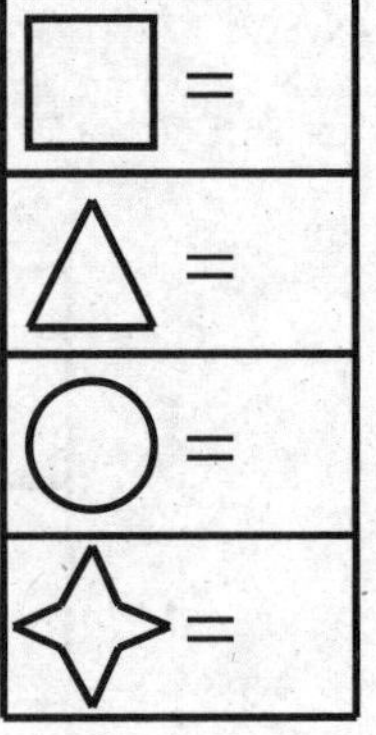

CARRÉ MAGIQUE

Complétez cette grille. La somme de chaque colonne et de chaque rangée est la même que la diagonale qui vous est donnée.

Chiffres à placer dans la grille

1 5

3 7

4 7

6	5		5	
	6	6	6	
	1	6		
7			1	19
			19	19

LA PYRAMIDE

Complétez la pyramide avec les nombres manquants. Chaque brique contient la somme des deux cases situées en dessous de celle-ci.

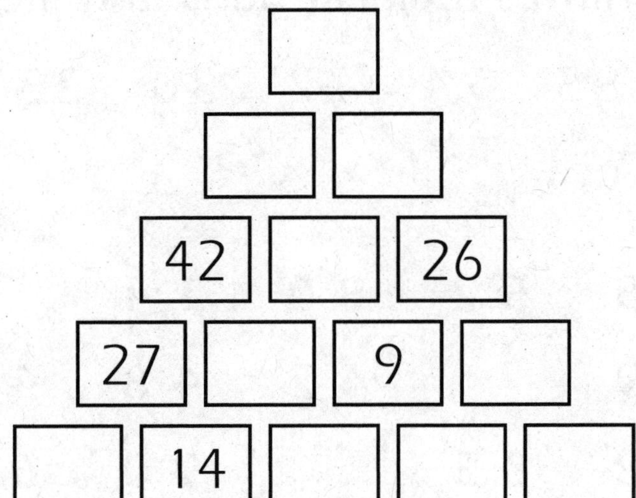

LES TROUÉS

Complétez cette grille. La somme de chaque colonne et de chaque rangée est la même.

Chiffres à placer dans la grille :

85 74 72 30 25

55	52	80	14	
79		42	48	43
28	83		90	60
52	74	118		12
	3	21	104	86

FUBUKI

Complétez le jeu.
Placez les nombres manquants de façon à obtenir par additions successives le résultat de chaque colonne et rangée.

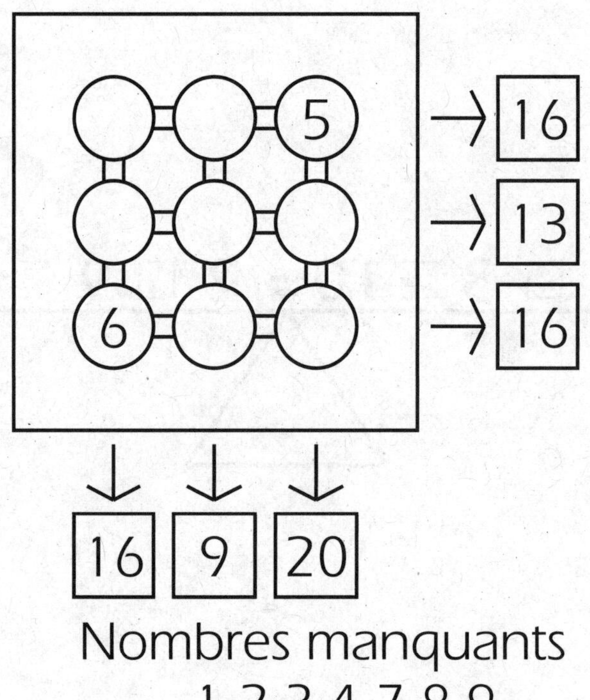

Nombres manquants
1 2 3 4 7 8 9

La BALANCE

Trouvez le nombre manquant.
Il suffit de placer dans les carré les signes « + » ou « – »
afin d'équilibrer les 2 plateaux de la balance.
Il n'exsite qu'une seule solution. Celle-ci peut être un nombre négatif.

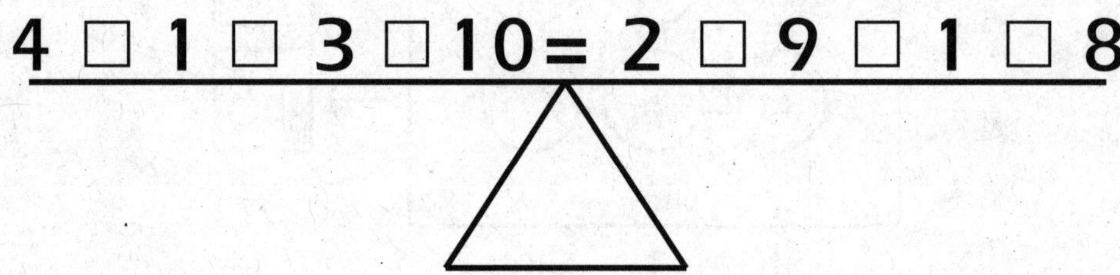

JOUR 239

Utilisez la SOUSTRACTION.

Trouvez deux nombres dont la différence égale le nombre-code et encerclez-les. Répétez cette opération jusqu'à ce qu'il ne reste que deux nombres. La somme de ces deux nombres réponse : **1332**

CODE : **960**

402	1053	254	1046	251	1408	48	1067	234	984	445	1003
357	1278	420	1348	130	1090	318	1286	106	1317	455	989
448	1150	271	1380	189	1214	252	1368	24	1178	122	1100
345	1268	75	1305	253	1251	76	1322	386	1245	107	1341
80	1331	381	1172	441	1313	187	1147	362	1398	239	1149
191	1333	235	1307	43	1073	380	1035	347	1152	212	1066
190	1415	326	1346	192	1340	93	976	353	1145	308	1104
375	1335	230	1195	371	1225	408	1118	156	1329	185	1194
297	1082	16	1040	285	1401	144	1308	291	1257	145	1199
29	1212	113	1366	438	1011	406	1005	218	1008	373	1016
348	1141	45	1231	140	1211	355	1362	56	1116	369	1315
388	1042	86	1105	82	1036	51	1190	158	1405	265	1213

ÉTOILE

Complétez l'étoile avec les nombres manquants.
La somme de chaque ligne est égale à 26.

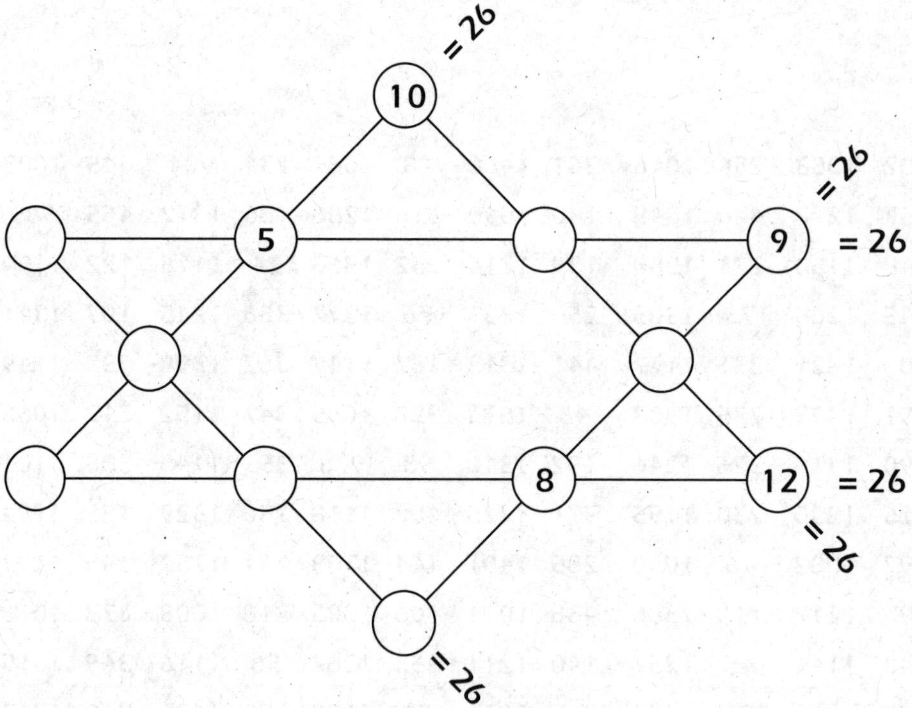

10 · 5 · 9 · 8 · 12

= 26 = 26 = 26 = 26 = 26 = 26

CARRÉ MYSTÈRE

Découvrez la valeur de chacun des symboles. Les chiffres correspondent au total de chacune des rangées et des colonnes.

□	△		○	= 22
✧		△	○	= 25
✧	□	○	□	= 46
○	✧	△	✧	= 39
= 49	= 26	= 12	= 45	

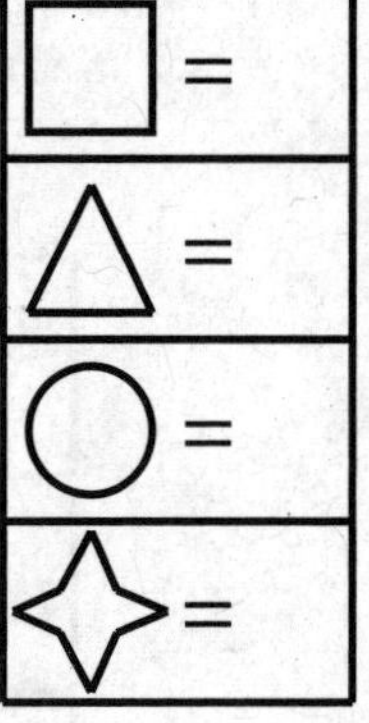

CARRÉ MAGIQUE

Complétez cette grille. La somme de chaque colonne et de chaque rangée est la même que la diagonale qui vous est donnée.

Chiffres à placer dans la grille

5 7

6 9

6 9

4	3		8	
	8	2	5	
	1	6		
2			3	21
			21	21

LA PYRAMIDE

Complétez la pyramide avec les nombres manquants. Chaque brique contient la somme des deux cases situées en dessous de celle-ci.

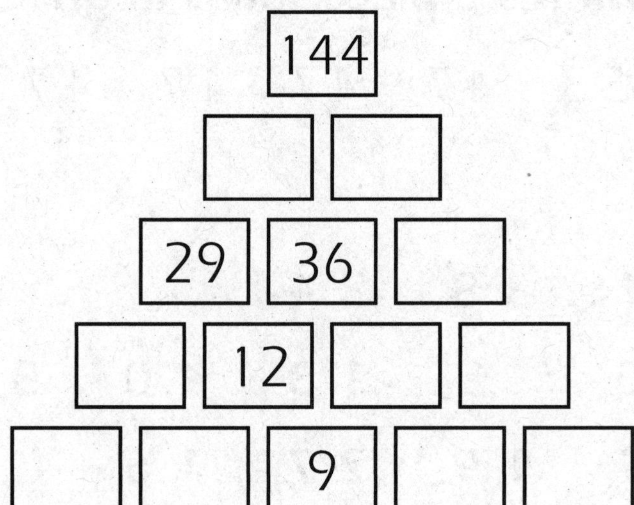

JOUR 244

LES TROUÉS

Complétez cette grille. La somme de chaque colonne et de chaque rangée est la même.

Chiffres à placer dans la grille :

53 47 47 17 17

51	38	34		3
10		13	40	33
34	19	27	16	
31	17		22	20
	22	16	48	40

FUBUKI

Complétez le jeu.
Placez les nombres manquants de façon à obtenir par additions successives le résultat de chaque colonne et rangée.

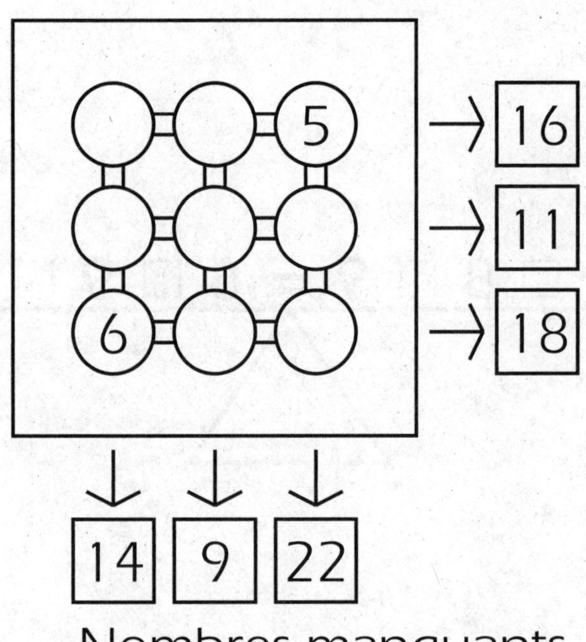

Nombres manquants
1 2 3 4 7 8 9

La BALANCE

Trouvez le nombre manquant.
Il suffit de placer dans les carré les signes « + » ou « – »
afin d'équilibrer les 2 plateaux de la balance.
Il n'exsite qu'une seule solution. Celle-ci peut être un nombre négatif.

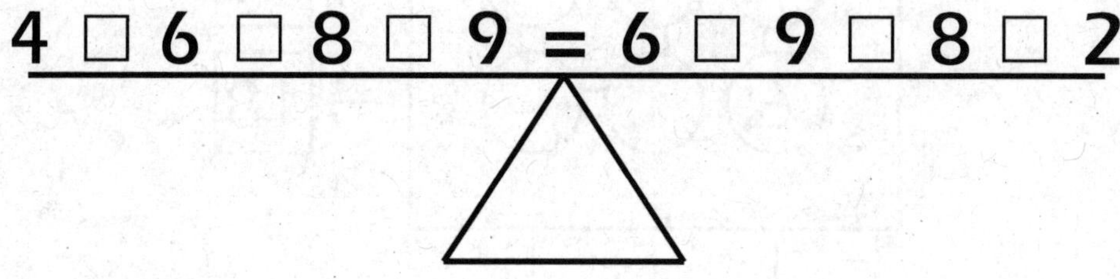

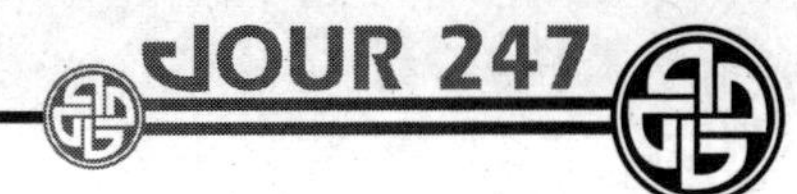

Utilisez l'ADDITION.

Trouvez deux nombres dont la somme égale le nombre-code et encerclez-les. Répétez cette opération jusqu'à ce qu'il ne reste que deux nombres. La somme de ces deux nombres réponse est : **929**

CODE : **966**

169	607	280	526	412	910	137	758	331	812	426	689
176	686	251	693	340	777	96	925	217	678	324	759
106	512	287	583	154	696	302	554	246	679	84	559
374	703	221	849	77	723	281	674	349	603	440	708
383	889	454	541	277	676	189	593	110	664	296	594
41	810	34	917	114	610	290	700	93	509	424	685
208	670	273	856	263	870	363	829	178	540	120	882
411	800	150	522	166	752	416	788	55	932	457	611
156	621	444	720	214	857	117	790	425	635	49	642
372	555	250	716	258	550	243	846	266	797	407	852
109	860	445	542	56	592	373	816	292	617	345	908
356	911	207	745	270	521	58	873	355	626	359	749

ÉTOILE

Complétez l'étoile avec les nombres manquants.
La somme de chaque ligne est égale à 26.

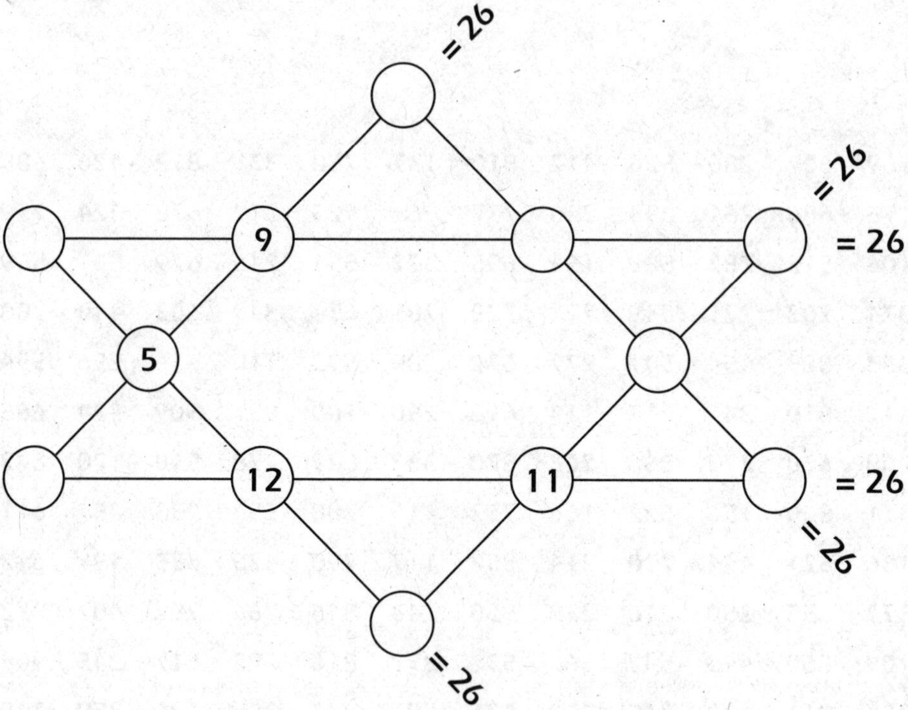

= 26

= 26

9

= 26

5

12

11

= 26

= 26

= 26

CARRÉ MYSTÈRE

Découvrez la valeur de chacun des symboles. Les chiffres correspondent au total de chacune des rangées et des colonnes.

□	△		✧	= 19
	○	✧	□	= 21
○	△	○	✧	= 24
□	✧	△	△	= 23
= 20	= 22	= 18	= 27	

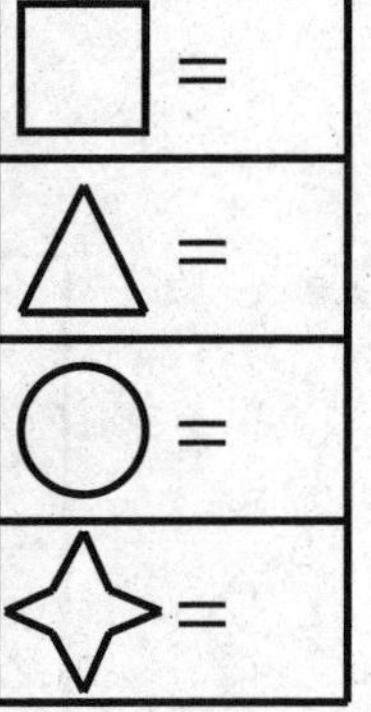

CARRÉ MAGIQUE

Complétez cette grille. La somme de chaque colonne et de chaque rangée est la même que la diagonale qui vous est donnée.

Chiffres à placer dans la grille

6 10

6 10

6		6	
	6		
	6	10	22
		22	22

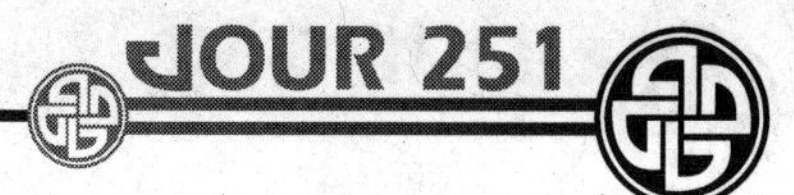

LA PYRAMIDE

Complétez la pyramide avec les nombres manquants. Chaque brique contient la somme des deux cases situées en dessous de celle-ci.

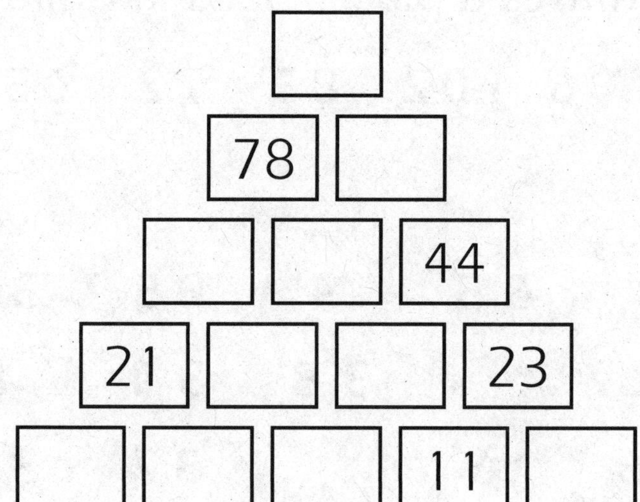

LES TROUÉS

Complétez cette grille. La somme de chaque colonne et de chaque rangée est la même.

Chiffres à placer dans la grille :

106 102 83 72 65

	65	4	35	33
46		38	34	8
26	6		37	34
19	34	59		32
46	21	2	38	

FUBUKI

Complétez le jeu.
Placez les nombres manquants de façon à obtenir par additions successives le résultat de chaque colonne et rangée.

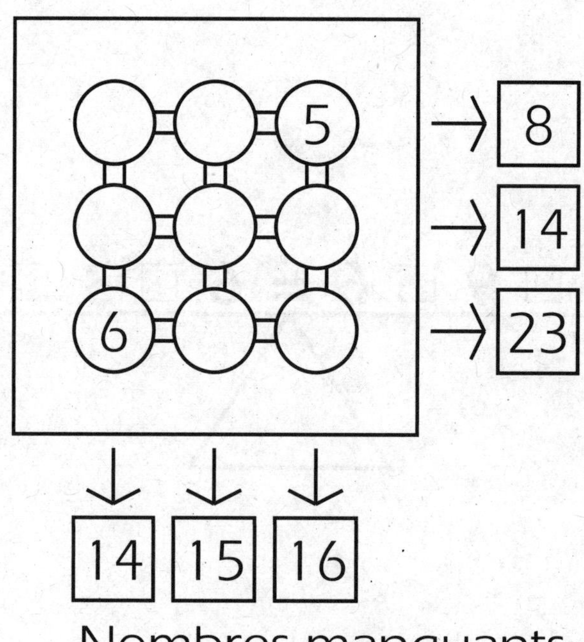

Nombres manquants

1 2 3 4 7 8 9

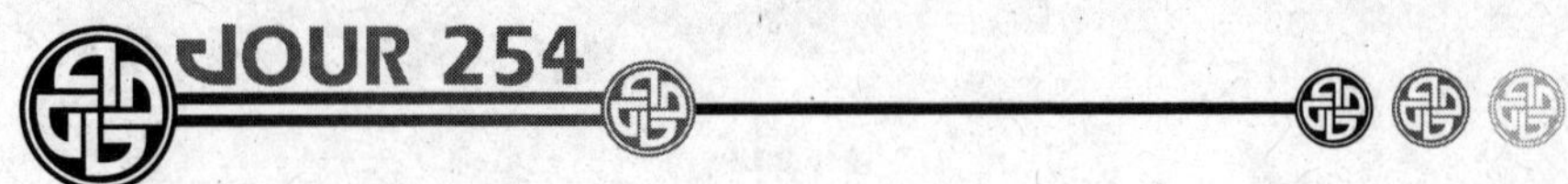

La BALANCE

Trouvez le nombre manquant.
Il suffit de placer dans les carré les signes « + » ou « – »
afin d'équilibrer les 2 plateaux de la balance.
Il n'exsite qu'une seule solution. Celle-ci peut être un nombre négatif.

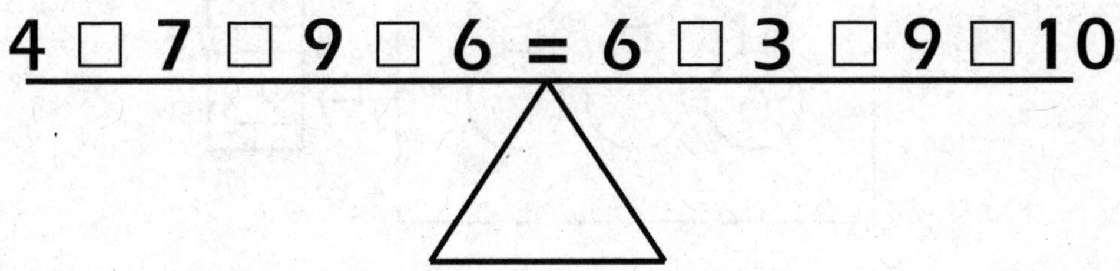

Utilisez la SOUSTRACTION.

Trouvez deux nombres dont la différence égale le nombre-code et encerclez-les. Répétez cette opération jusqu'à ce qu'il ne reste que deux nombres. La somme de ces deux nombres réponse : **1391**

CODE : **965**

373	**1279**	**119**	**1096**	**36**	**1380**	**370**	**1091**	**96**	**1116**	**142**	**985**
232	**1154**	**189**	**1121**	**228**	**1185**	**458**	**1393**	**424**	**1051**	**328**	**1410**
87	**1175**	**335**	**1084**	**445**	**1224**	**229**	**1242**	**67**	**1301**	**341**	**1197**
428	**1338**	**314**	**1284**	**259**	**1293**	**185**	**1413**	**139**	**1299**	**163**	**1335**
180	**1306**	**115**	**1016**	**196**	**1022**	**210**	**1172**	**334**	**1262**	**246**	**1011**
46	**1388**	**156**	**1032**	**22**	**1083**	**446**	**1389**	**436**	**1283**	**448**	**1411**
362	**1332**	**227**	**1401**	**118**	**1001**	**220**	**1211**	**51**	**1160**	**207**	**1300**
88	**1052**	**90**	**1343**	**151**	**1127**	**318**	**1203**	**447**	**1034**	**277**	**1053**
319	**1104**	**131**	**1423**	**276**	**1248**	**443**	**1145**	**336**	**1061**	**264**	**1192**
59	**1193**	**423**	**1188**	**238**	**1055**	**200**	**1412**	**378**	**987**	**415**	**1024**
209	**1194**	**195**	**1241**	**223**	**1080**	**57**	**1174**	**20**	**1150**	**126**	**1161**
367	**1165**	**69**	**1408**	**283**	**1128**	**86**	**1327**	**297**	**1107**	**306**	**1271**

ÉTOILE

Complétez l'étoile avec les nombres manquants.
La somme de chaque ligne est égale à 26.

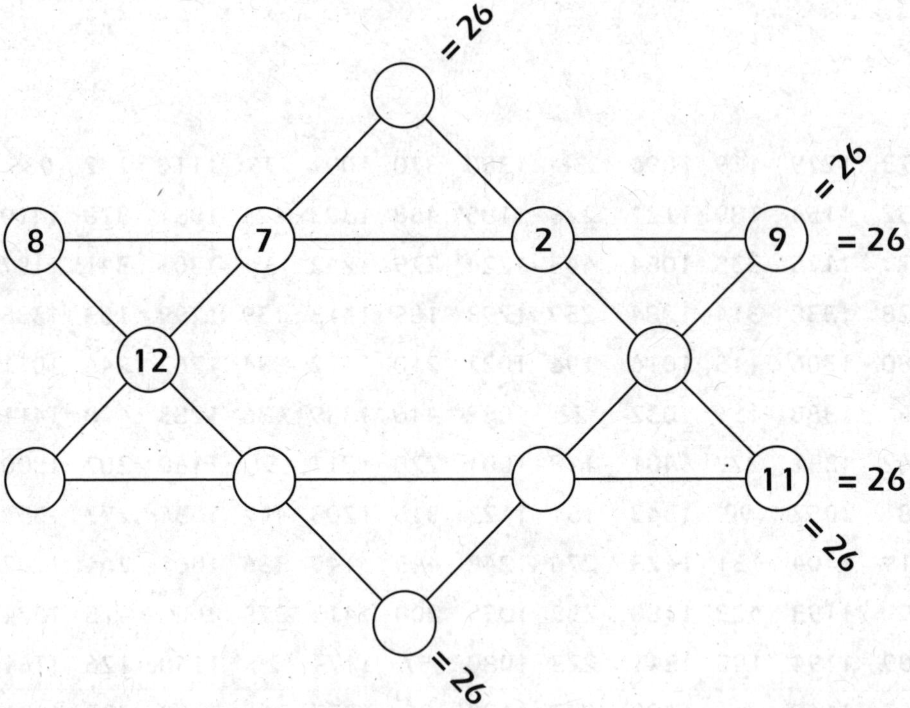

= 26

= 26

8 7 2 9 = 26

12

11 = 26

= 26

= 26

CARRÉ MYSTÈRE

Découvrez la valeur de chacun des symboles.
Les chiffres correspondent au total de chacune des rangées et des colonnes.

□	△	○		= 22
□	△		✦	= 23
✦	○	✦	△	= 37
△	□	□	○	= 23
= 24	= 36	= 16	= 29	

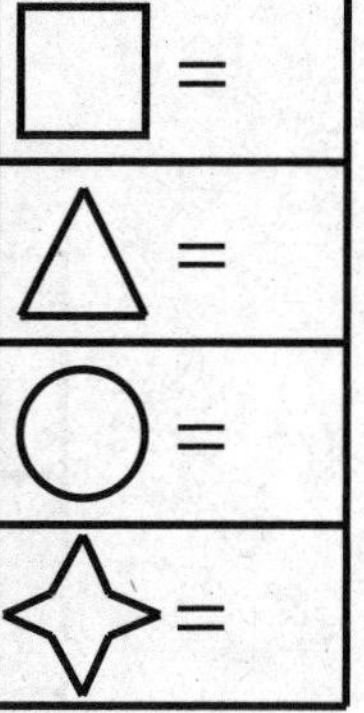

CARRÉ MAGIQUE

Complétez cette grille. La somme de chaque colonne et de chaque rangée est la même que la diagonale qui vous est donnée.

Chiffres à placer dans la grille

4	5
4	5
4	9

8	6		2	
	3	3	9	
	7	4		
2			5	20
			20	20

LA PYRAMIDE

Complétez la pyramide avec les nombres manquants.Chaque brique contient la somme des deux cases situées en dessous de celle-ci.

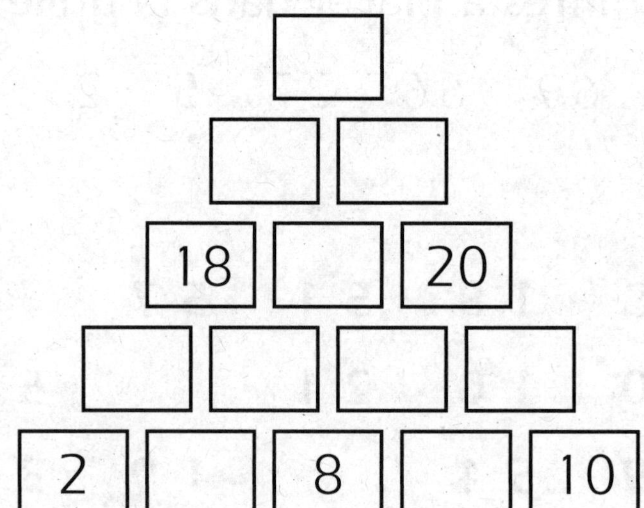

LES TROUÉS

Complétez cette grille. La somme de chaque colonne et de chaque rangée est la même.

Chiffres à placer dans la grille :

69 66 27 5 2

68	18	51	57	
90	10	21		51
19	54		19	38
20		40	20	53
	51	18	76	52

FUBUKI

Complétez le jeu.
Placez les nombres manquants de façon à obtenir par additions successives le résultat de chaque colonne et rangée.

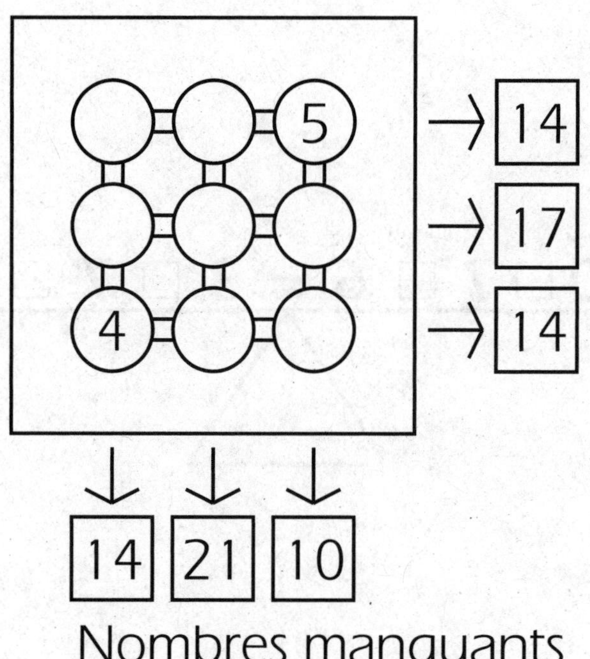

Nombres manquants
1 2 3 6 7 8 9

La BALANCE

Trouvez le nombre manquant.
Il suffit de placer dans les carré les signes « + » ou « – »
afin d'équilibrer les 2 plateaux de la balance.
Il n'exsite qu'une seule solution. Celle-ci peut être un nombre négatif.

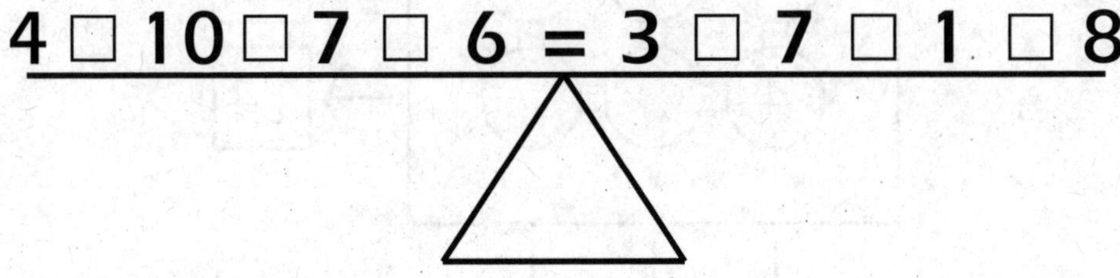

JOUR 263

Utilisez l'ADDITION.

Trouvez deux nombres dont la somme égale le nombre-code et encerclez-les. Répétez cette opération jusqu'à ce qu'il ne reste que deux nombres. La somme de ces deux nombres réponse est : **906**

CODE : **969**

113	785	134	525	155	790	91	905	154	588	444	601
381	862	401	839	356	767	396	574	150	623	177	804
64	894	165	687	425	795	368	856	282	677	223	521
344	944	283	816	326	835	242	603	182	891	375	836
174	686	292	716	297	592	346	666	345	784	408	746
334	945	424	590	377	863	315	727	153	568	202	545
448	654	78	655	268	878	402	701	303	783	107	814
366	918	395	786	253	560	185	912	179	760	208	819
409	916	176	625	151	815	52	594	24	761	76	787
133	544	75	613	25	643	57	793	53	672	314	635
106	791	178	792	101	887	186	868	399	624	184	567
130	561	379	818	209	917	183	893	82	510	51	570

JOUR 264

ÉTOILE

Complétez l'étoile avec les nombres manquants.
La somme de chaque ligne est égale à 26.

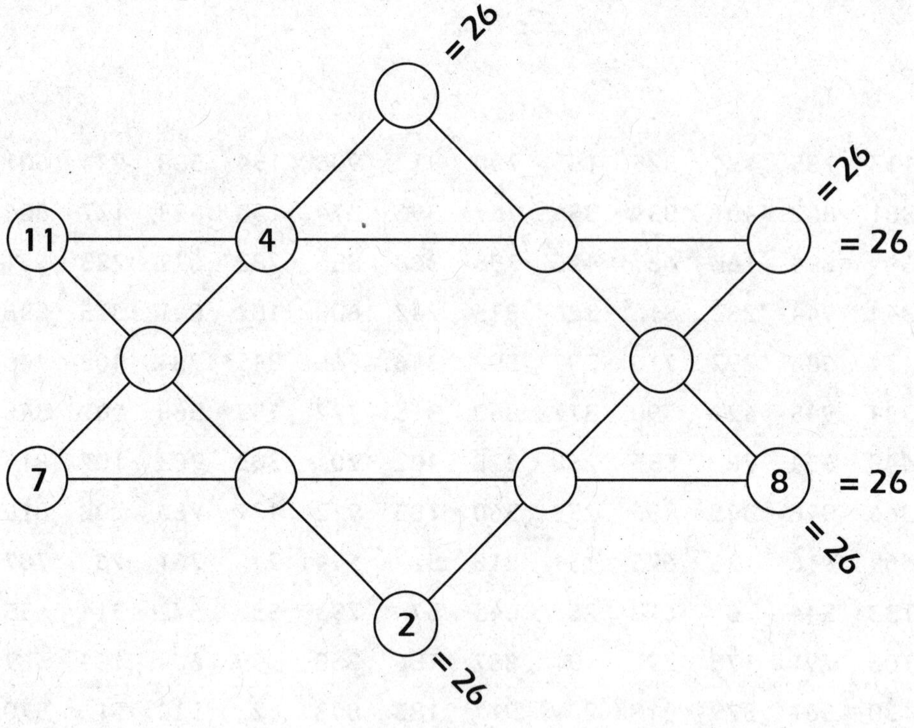

= 26

= 26

11 4 = 26

7 8 = 26

= 26

2

= 26

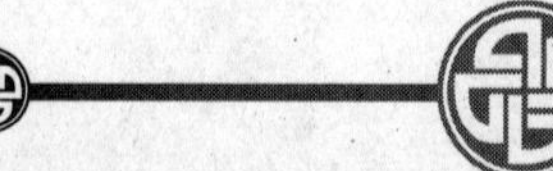

CARRÉ MYSTÈRE

Découvrez la valeur de chacun des symboles.
Les chiffres correspondent au total de chacune des rangées et des colonnes.

□	△	○		= 18
	○	△	✧	= 19
✧	△	□	△	= 17
△	□	○	□	= 23
= 14	= 21	= 28	= 14	

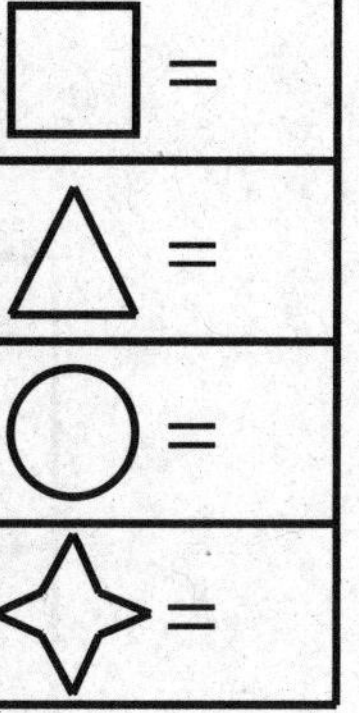

CARRÉ MAGIQUE

Complétez cette grille. La somme de chaque colonne et de chaque rangée est la même que la diagonale qui vous est donnée.

Chiffres à placer dans la grille

2 7

4 9

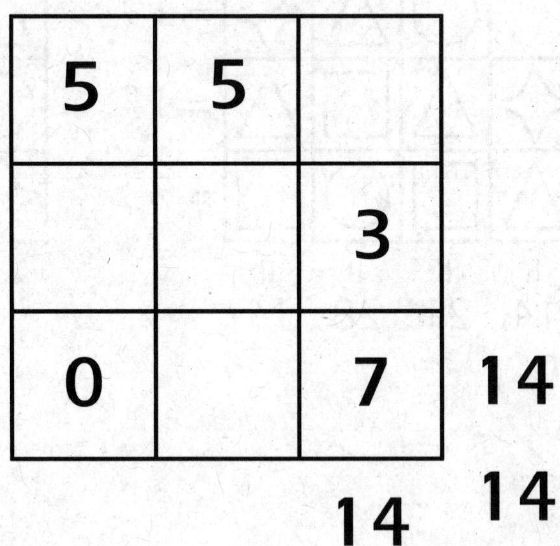

LA PYRAMIDE

Complétez la pyramide avec les nombres manquants. Chaque brique contient la somme des deux cases situées en dessous de celle-ci.

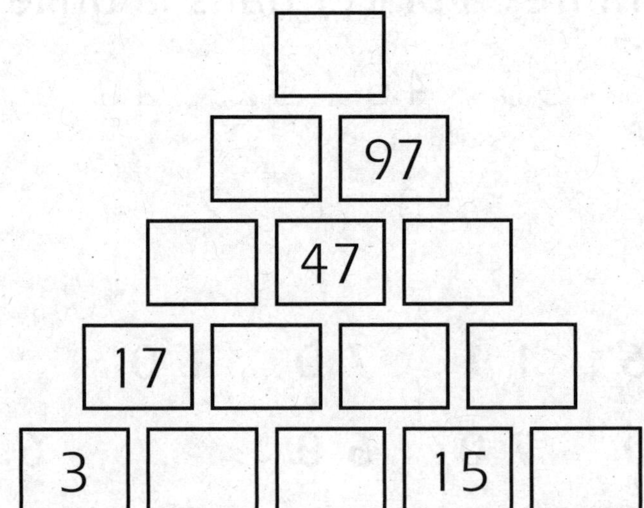

LES TROUÉS

Complétez cette grille. La somme de chaque colonne et de chaque rangée est la même.

Chiffres à placer dans la grille :

55 46 32 20

10 6 2

106	11	70	10	
10	70	60		65
51				35
34		3	104	34
	48	54	36	63

FUBUKI

Complétez le jeu.
Placez les nombres manquants de façon à obtenir par additions successives le résultat de chaque colonne et rangée.

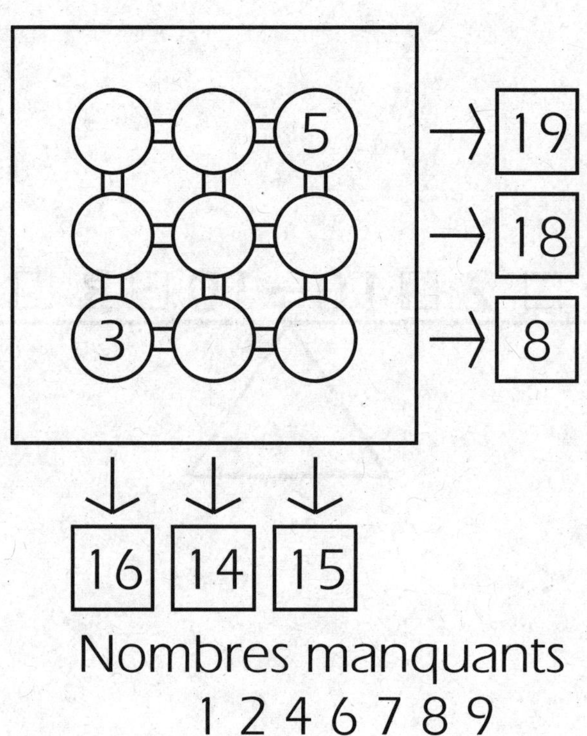

Nombres manquants
1 2 4 6 7 8 9

La BALANCE

Trouvez le nombre manquant.
Il suffit de placer dans les carré les signes « + » ou « – »
afin d'équilibrer les 2 plateaux de la balance.
Il n'exsite qu'une seule solution. Celle-ci peut être un nombre négatif.

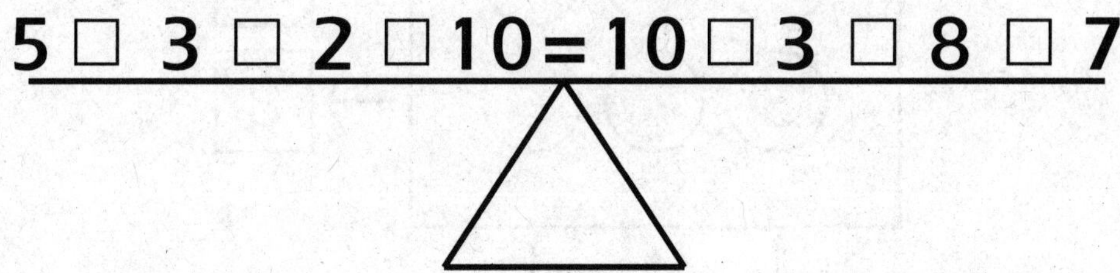

JOUR 271

Utilisez la SOUSTRACTION.
Trouvez deux nombres dont la différence égale le nombre-code et encerclez-les. Répétez cette opération jusqu'à ce qu'il ne reste que deux nombres. La somme de ces deux nombres réponse : **1697**

CODE : **970**

25	1011	409	1223	210	1133	190	1345	368	1018	171	1346
164	1317	375	1145	316	1282	390	1065	156	1232	365	1390
262	1295	418	1059	381	1115	163	1214	270	1168	135	1429
364	1134	245	1377	347	1132	419	1160	162	1180	357	1379
24	1052	68	1327	325	1286	89	1206	236	1209	453	1252
407	1237	145	1169	82	1126	460	1141	175	1258	457	1125
176	1114	376	1388	420	1240	95	1332	26	1394	198	1318
139	1204	277	1148	31	1405	49	1389	178	1351	435	1335
231	1423	459	1001	48	1201	41	1109	362	995	199	994
456	1215	424	1038	294	1069	295	1427	288	1219	253	1338
234	1146	124	1105	348	996	155	1264	21	1247	244	1360
144	1265	99	1334	249	1019	282	991	239	1426	312	1094

JOUR 272

ÉTOILE

Complétez l'étoile avec les nombres manquants.
La somme de chaque ligne est égale à 26.

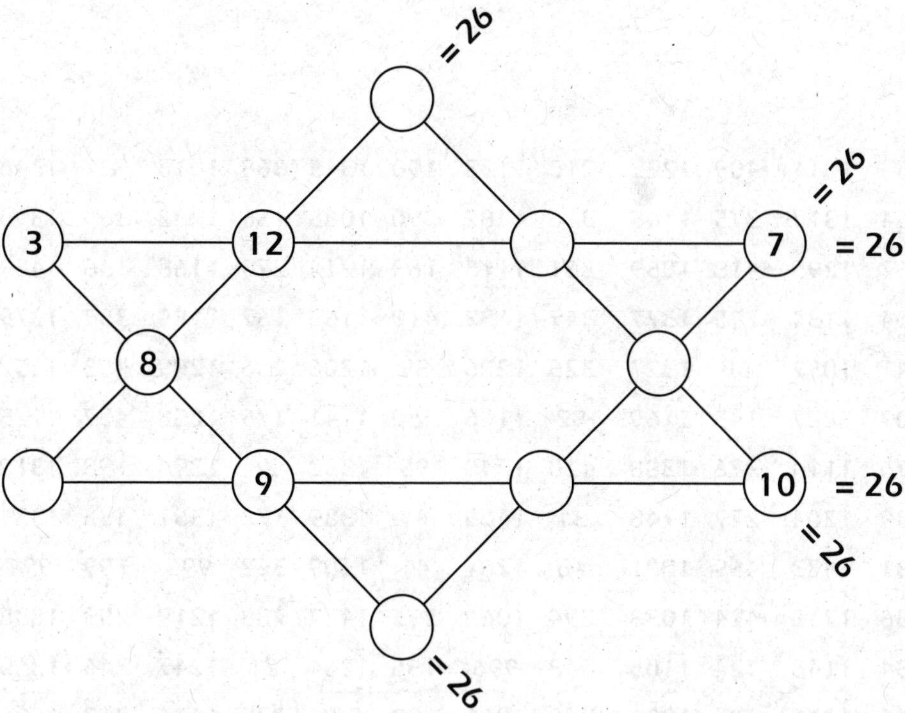

3, 12, 7 = 26
8
9, 10 = 26
= 26 (×4)

CARRÉ MYSTÈRE

Découvrez la valeur de chacun des symboles.
Les chiffres correspondent au total de chacune des rangées et des colonnes.

□	△	✧		= 30
	○	△	□	= 28
○	✧	○	△	= 23
✧	✧	△	□	= 35
= 21	= 25	= 32	= 38	

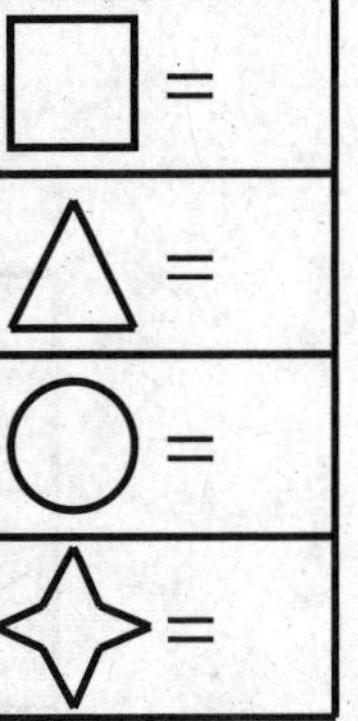

 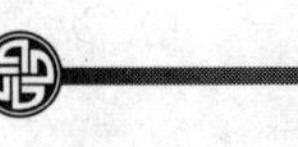    

CARRÉ MAGIQUE

Complétez cette grille. La somme de chaque colonne et de chaque rangée est la même que la diagonale qui vous est donnée.

Chiffres à placer dans la grille

1	5
1	6
5	6

0	4		7	
	6		1	
7		3		
5		3	8	17
			17	17

LA PYRAMIDE

Complétez la pyramide avec les nombres manquants. Chaque brique contient la somme des deux cases situées en dessous de celle-ci.

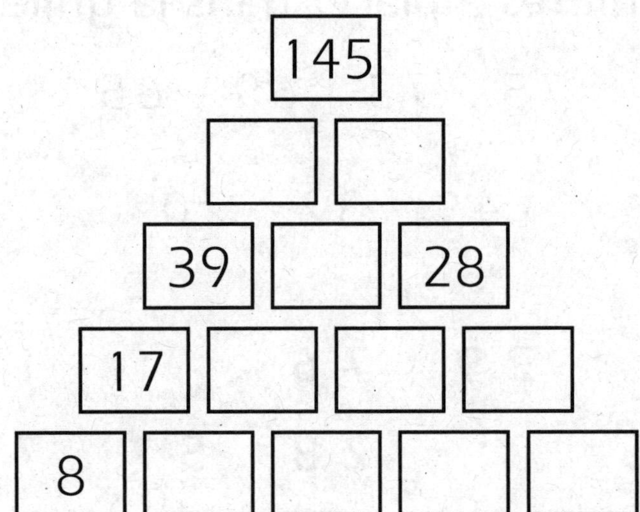

LES TROUÉS

Complétez cette grille. La somme de chaque colonne et de chaque rangée est la même.

Chiffres à placer dans la grille :

75 73 69 65

49 32 20

	29	76		11
45		28	57	72
	58	41	55	60
	55		5	26
47	60	14	48	

FUBUKI

Complétez le jeu.
Placez les nombres manquants de façon à obtenir par additions successives le résultat de chaque colonne et rangée.

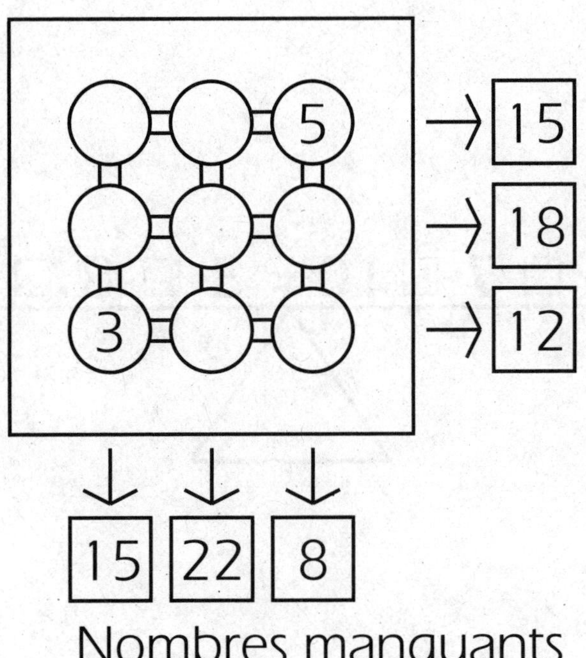

Nombres manquants
1 2 4 6 7 8 9

La BALANCE

Trouvez le nombre manquant.
Il suffit de placer dans les carré les signes « + » ou « − »
afin d'équilibrer les 2 plateaux de la balance.
Il n'exsite qu'une seule solution. Celle-ci peut être un nombre négatif.

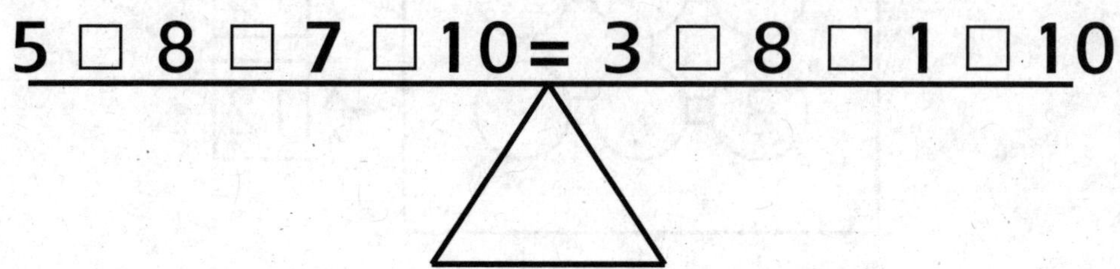

JOUR 279

Utilisez l'ADDITION.

Trouvez deux nombres dont la somme égale le nombre-code et encerclez-les. Répétez cette opération jusqu'à ce qu'il ne reste que deux nombres.

La somme de ces deux nombres réponse est : **1007**

CODE : **971**

30	611	70	670	452	824	341	553	381	846	409	687
144	562	269	667	382	554	304	827	447	833	147	952
110	759	193	941	242	524	235	518	213	541	360	563
301	519	435	901	138	808	353	740	380	703	46	544
364	925	91	783	417	583	270	778	401	950	66	928
231	525	345	758	377	880	188	677	121	577	446	729
453	689	282	647	136	835	200	664	283	607	232	645
163	618	388	782	165	850	300	923	185	895	21	688
19	570	294	529	394	771	161	590	324	806	137	739
284	767	204	626	48	834	268	536	212	591	440	606
365	702	189	786	307	671	418	701	43	531	76	953
430	861	442	736	18	594	408	905	326	589	427	630

ÉTOILE

Complétez l'étoile avec les nombres manquants.
La somme de chaque ligne est égale à 26.

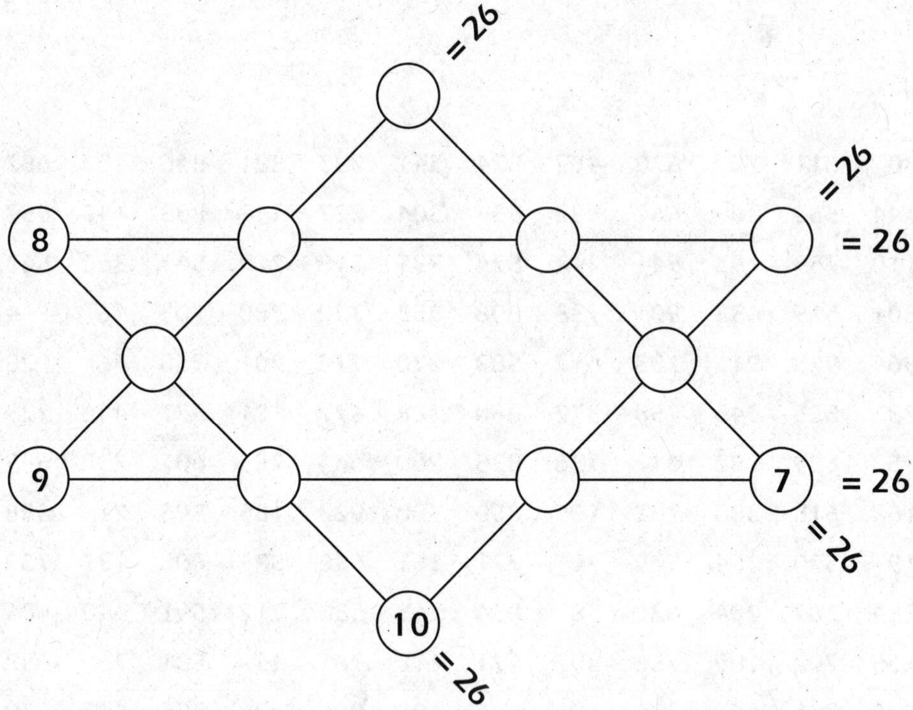

= 26

8 = 26

9 7 = 26

10

= 26 = 26 = 26

CARRÉ MYSTÈRE

Découvrez la valeur de chacun des symboles.
Les chiffres correspondent au total de chacune des rangées et des colonnes.

□	△	✧		= 29
	✧	○	△	= 32
○	○	△	□	= 39
□	✧	✧	△	= 37
= 21	= 40	= 40	= 36	

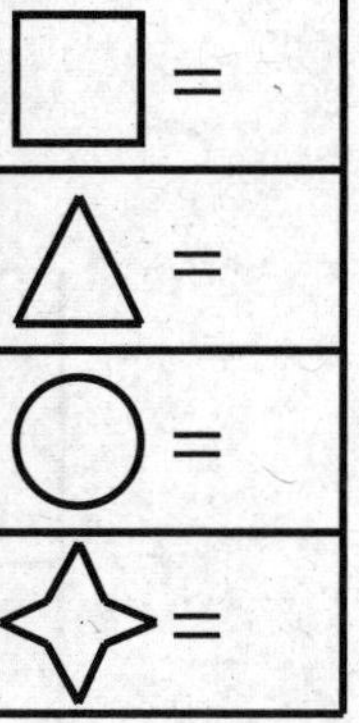

CARRÉ MAGIQUE

Complétez cette grille. La somme de chaque colonne et de chaque rangée est la même que la diagonale qui vous est donnée.

Chiffres à placer dans la grille

2 3

3 4

4	1		
		3	
	5	2	9
		9	9

LA PYRAMIDE

Complétez la pyramide avec les nombres manquants.Chaque brique contient la somme des deux cases situées en dessous de celle-ci.

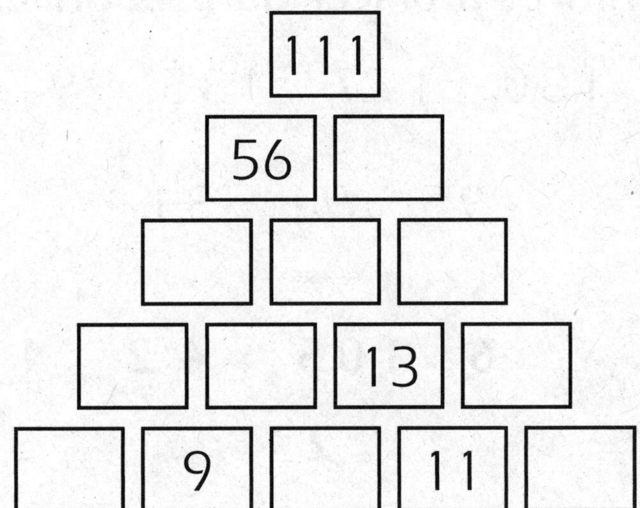

LES TROUÉS

Complétez cette grille. La somme de chaque colonne et de chaque rangée est la même.

Chiffres à placer dans la grille :

180 177 135 99

95 91 31

	6	105	42	16
21		2		58
22	85		51	92
57		38		88
69	50	105	30	

FUBUKI

Complétez le jeu.
Placez les nombres manquants de façon à obtenir par additions successives le résultat de chaque colonne et rangée.

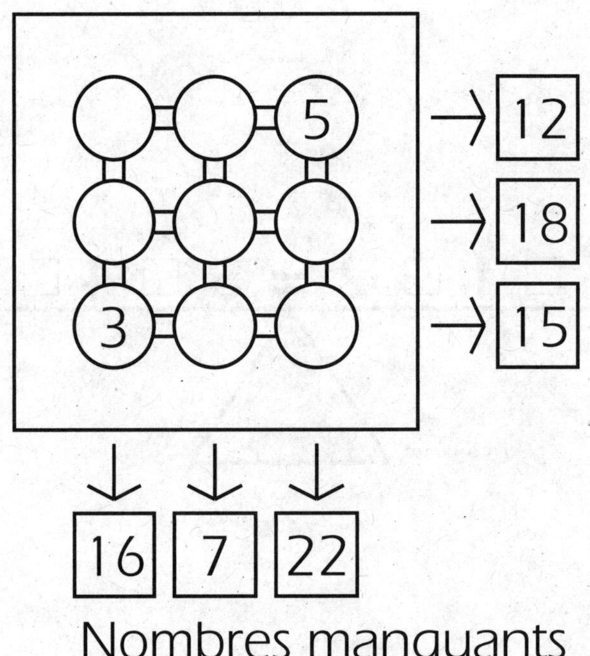

Nombres manquants
1 2 4 6 7 8 9

La BALANCE

Trouvez le nombre manquant.
Il suffit de placer dans les carré les signes « + » ou « – »
afin d'équilibrer les 2 plateaux de la balance.
Il n'exsite qu'une seule solution. Celle-ci peut être un nombre négatif.

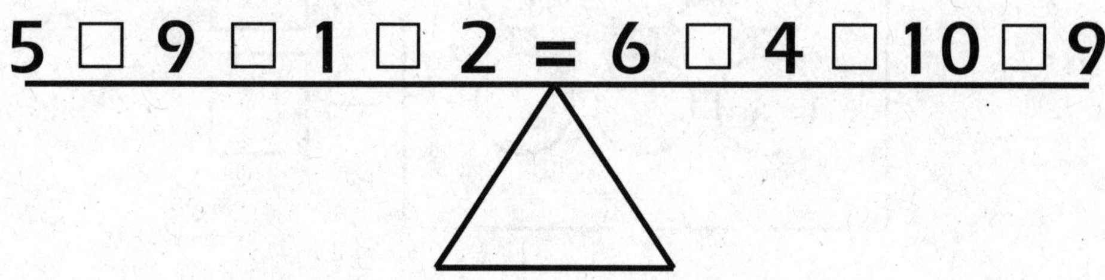

JOUR 287

Utilisez la SOUSTRACTION.
Trouvez deux nombres dont la différence égale le nombre-code et encerclez-les. Répétez cette opération jusqu'à ce qu'il ne reste que deux nombres. La somme de ces deux nombres réponse : **1605**

CODE : **972**

443	1394	375	1322	93	1136	264	1236	208	1060	233	1190
164	1230	184	1077	404	1266	455	1428	296	1207	126	1252
295	1058	86	994	359	1065	119	1203	167	1414	105	1215
159	1049	258	1250	197	1416	154	1315	247	1128	173	991
72	1169	422	1240	440	1423	236	1243	88	995	271	1044
337	1360	323	1048	352	1130	317	1098	158	1041	294	1415
388	1180	243	1289	146	1166	23	1005	17	1131	156	1208
231	1025	242	1200	19	989	235	1205	194	1267	456	1412
77	1324	451	1118	27	1189	353	1140	343	1214	228	999
53	1091	268	1139	349	1321	76	1406	272	1268	218	1156
444	1376	350	1145	69	1331	442	1427	168	1244	278	1219
217	1305	33	1249	333	1347	277	1295	22	1126	434	1309

ÉTOILE

Complétez l'étoile avec les nombres manquants.
La somme de chaque ligne est égale à 26.

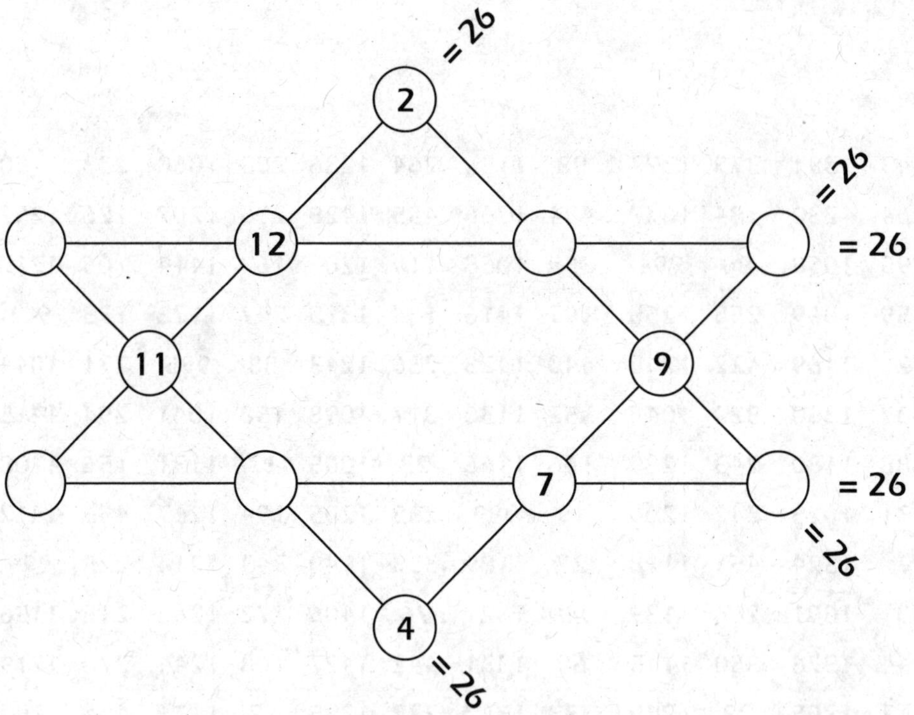

= 26

2

= 26

12

= 26

11 9

7 = 26

= 26

4

= 26

CARRÉ MYSTÈRE

Découvrez la valeur de chacun des symboles.
Les chiffres correspondent au total de chacune des rangées et des colonnes.

□	△	✧		= 21
✧		△	○	= 31
△	□	○	□	= 24
□	△	✧	✧	= 32
=	=	=	=	
23	18	42	25	

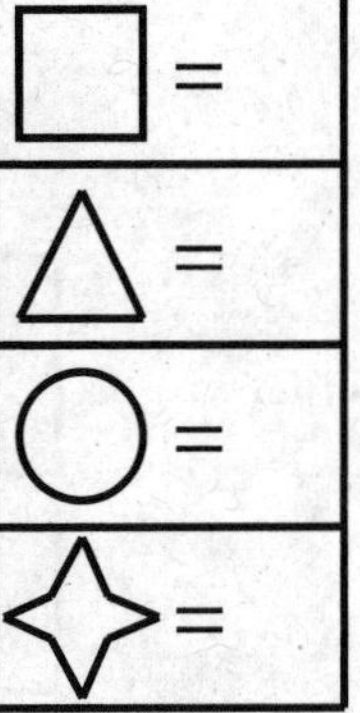

CARRÉ MAGIQUE

Complétez cette grille. La somme de chaque colonne et de chaque rangée est la même que la diagonale qui vous est donnée.

Chiffres à placer dans la grille

1 4

2 5

3 7

6	3		3	
5			2	
	7	1		
2	1		4	14
			14	14

LA PYRAMIDE

Complétez la pyramide avec les nombres manquants.Chaque brique contient la somme des deux cases situées en dessous de celle-ci.

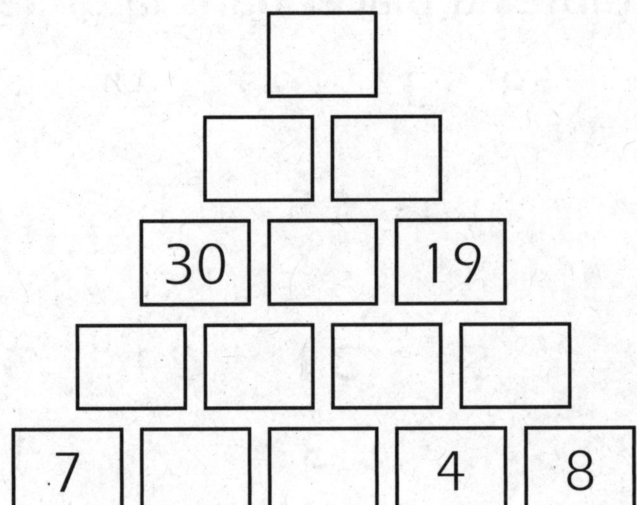

LES TROUÉS

Complétez cette grille. La somme de chaque colonne et de chaque rangée est la même.

Chiffres à placer dans la grille :

38 34 27 24

16 15 11

	5	31	21	32
33		3		11
17	36		28	13
3		49		11
36	13	11	7	

FUBUKI

Complétez le jeu.
Placez les nombres manquants de façon à obtenir par additions successives le résultat de chaque colonne et rangée.

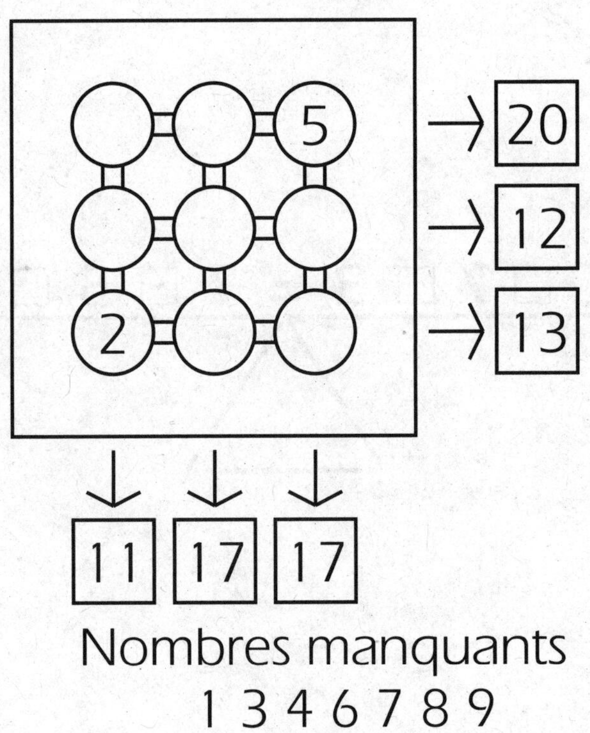

Nombres manquants
1 3 4 6 7 8 9

La BALANCE

Trouvez le nombre manquant.
Il suffit de placer dans les carré les signes « + » ou « – »
afin d'équilibrer les 2 plateaux de la balance.
Il n'exsite qu'une seule solution. Celle-ci peut être un nombre négatif.

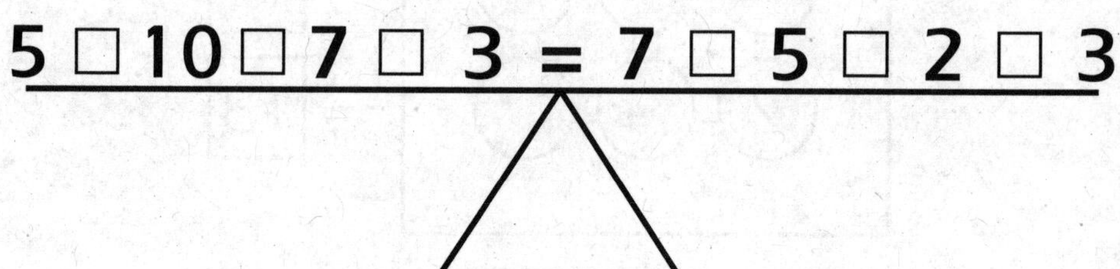

Utilisez l'ADDITION.

Trouvez deux nombres dont la somme égale le nombre-code et encerclez-les. Répétez cette opération jusqu'à ce qu'il ne reste que deux nombres.

La somme de ces deux nombres réponse est : **1228**

CODE : **973**

316	716	453	588	334	849	257	609	298	859	412	951
193	739	124	906	194	513	456	881	364	927	294	818
92	515	411	517	81	926	381	571	22	511	385	623
285	921	356	657	292	933	173	618	345	592	47	729
438	924	333	655	234	675	52	679	221	826	115	562
318	536	302	671	183	642	314	520	244	640	23	646
19	617	155	561	85	663	40	887	147	590	96	780
67	827	182	790	462	877	327	950	460	639	148	541
86	614	359	630	432	624	383	741	402	583	458	954
365	791	350	608	146	825	232	628	355	688	390	752
343	535	279	784	114	582	284	888	437	659	189	694
349	892	49	944	46	779	391	858	310	800	331	681

ÉTOILE

Complétez l'étoile avec les nombres manquants.
La somme de chaque ligne est égale à 26.

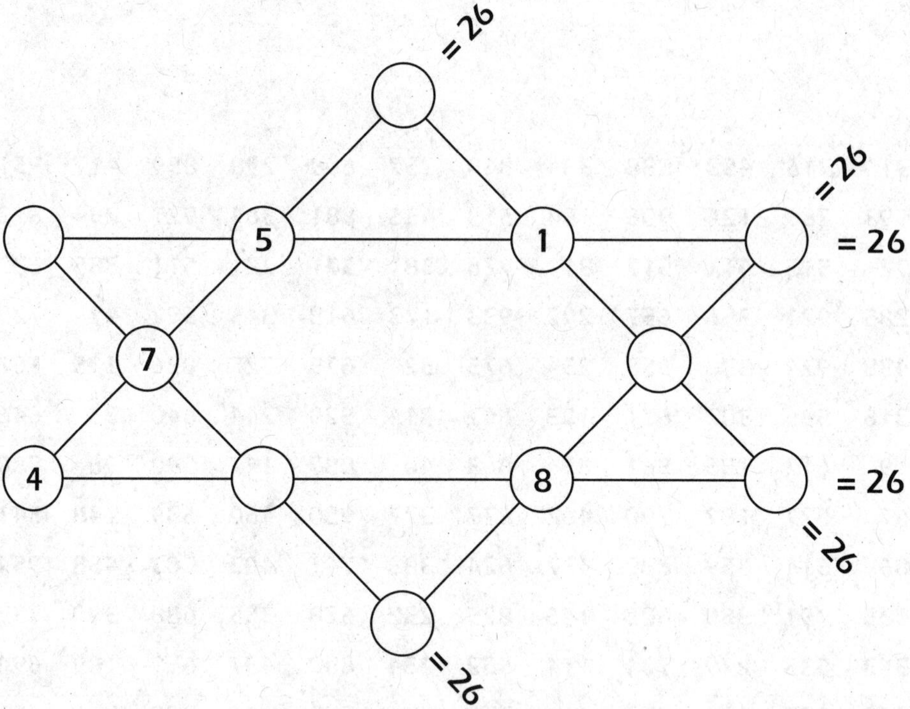

= 26

= 26

5 1

= 26

7

4 8

= 26

= 26

= 26

CARRÉ MYSTÈRE

Découvrez la valeur de chacun des symboles.
Les chiffres correspondent au total de chacune des rangées et des colonnes.

□	○		✧	= 19
	✧	△	○	= 18
○	□	□	△	= 17
△	○	○	✧	= 21
= 12	= 22	= 12	= 29	

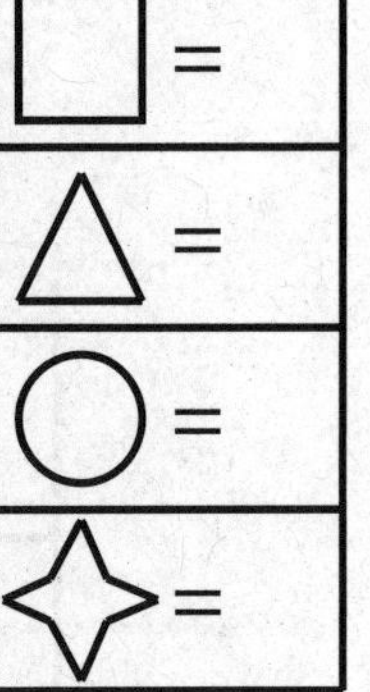

CARRÉ MAGIQUE

Complétez cette grille. La somme de chaque colonne et de chaque rangée est la même que la diagonale qui vous est donnée.

Chiffres à placer dans la grille

2 5
4 6

	4	0	
	1		
2		3	9
		9	9

LA PYRAMIDE

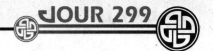

Complétez la pyramide avec les nombres manquants.Chaque brique contient la somme des deux cases situées en dessous de celle-ci.

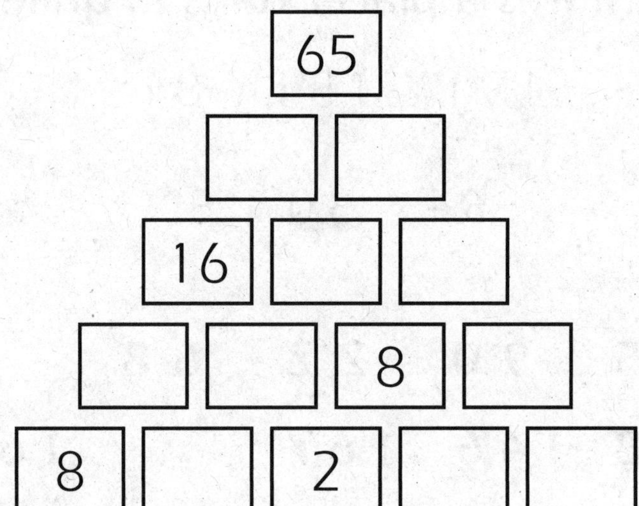

JOUR 300

LES TROUÉS

Complétez cette grille. La somme de chaque colonne et de chaque rangée est la même.

Chiffres à placer dans la grille :

191 151 81

54 30 8

325	90	22	68	
98	146	167		162
98			133	134
11		320	57	190
		47	315	19

FUBUKI

Complétez le jeu.
Placez les nombres manquants de façon à obtenir par additions successives le résultat de chaque colonne et rangée.

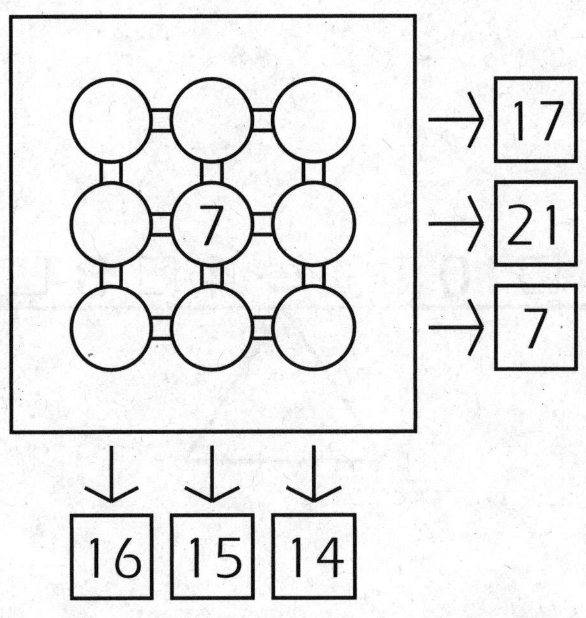

Nombres manquants
1 2 3 4 5 6 8 9

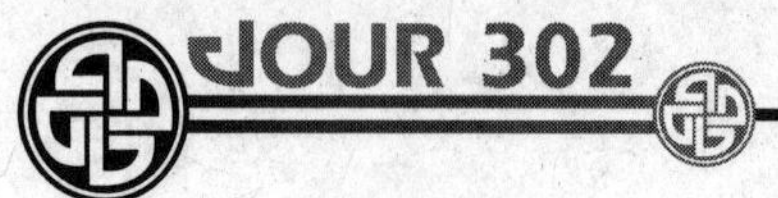

La BALANCE

Trouvez le nombre manquant.
Il suffit de placer dans les carré les signes « + » ou « − »
afin d'équilibrer les 2 plateaux de la balance.
Il n'exsite qu'une seule solution. Celle-ci peut être un nombre négatif.

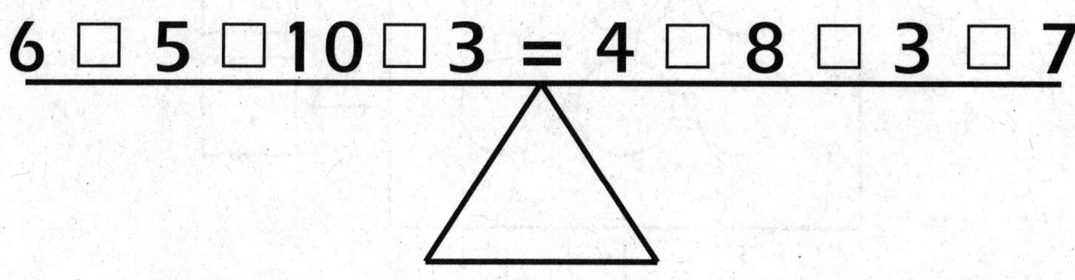

JOUR 303

Utilisez la SOUSTRACTION.

Trouvez deux nombres dont la différence égale le nombre-code et encerclez-les. Répétez cette opération jusqu'à ce qu'il ne reste que deux nombres. La somme de ces deux nombres réponse : **1583**

CODE : **976**

118	1203	227	1130	365	1309	259	1127	193	1168	104	1202
441	1387	321	1071	119	1268	176	1308	187	1290	375	1341
332	1140	254	1275	409	1039	42	1304	415	1163	109	1018
54	1078	85	1169	335	1095	90	1311	23	1364	55	1030
192	1081	86	1417	429	1020	82	1062	154	1379	80	1066
128	1277	333	1343	299	1094	44	1085	411	1114	105	1104
443	1031	403	1166	314	1352	190	1439	388	1288	138	1423
95	1183	367	1235	410	1385	275	1152	63	1262	376	1382
407	1184	164	1124	312	1432	45	1080	22	1009	378	1351
456	1056	423	998	148	1132	287	1251	207	1386	447	1405
283	1021	328	1399	102	1058	226	1061	463	1259	406	1419
301	999	292	1263	208	1383	156	1230	151	1354	33	1391

JOUR 304

ÉTOILE

Complétez l'étoile avec les nombres manquants.
La somme de chaque ligne est égale à 26.

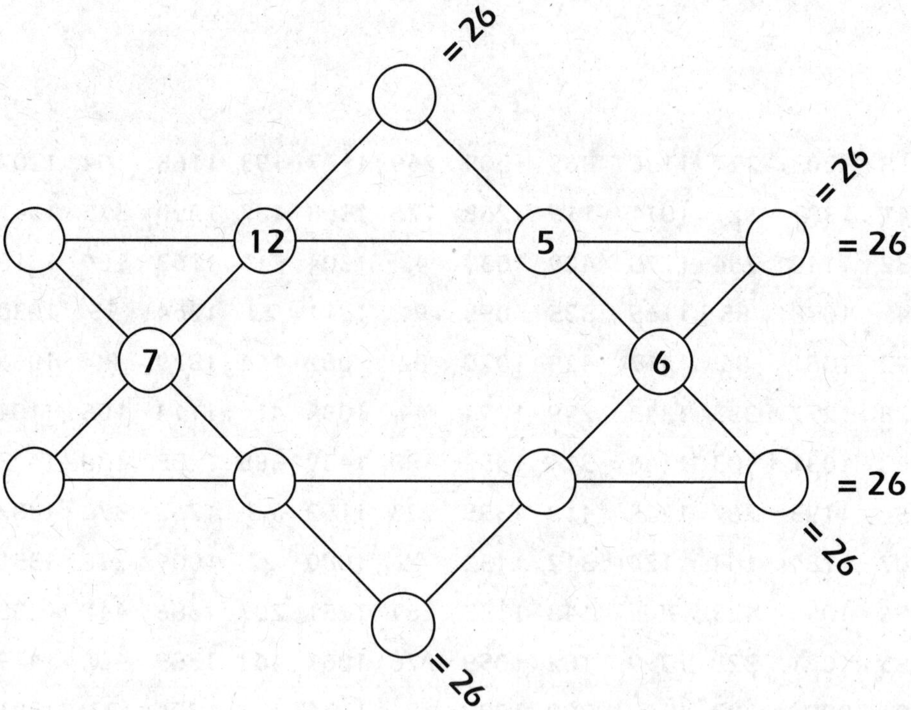

= 26

= 26

12 5 = 26

7 6

= 26

= 26

= 26

CARRÉ MYSTÈRE

Découvrez la valeur de chacun des symboles.
Les chiffres correspondent au total de chacune des rangées et des colonnes.

□	○		✧	= 19
○		△	□	= 26
✧	△	✧	□	= 16
□	△	□	○	= 32
= 25	= 28	= 15	= 25	

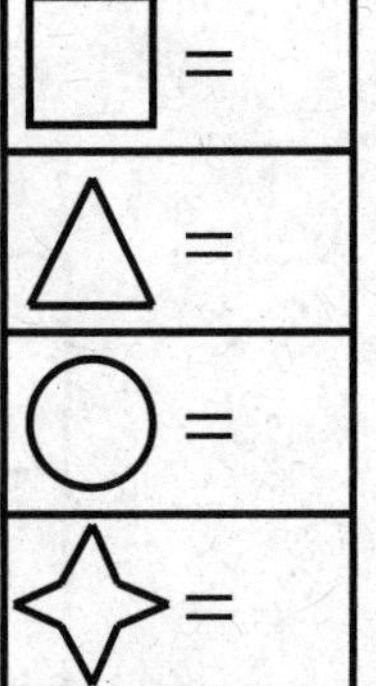

CARRÉ MAGIQUE

Complétez cette grille. La somme de chaque colonne et de chaque rangée est la même que la diagonale qui vous est donnée.

Chiffres à placer dans la grille

1 7

3 11

7 11

5	8		1	
	9	3	6	
	7	4		
10			7	25
			25	25

LA PYRAMIDE

Complétez la pyramide avec les nombres manquants. Chaque brique contient la somme des deux cases situées en dessous de celle-ci.

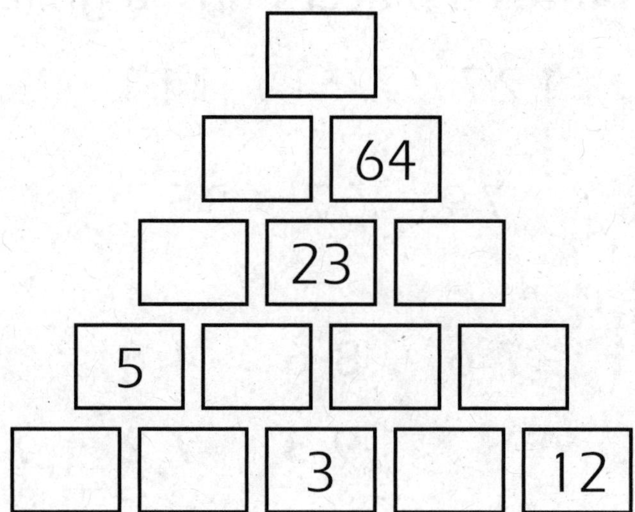

LES TROUÉS

Complétez cette grille. La somme de chaque colonne et de chaque rangée est la même.

Chiffres à placer dans la grille :

127 111 111

79 67 35

111	76	86	48	
		93	72	73
107	38		32	144
112	122	83		36
	69	59	201	68

FUBUKI

Complétez le jeu.
Placez les nombres manquants de façon à obtenir par additions successives le résultat de chaque colonne et rangée.

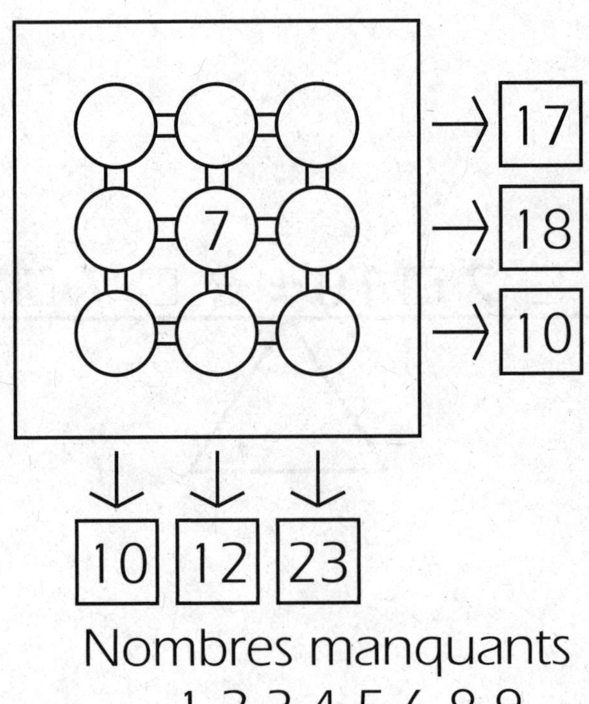

Nombres manquants
1 2 3 4 5 6 8 9

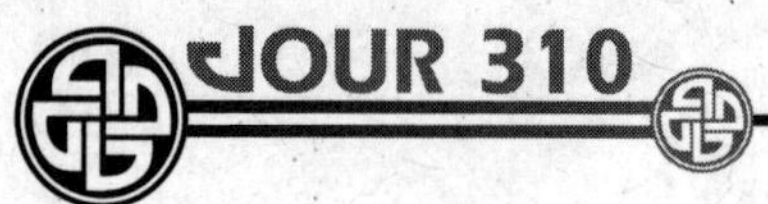

La BALANCE

Trouvez le nombre manquant.
Il suffit de placer dans les carré les signes « + » ou « – »
afin d'équilibrer les 2 plateaux de la balance.
Il n'exsite qu'une seule solution. Celle-ci peut être un nombre négatif.

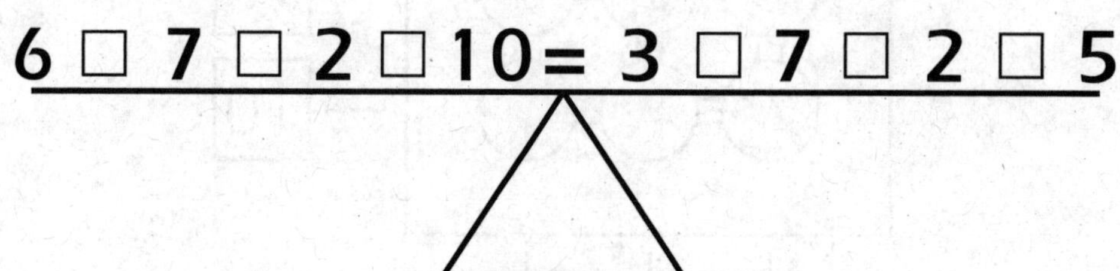

Utilisez l'ADDITION.

Trouvez deux nombres dont la somme égale le nombre-code et encerclez-les. Répétez cette opération jusqu'à ce qu'il ne reste que deux nombres.

La somme de ces deux nombres réponse est : **744**

CODE : **975**

81	557	310	706	275	700	153	773	319	728	294	751
202	958	123	942	216	692	150	836	160	879	315	822
338	566	454	825	391	900	77	656	298	761	286	549
17	621	155	681	113	791	75	630	346	820	385	898
188	787	204	902	404	677	274	842	247	735	418	584
227	637	73	573	71	659	36	893	354	876	240	689
364	852	190	635	233	711	243	714	65	748	224	744
408	771	246	665	340	862	33	590	184	742	96	815
139	673	264	785	333	732	269	571	29	858	238	642
99	660	345	629	341	734	117	903	72	894	316	737
214	701	231	946	402	567	82	634	437	759	241	939
331	729	426	611	261	538	283	910	409	521	133	644

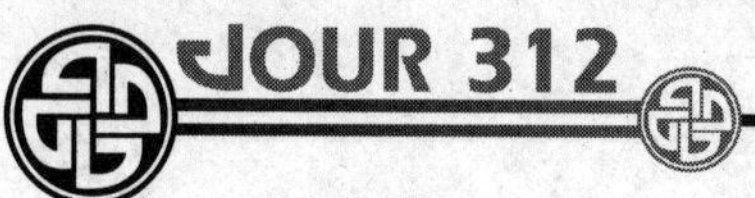

ÉTOILE

Complétez l'étoile avec les nombres manquants.
La somme de chaque ligne est égale à 26.

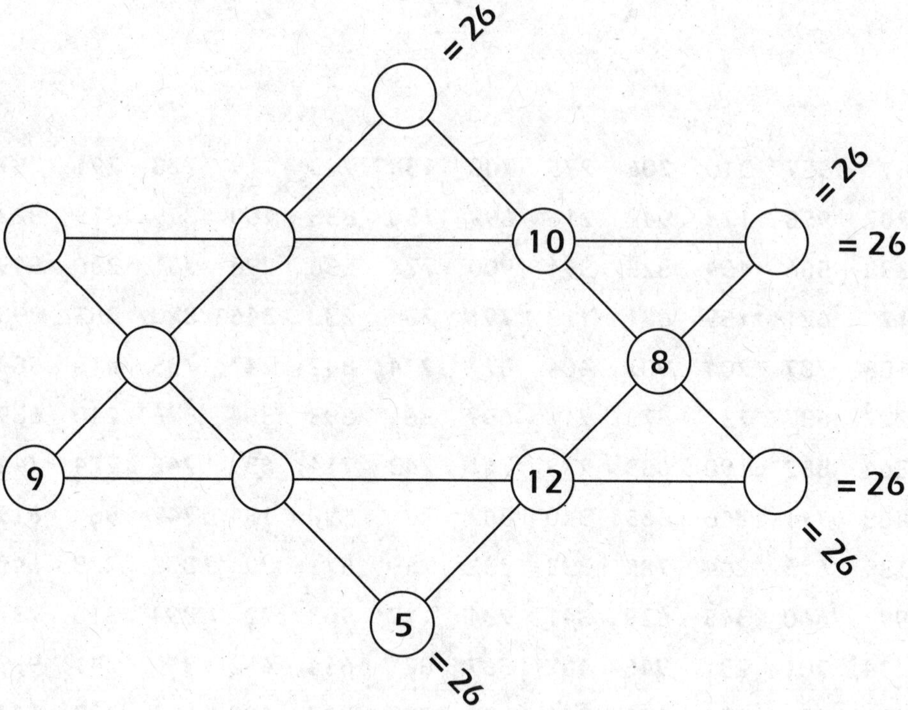

= 26

= 26

10

= 26

8

9

12

= 26

= 26

5

= 26

CARRÉ MYSTÈRE

Découvrez la valeur de chacun des symboles.
Les chiffres correspondent au total de chacune des rangées et des colonnes.

□	○	△		= 19
□	○		✦	= 27
○	△	✦	○	= 44
△	□	○	△	= 22
= 20	= 34	= 29	= 29	

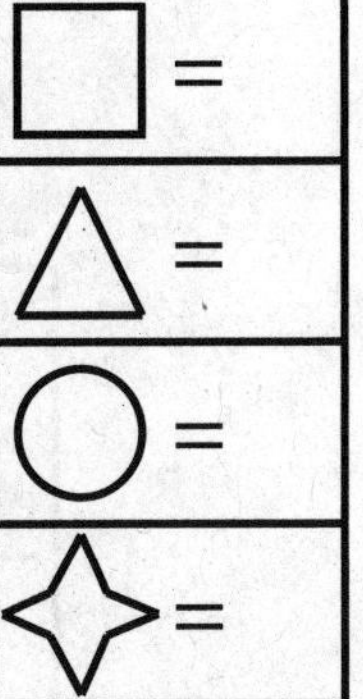

CARRÉ MAGIQUE

Complétez cette grille. La somme de chaque colonne et de chaque rangée est la même que la diagonale qui vous est donnée.

Chiffres à placer dans la grille

15 27

27 50

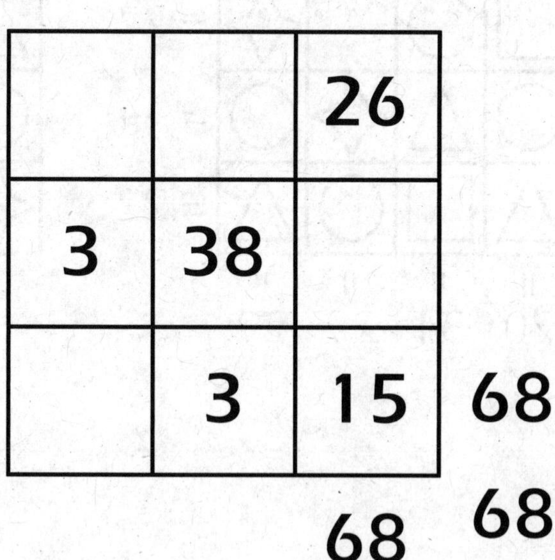

		26	
3	38		
	3	15	68
		68	68

LA PYRAMIDE

Complétez la pyramide avec les nombres manquants.Chaque brique contient la somme des deux cases situées en dessous de celle-ci.

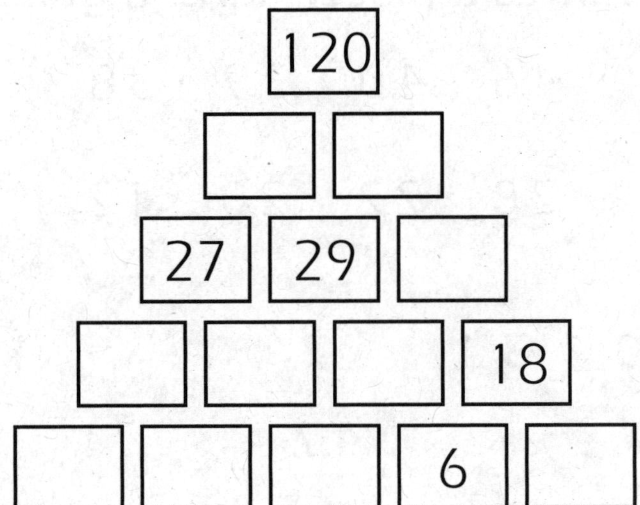

LES TROUÉS

Complétez cette grille. La somme de chaque colonne et de chaque rangée est la même.

Chiffres à placer dans la grille :

46 40 39 38

28 22 20 12

50	31	7		15
9		47		
7	30	45		
38	29		43	10
	6	21	8	69

FUBUKI

Complétez le jeu.
Placez les nombres manquants de façon à obtenir par additions successives le résultat de chaque colonne et rangée.

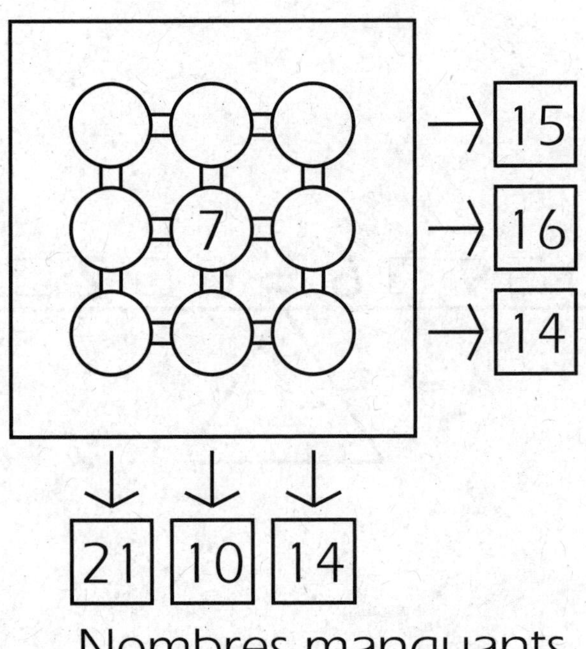

La BALANCE

Trouvez le nombre manquant.
Il suffit de placer dans les carré les signes « + » ou « – »
afin d'équilibrer les 2 plateaux de la balance.
Il n'exsite qu'une seule solution. Celle-ci peut être un nombre négatif.

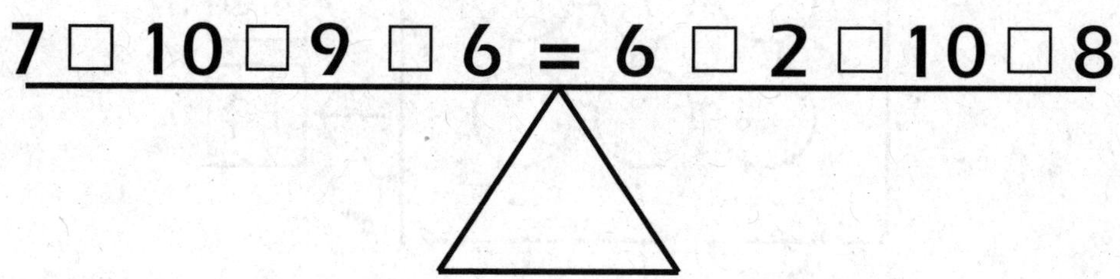

JOUR 319

Utilisez la SOUSTRACTION.

Trouvez deux nombres dont la différence égale le nombre-code et encerclez-les. Répétez cette opération jusqu'à ce qu'il ne reste que deux nombres. La somme de ces deux nombres réponse : **1211**

CODE : **981**

198	1069	231	1398	278	1321	358	1118	193	1174	254	1236
92	1423	259	1388	375	1123	431	1230	361	1315	299	1412
300	1424	409	1219	296	1235	442	1009	332	1277	459	1431
340	1115	260	1073	450	1354	319	1133	389	1212	347	1339
435	1416	191	1298	74	1414	312	1259	163	1055	177	1194
213	1015	174	1172	417	1181	152	1342	373	1179	137	1132
454	1444	202	1328	23	1300	359	1126	203	1376	255	1417
249	1184	443	1240	395	1004	145	1155	161	1356	34	1025
133	1370	317	1390	135	1198	44	1281	334	1114	134	1340
353	1149	204	1106	151	1144	88	1319	217	1116	392	1313
433	1435	125	1280	463	1185	338	1322	200	1241	168	1440
197	1293	341	1334	436	1373	238	1158	407	1178	142	1142

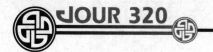

ÉTOILE

Complétez l'étoile avec les nombres manquants.
La somme de chaque ligne est égale à 26.

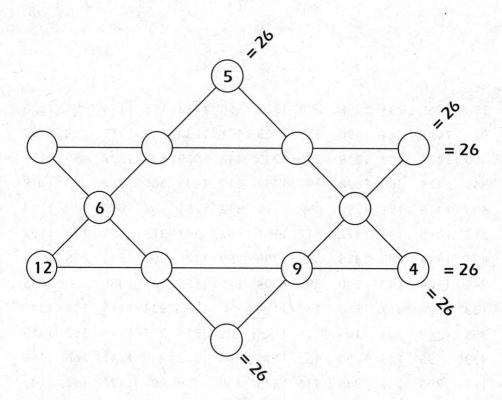

= 26

5

= 26

= 26

6

12 9 4 = 26

= 26

= 26

CARRÉ MYSTÈRE

Découvrez la valeur de chacun des symboles.
Les chiffres correspondent au total de chacune des rangées et des colonnes.

□	○	△		= 29
✧		□	○	= 28
○	△	✧	○	= 37
○	✧	✧	□	= 40
= 34	= 31	= 47	= 22	

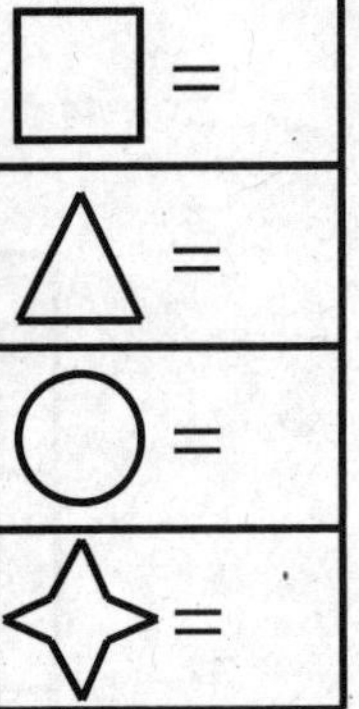

JOUR 322

CARRÉ MAGIQUE

Complétez cette grille. La somme de chaque colonne et de chaque rangée est la même que la diagonale qui vous est donnée.

Chiffres à placer dans la grille

0	3
2	6
2	10

6			7	
7		10	5	
	12	5		
6		8	11	25
			25	25

LA PYRAMIDE

Complétez la pyramide avec les nombres manquants.Chaque brique contient la somme des deux cases situées en dessous de celle-ci.

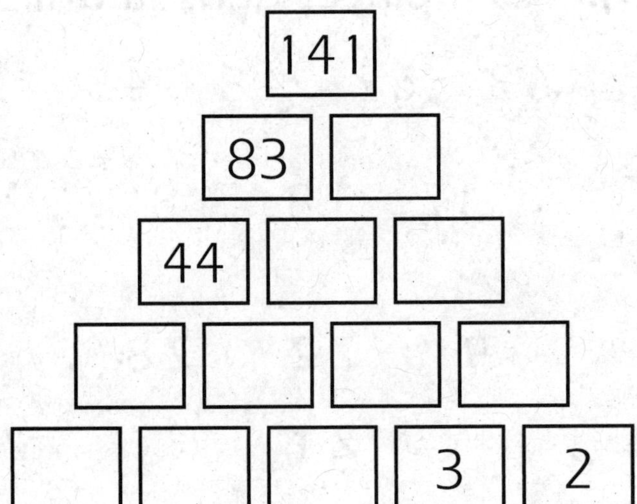

JOUR 324

LES TROUÉS

Complétez cette grille. La somme de chaque colonne et de chaque rangée est la même.

Chiffres à placer dans la grille :

63 62 48 45

37 18 18

	9	22	28	8
4		21		23
33	53		7	19
17		29		18
13	5	40	10	

FUBUKI

Complétez le jeu.
Placez les nombres manquants de façon à obtenir par additions successives le résultat de chaque colonne et rangée.

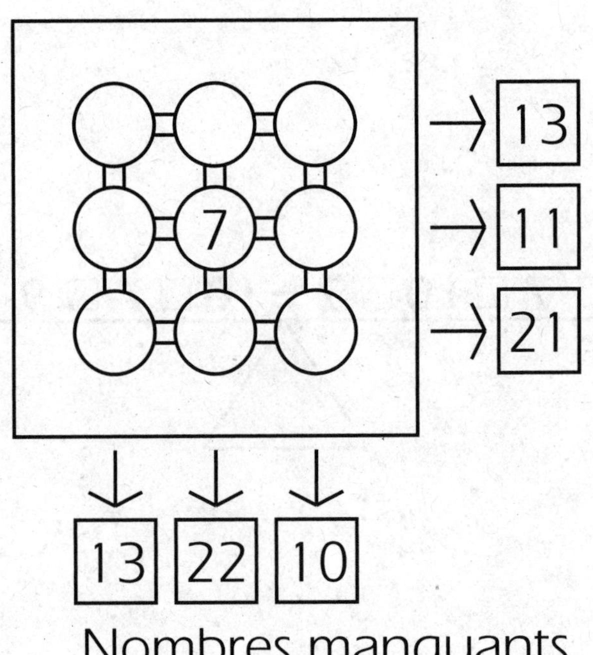

Nombres manquants
1 2 3 4 5 6 8 9

La BALANCE

Trouvez le nombre manquant.
Il suffit de placer dans les carré les signes « + » ou « – »
afin d'équilibrer les 2 plateaux de la balance.
Il n'exsite qu'une seule solution. Celle-ci peut être un nombre négatif.

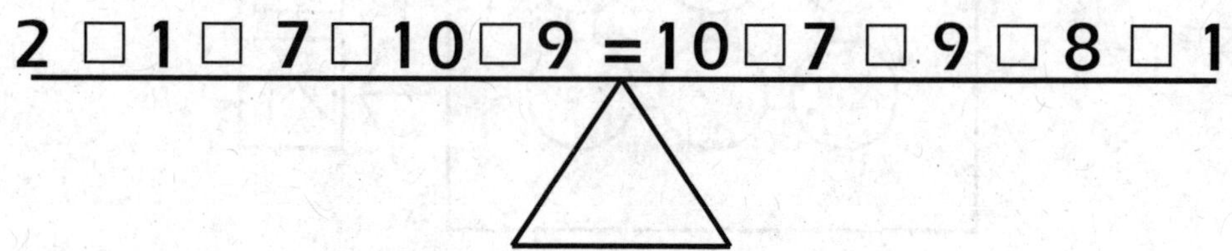

JOUR 327

Utilisez l'ADDITION.

Trouvez deux nombres dont la somme égale le nombre-code et encerclez-les. Répétez cette opération jusqu'à ce qu'il ne reste que deux nombres. La somme de ces deux nombres réponse est : **823**

CODE : **1000**

415	983	436	580	285	541	101	913	428	962	459	649
386	890	43	720	448	564	35	585	333	904	274	628
272	781	372	805	124	762	399	845	371	608	397	739
263	526	315	603	83	715	452	726	255	773	20	576
454	601	64	924	261	572	377	885	58	917	76	737
144	942	48	876	119	867	334	856	226	745	295	667
115	623	227	813	61	779	169	596	424	899	418	893
219	588	474	744	340	818	373	546	412	582	182	705
404	625	420	660	87	627	221	727	375	980	391	831
139	552	392	936	187	629	133	738	96	965	422	685
38	881	155	571	273	666	351	578	280	609	107	614
256	952	429	728	262	774	17	861	195	957	110	548

JOUR 328

ÉTOILE

Complétez l'étoile avec les nombres manquants.
La somme de chaque ligne est égale à 26.

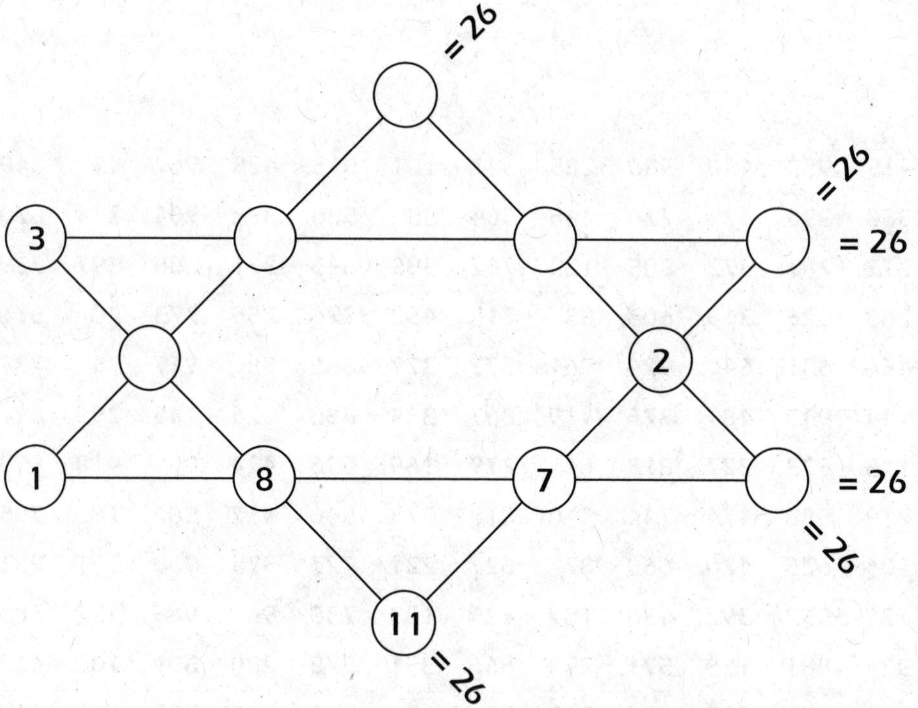

= 26

= 26

3

= 26

2

1

8

7

= 26

= 26

11

= 26

CARRÉ MYSTÈRE

Découvrez la valeur de chacun des symboles.
Les chiffres correspondent au total de chacune des rangées et des colonnes.

□	○	✧		= 14
□	△		○	= 25
○	✧	△	△	= 35
○	✧	□	✧	= 18
= 20	= 24	= 28	= 20	

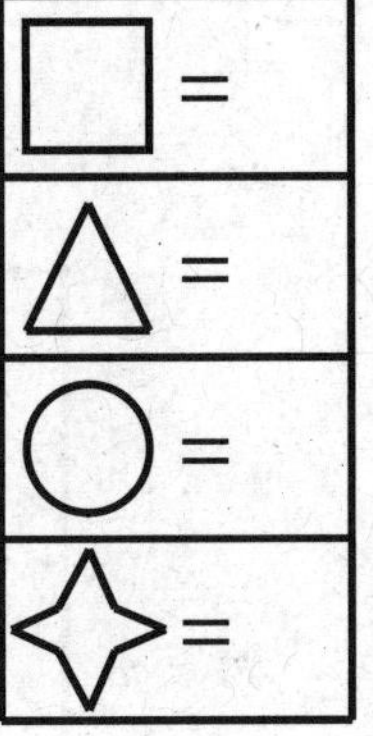

CARRÉ MAGIQUE

Complétez cette grille. La somme de chaque colonne et de chaque rangée est la même que la diagonale qui vous est donnée.

Chiffres à placer dans la grille

3 10

7 13

	7	13	
	10	0	
	6		23
		23	23

LA PYRAMIDE

Complétez la pyramide avec les nombres manquants. Chaque brique contient la somme des deux cases situées en dessous de celle-ci.

	57	36		
25		6		
14				

LES TROUÉS

Complétez cette grille. La somme de chaque colonne et de chaque rangée est la même.

Chiffres à placer dans la grille :

59 50 48 25

20 20 16

44	56	31	59	
67	25	41		52
70				11
13		41	63	45
	61	38	13	82

FUBUKI

Complétez le jeu.
Placez les nombres manquants de façon à obtenir par additions successives le résultat de chaque colonne et rangée.

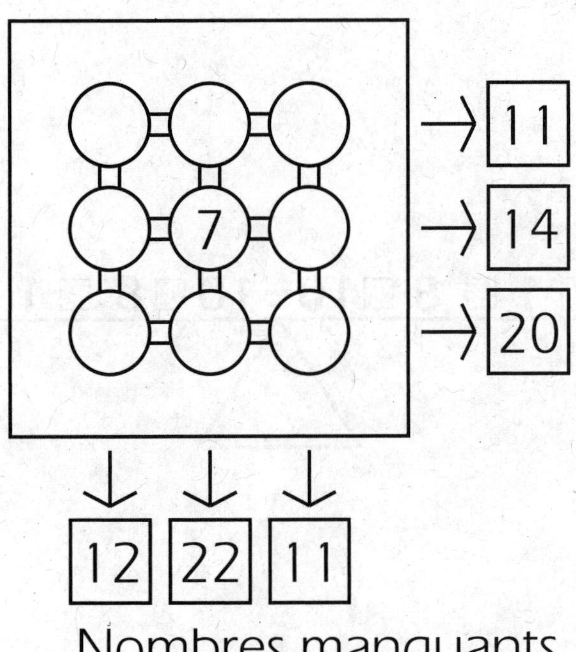

Nombres manquants
1 2 3 4 5 6 8 9

La BALANCE

Trouvez le nombre manquant.
Il suffit de placer dans les carré les signes « + » ou « – »
afin d'équilibrer les 2 plateaux de la balance.
Il n'exsite qu'une seule solution. Celle-ci peut être un nombre négatif.

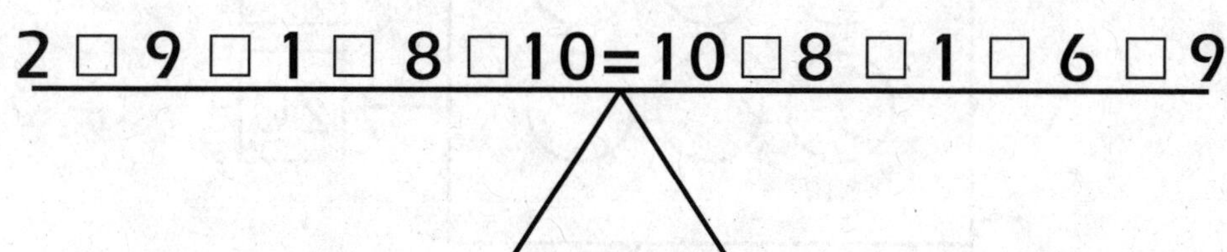

JOUR 335

Utilisez la SOUSTRACTION.

Trouvez deux nombres dont la différence égale le nombre-code et encerclez-les. Répétez cette opération jusqu'à ce qu'il ne reste que deux nombres. La somme de ces deux nombres réponse : **1334**

CODE : **990**

352	1078	149	1254	242	1083	415	1052	408	1200	372	1333
407	1224	88	1137	379	1013	256	1186	54	1398	104	1397
116	1199	86	1237	279	1326	422	1040	209	1277	23	1044
449	1076	421	1045	22	1084	264	1444	345	1220	323	1037
365	1023	18	1355	336	1335	343	1436	397	1311	194	1246
55	1394	389	1132	135	1297	454	1125	45	1257	211	1093
196	1321	287	1313	250	1269	307	1334	344	1314	33	1024
34	1296	76	1139	103	1406	331	1008	210	1437	142	1405
47	1184	230	1066	147	1411	71	1412	404	1388	455	1342
247	1417	20	1201	381	1362	416	1240	321	1035	63	1232
94	1106	234	1053	306	1371	447	1459	62	1439	267	1387
469	1369	427	1445	398	1061	50	1379	446	1094	93	1012

ÉTOILE

Complétez l'étoile avec les nombres manquants.
La somme de chaque ligne est égale à 26.

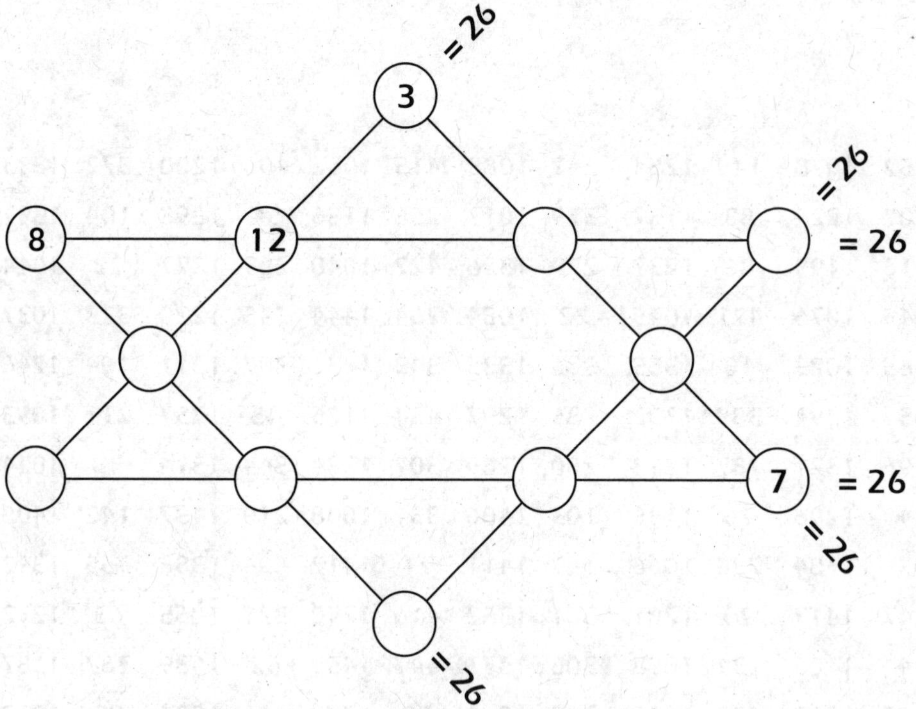

3

8 — 12 — ◯ — ◯ = 26

◯ — ◯ — ◯ — 7 = 26

= 26 (×4)

CARRÉ MYSTÈRE

Découvrez la valeur de chacun des symboles.
Les chiffres correspondent au total de chacune des rangées et des colonnes.

□	✦		△	= 24
	✦	○	□	= 30
□	△	△	○	= 33
✦	○	□	○	= 40
= 35	= 24	= 29	= 39	

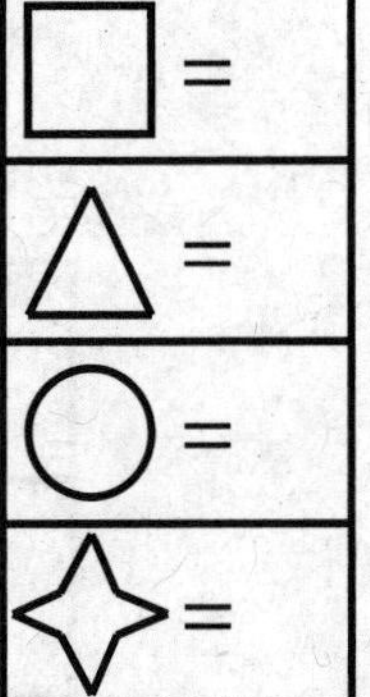

CARRÉ MAGIQUE

Complétez cette grille. La somme de chaque colonne et de chaque rangée est la même que la diagonale qui vous est donnée.

Chiffres à placer dans la grille

10 18
14 19
17 22

7		11	29	
	22		10	
8		24		
27	7		11	64
			64	64

LA PYRAMIDE

Complétez la pyramide avec les nombres manquants. Chaque brique contient la somme des deux cases situées en dessous de celle-ci.

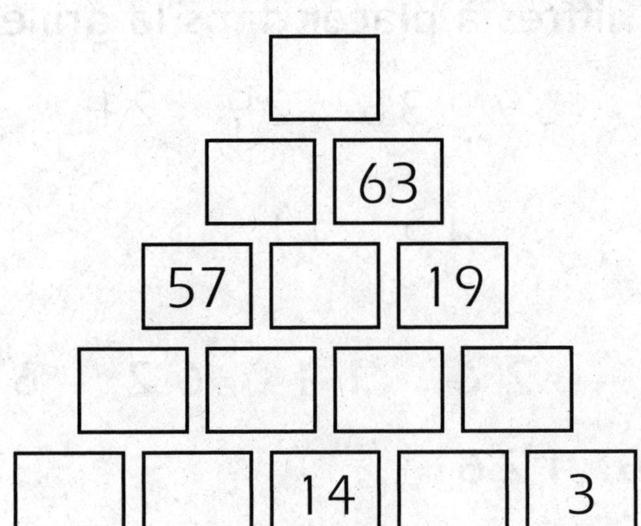

LES TROUÉS

Complétez cette grille. La somme de chaque colonne et de chaque rangée est la même.

Chiffres à placer dans la grille :

69 36 29 21

15 11 8

	26	**11**	**62**	**69**
56	**126**			
36	**37**	**129**	**14**	
15	**40**	**79**		**67**
61		**3**	**96**	**69**

FUBUKI

Complétez le jeu.
Placez les nombres manquants de façon à obtenir par additions successives le résultat de chaque colonne et rangée.

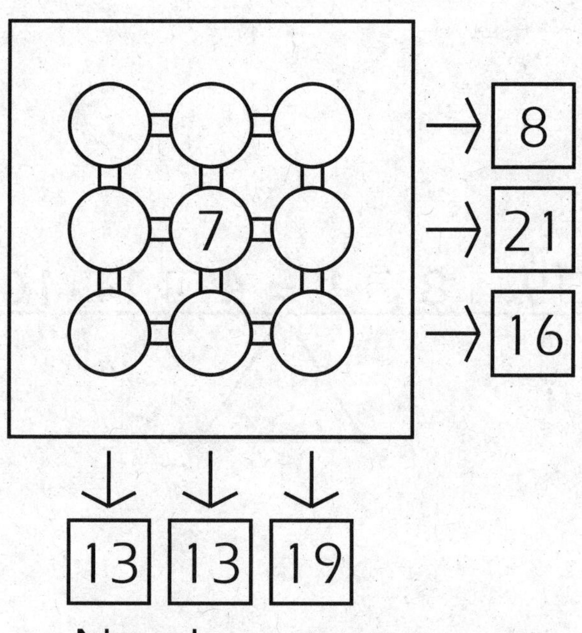

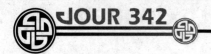

La BALANCE

Trouvez le nombre manquant.
Il suffit de placer dans les carré les signes « + » ou « – »
afin d'équilibrer les 2 plateaux de la balance.
Il n'exsite qu'une seule solution. Celle-ci peut être un nombre négatif.

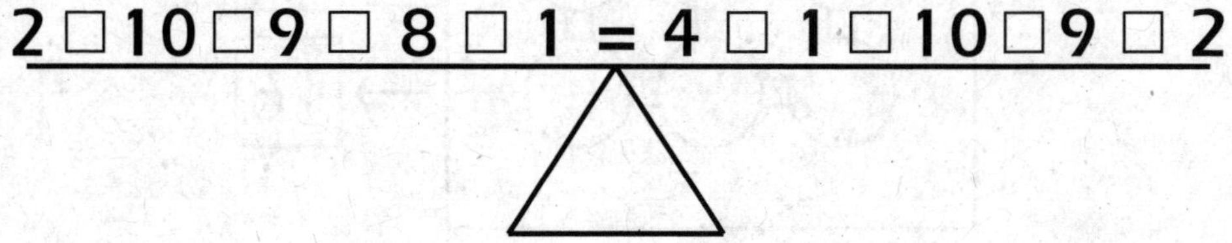

Utilisez l'ADDITION.
Trouvez deux nombres dont la somme égale le nombre-code et encerclez-les. Répétez cette opération jusqu'à ce qu'il ne reste que deux nombres.
La somme de ces deux nombres réponse est : **1012**

CODE : **1003**

39	709	70	781	127	952	470	916	151	663	192	636
364	726	22	644	211	849	373	702	85	958	279	619
365	600	109	885	36	665	338	767	401	560	236	894
215	869	262	750	277	699	457	964	390	706	304	630
293	876	25	602	134	575	443	852	280	818	294	740
27	638	75	788	316	546	340	583	438	918	336	816
288	715	359	978	253	932	301	692	86	613	57	739
45	900	430	967	306	977	71	710	263	946	118	917
403	741	351	687	92	911	154	724	384	639	26	527
271	637	428	981	476	667	367	565	51	933	222	976
434	792	311	928	101	573	442	723	103	902	264	811
420	561	87	732	366	533	187	652	185	569	439	564

ÉTOILE

Complétez l'étoile avec les nombres manquants.
La somme de chaque ligne est égale à 26.

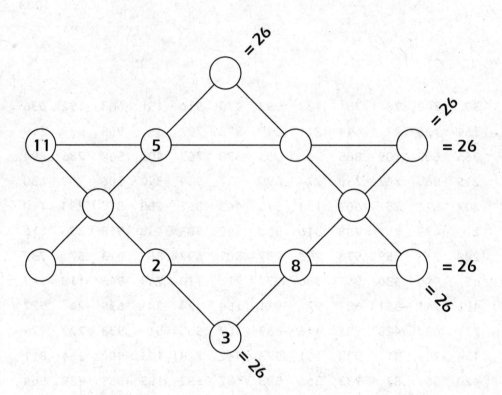

= 26

= 26

11 5 = 26

2 8 = 26

= 26

3

= 26

CARRÉ MYSTÈRE

Découvrez la valeur de chacun des symboles.
Les chiffres correspondent au total de chacune des rangées et des colonnes.

□	✧		○	= 24
✧		□	△	= 12
✧	△	✧	○	= 22
○	○	✧	□	= 38
= 27	= 19	= 13	= 37	

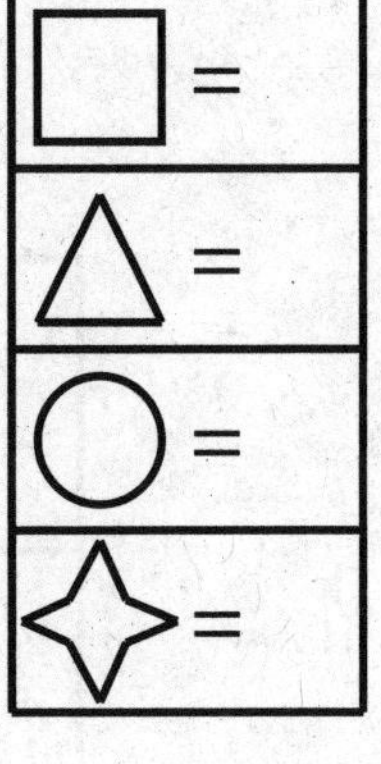

CARRÉ MAGIQUE

Complétez cette grille. La somme de chaque colonne et de chaque rangée est la même que la diagonale qui vous est donnée.

Chiffres à placer dans la grille

9 16

13 17

12	8		
0			
	8	4	29
		29	29

LA PYRAMIDE

Complétez la pyramide avec les nombres manquants.Chaque brique contient la somme des deux cases situées en dessous de celle-ci.

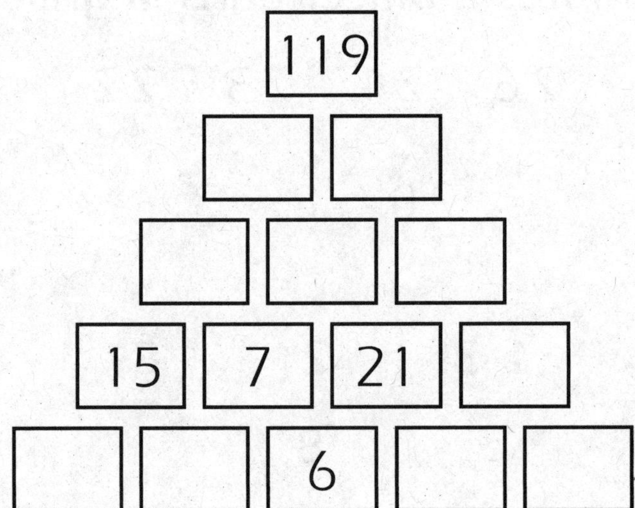

LES TROUÉS

Complétez cette grille. La somme de chaque colonne et de chaque rangée est la même.

Chiffres à placer dans la grille :

26 24 23 22

20 8 3

	13	2	8	2
3		8		7
13	0		6	9
5		12		4
4	10	6	2	

FUBUKI

Complétez le jeu.
Placez les nombres manquants de façon à obtenir par additions successives le résultat de chaque colonne et rangée.

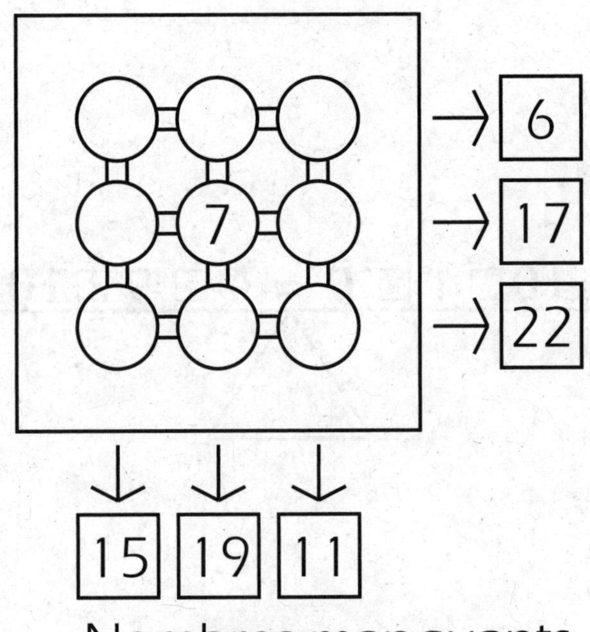

Nombres manquants
1 2 3 4 5 6 8 9

La BALANCE

Trouvez le nombre manquant.
Il suffit de placer dans les carré les signes « + » ou « – »
afin d'équilibrer les 2 plateaux de la balance.
Il n'exsite qu'une seule solution. Celle-ci peut être un nombre négatif.

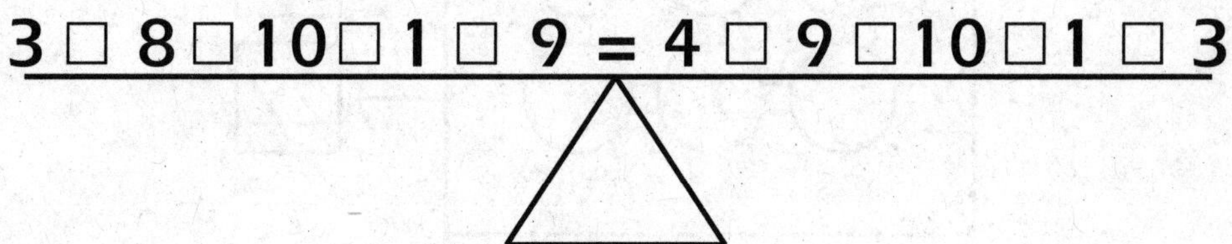

Utilisez la SOUSTRACTION.
Trouvez deux nombres dont la différence égale le nombre-code et encerclez-les. Répétez cette opération jusqu'à ce qu'il ne reste que deux nombres. La somme de ces deux nombres réponse : **1267**

CODE : **1001**

51	1111	188	1150	355	1069	120	1030	425	1237	194	1250
420	1065	18	1122	64	1191	344	1439	190	1350	154	1145
419	1195	119	1308	169	1338	104	1218	473	1314	158	1170
116	1019	32	1075	438	1295	71	1048	118	1440	262	1345
44	1470	426	1312	193	1252	249	1474	294	1425	469	1257
283	1058	213	1033	309	1356	110	1184	74	1194	307	1214
230	1427	293	1433	302	1310	362	1254	171	1052	349	1380
121	1294	382	1189	424	1105	49	1383	256	1021	448	1083
68	1303	144	1155	313	1420	432	1120	337	1261	82	1326
183	1363	260	1231	439	1073	311	1402	146	1159	429	1072
236	1426	253	1045	149	1430	72	1263	57	1121	29	1117
20	1449	325	1147	251	1421	47	1172	401	1284	379	1119

ÉTOILE

Complétez l'étoile avec les nombres manquants.
La somme de chaque ligne est égale à 26.

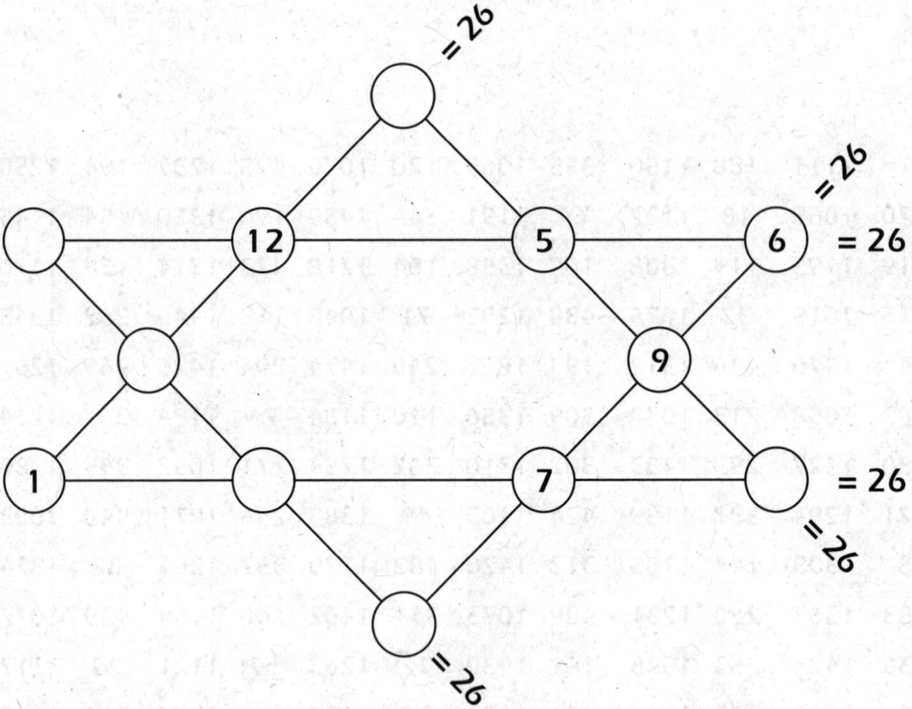

= 26

12 5 6 = 26

= 26

9

1 7 = 26

= 26

= 26

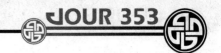

CARRÉ MYSTÈRE

Découvrez la valeur de chacun des symboles.
Les chiffres correspondent au total de chacune des rangées et des colonnes.

□	✧	△		= 24
	✧	△	○	= 27
✧	○	✧	□	= 33
○	△	○	✧	= 31
= 19	= 41	= 36	= 19	

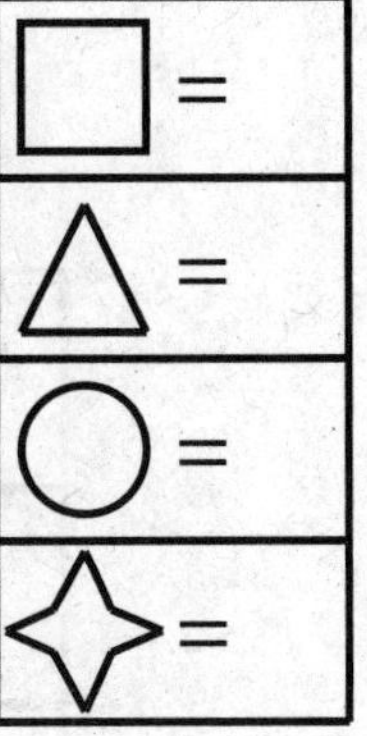

CARRÉ MAGIQUE

Complétez cette grille. La somme de chaque colonne et de chaque rangée est la même que la diagonale qui vous est donnée.

Chiffres à placer dans la grille

1 12

4 13

12 16

16	**11**		**1**	
	3		**12**	
2		**6**		
	6	**6**	**7**	**32**
			32	**32**

LA PYRAMIDE

Complétez la pyramide avec les nombres manquants.Chaque brique contient la somme des deux cases situées en dessous de celle-ci.

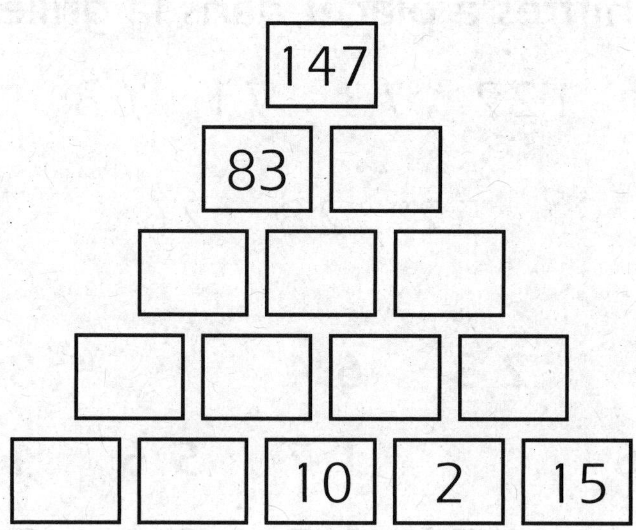

JOUR 356

LES TROUÉS

Complétez cette grille. La somme de chaque colonne et de chaque rangée est la même.

Chiffres à placer dans la grille :

122 73 71 63

52 28 26

	23	64		86
86		17	56	44
	67	17	84	54
	31		68	27
37	82	54	38	

FUBUKI

Complétez le jeu.
Placez les nombres manquants de façon à obtenir par additions successives le résultat de chaque colonne et rangée.

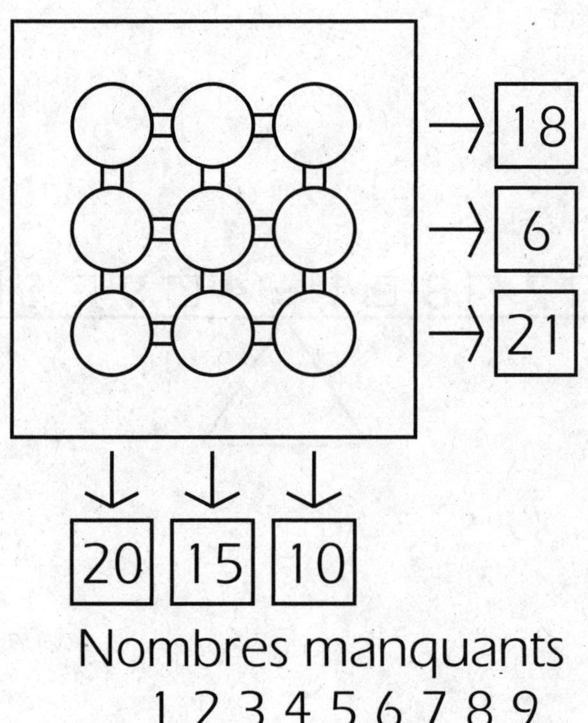

La BALANCE

Trouvez le nombre manquant.
Il suffit de placer dans les carré les signes « + » ou « – »
afin d'équilibrer les 2 plateaux de la balance.
Il n'exsite qu'une seule solution. Celle-ci peut être un nombre négatif.

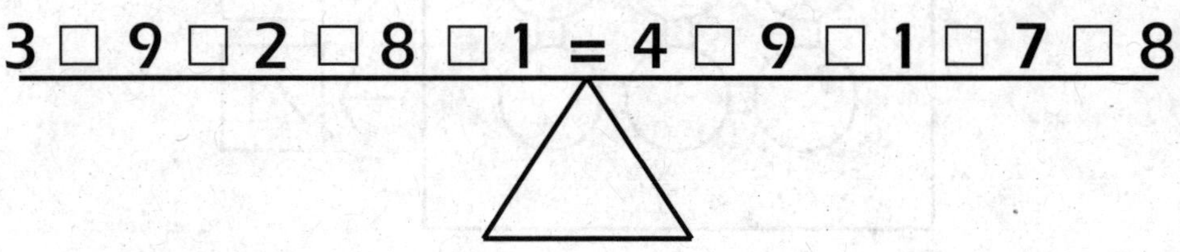

Utilisez l'ADDITION.

Trouvez deux nombres dont la somme égale le nombre-code et encerclez-les. Répétez cette opération jusqu'à ce qu'il ne reste que deux nombres.

La somme de ces deux nombres réponse est : **951**

CODE : **1005**

466	547	162	962	421	706	356	883	458	529	341	800
69	701	272	602	171	773	475	759	411	719	349	882
76	849	413	712	477	843	472	584	262	937	78	933
379	530	293	601	75	815	82	663	170	928	172	599
227	609	226	657	103	779	415	821	281	533	156	716
276	757	28	784	43	771	342	834	234	594	246	729
304	733	427	634	406	627	371	560	122	592	337	539
205	977	223	664	222	640	476	668	432	626	232	927
184	910	134	871	404	573	233	772	190	778	445	930
33	819	289	649	299	783	68	904	248	656	221	835
378	567	396	743	186	528	438	590	403	724	348	923
72	902	77	972	286	782	95	833	101	929	365	578

ÉTOILE

Complétez l'étoile avec les nombres manquants.
La somme de chaque ligne est égale à 26.

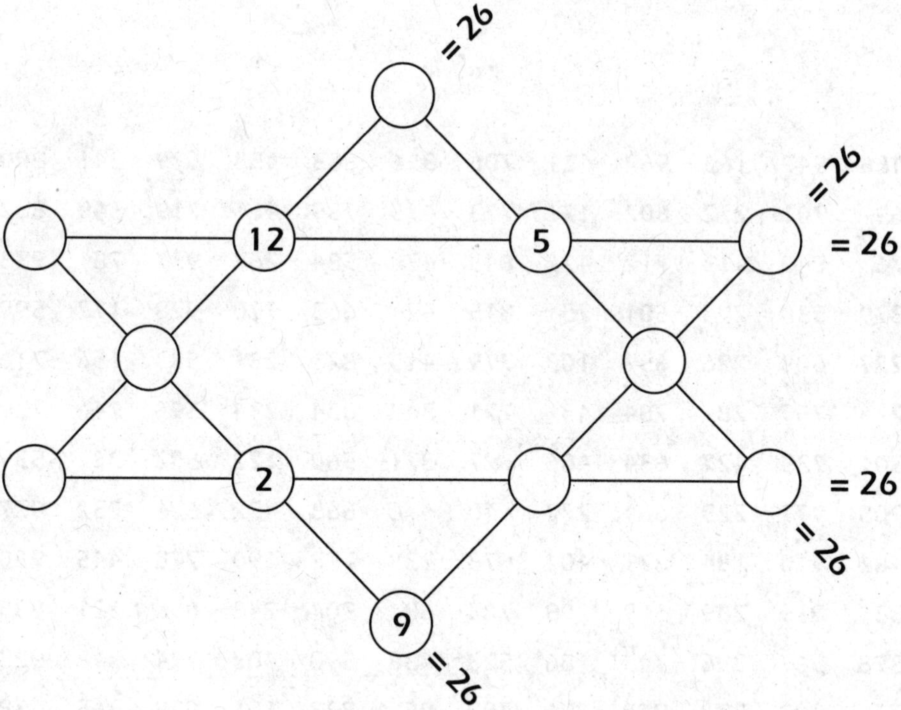

= 26
= 26
12
5
= 26
2
= 26
= 26
9
= 26

CARRÉ MYSTÈRE

Découvrez la valeur de chacun des symboles.
Les chiffres correspondent au total de chacune des rangées et des colonnes.

△		□	✧	= 21
	○	✧	△	= 16
△	□	○	△	= 23
✧	△	○	○	= 19
= 19	= 17	= 21	= 22	

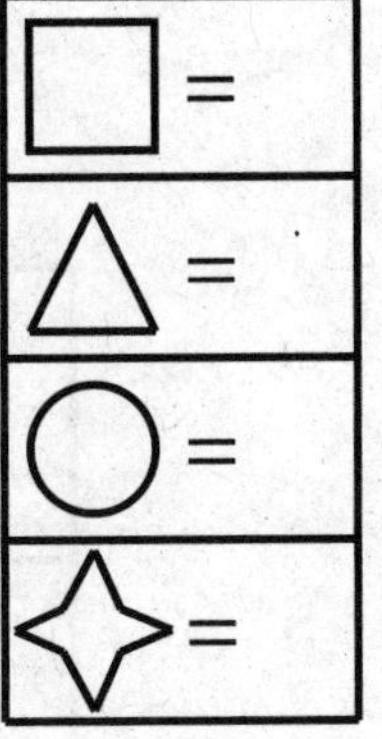

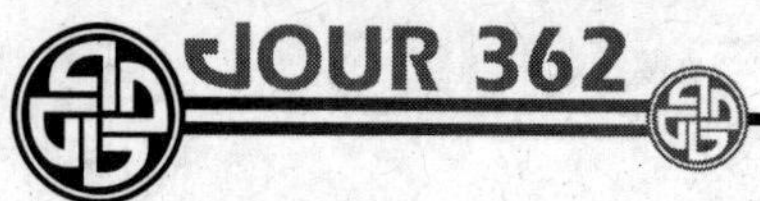

CARRÉ MAGIQUE

Complétez cette grille. La somme de chaque colonne et de chaque rangée est la même que la diagonale qui vous est donnée.

Chiffres à placer dans la grille

6 21

19 23

		17	
	15	4	
13	8		42
		42	42

LA PYRAMIDE

Complétez la pyramide avec les nombres manquants.Chaque brique contient la somme des deux cases situées en dessous de celle-ci.

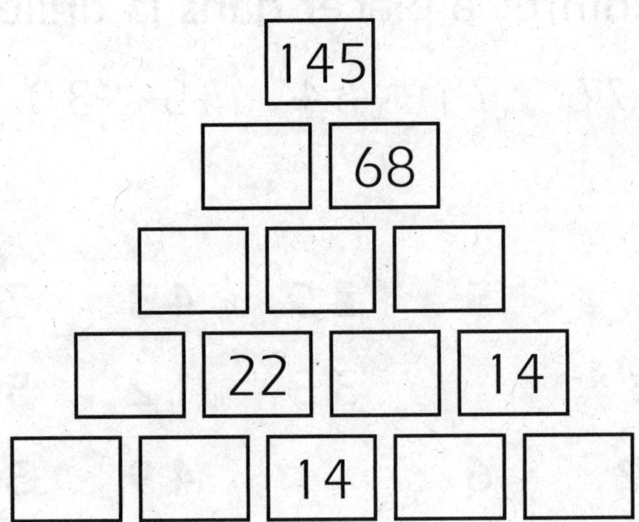

JOUR 364

LES TROUÉS

Complétez cette grille. La somme de chaque colonne et de chaque rangée est la même.

Chiffres à placer dans la grille :

76 71 64 35 30

	5	25	43	21
6		35	12	53
12	6		49	32
37	42	22		34
39	53	17	31	

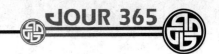

FUBUKI

Complétez le jeu.
Placez les nombres manquants de façon à obtenir par additions successives le résultat de chaque colonne et rangée.

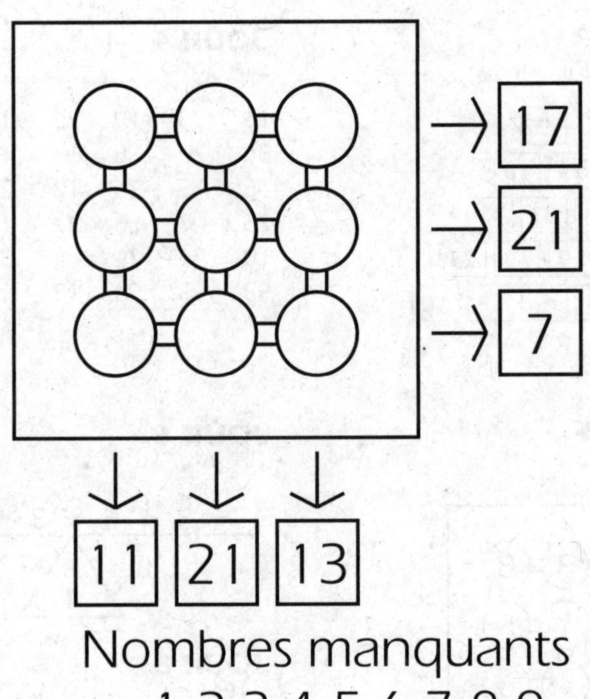

Nombres manquants
1 2 3 4 5 6 7 8 9

Solutions

JOUR 1
CARRÉ MYSTÈRE

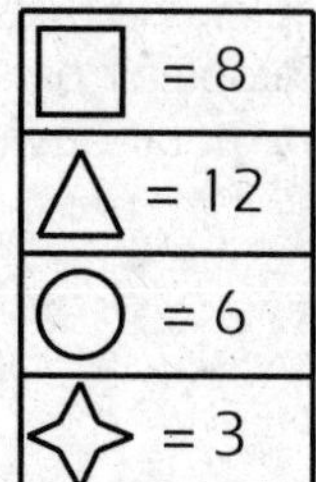

Jour 2
CARRÉ MAGIQUE

24	35	8	14	
9	22	35	15	
38	16	5	22	
10	8	33	30	81
			81	81

JOUR 3
PYRAMIDE

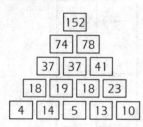

152
74 78
37 37 41
18 19 18 23
4 14 5 13 10

JOUR 4
TROUÉ

16	23	19	25	10	93
36	20	8	14	15	93
6	19	36	12	20	93
25	7	6	37	18	93
10	24	24	5	30	93
93	93	93	93	93	

JOUR 5
FUBUKI

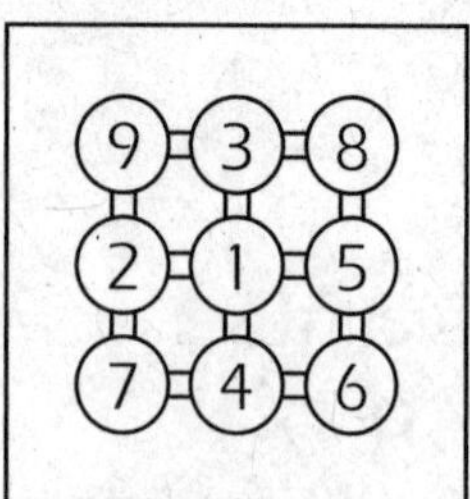

JOUR 6
BALANCE

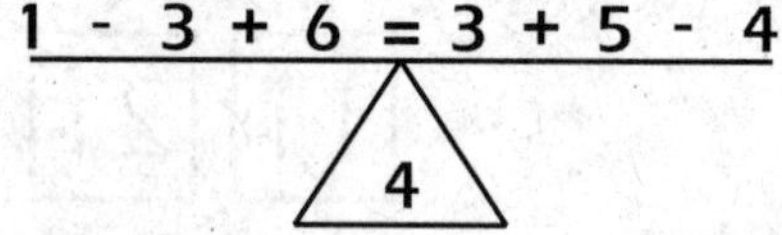

JOUR 7
ADDITION

579 - 198

JOUR 8
ÉTOILE

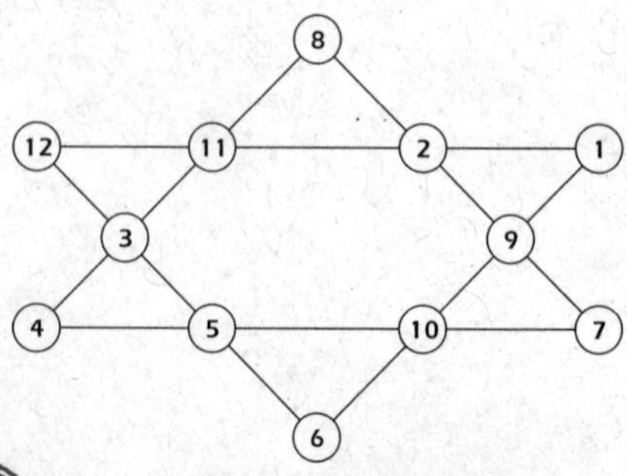

JOUR 9
CARRÉ MYSTÈRE

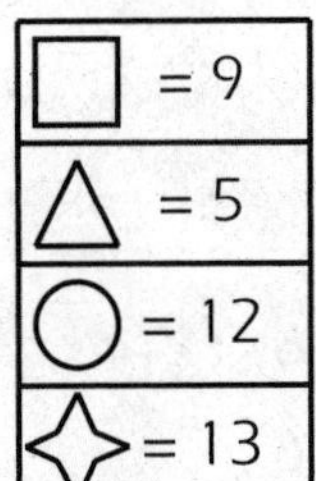

Jour 10
CARRÉ MAGIQUE

41	1	16	108	
47	85	15	19	
38	79	25	24	
40	1	110	15	166
			166	166

JOUR 11
PYRAMIDE

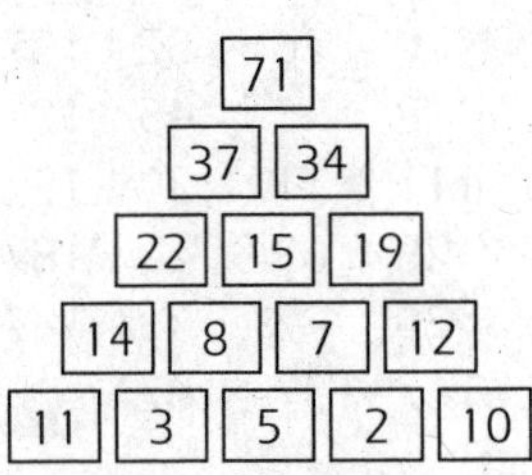

JOUR 12
TROUÉ

65	16	7	27	17	132
13	28	32	18	41	132
17	23	50	10	32	132
14	35	22	34	27	132
23	30	21	43	15	132
132	132	132	132	132	

JOUR 13
FUBUKI

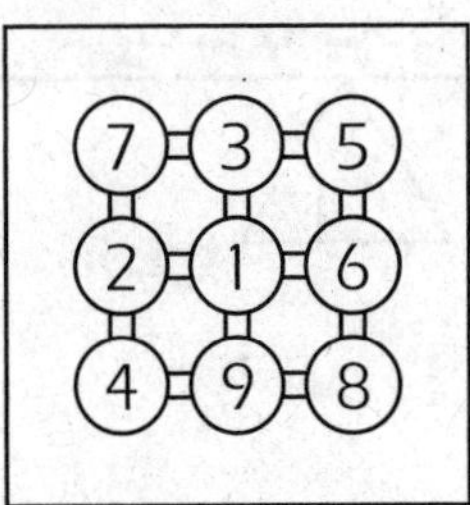

JOUR 14
BALANCE

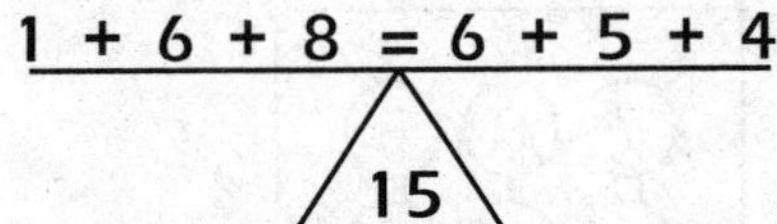

JOUR 16
ÉTOILE

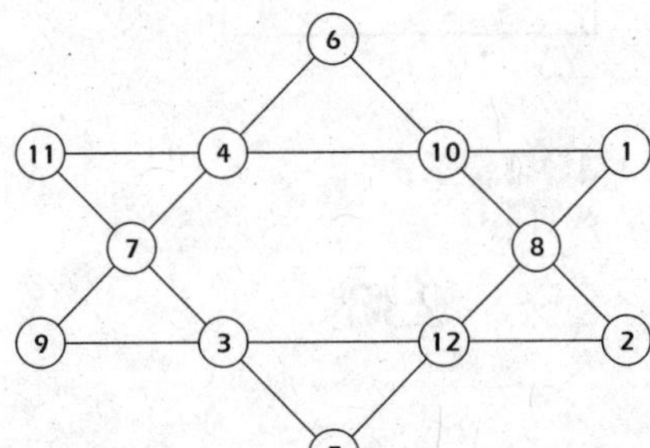

JOUR 15
SOUSTRACTION

972 - 421

Solutions

JOUR 17
CARRÉ MYSTÈRE

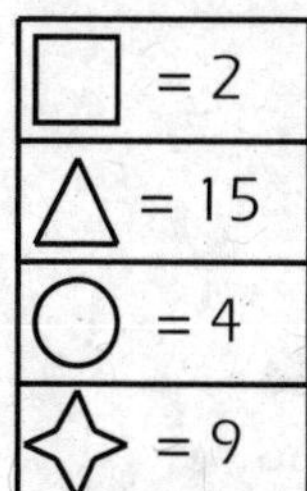

Jour 18
CARRÉ MAGIQUE

6	**8**	**12**	
14	**9**	**3**	
6	**9**	**11**	**26**
		26	**26**

JOUR 19
PYRAMIDE

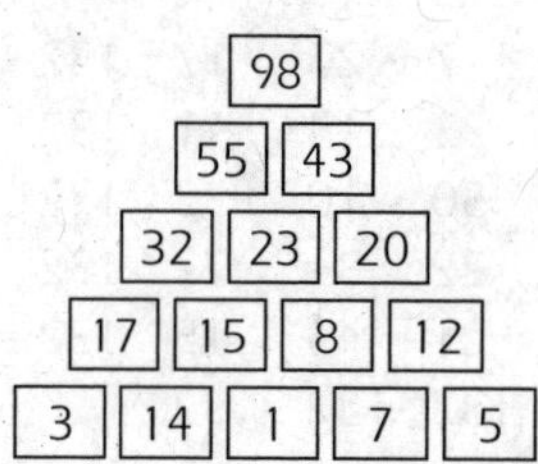

JOUR 20
TROUÉ

78	11	20	26	52	187
28	101	8	5	45	187
21	5	111	11	39	187
24	60	28	63	12	187
36	10	20	82	39	187
187	187	187	187	187	

JOUR 21
FUBUKI

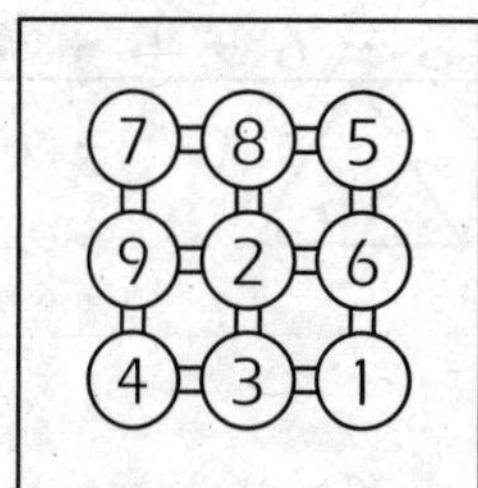

JOUR 22
BALANCE

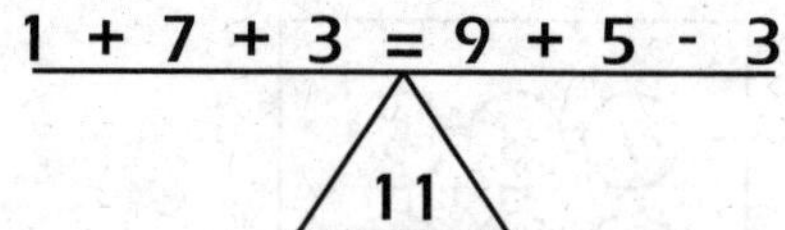

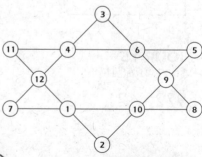

JOUR 23
ADDITION

858 - 238

JOUR 24
ÉTOILE

3
11 4 6 5
12 9
7 1 10 8
2

JOUR 25
CARRÉ MYSTÈRE

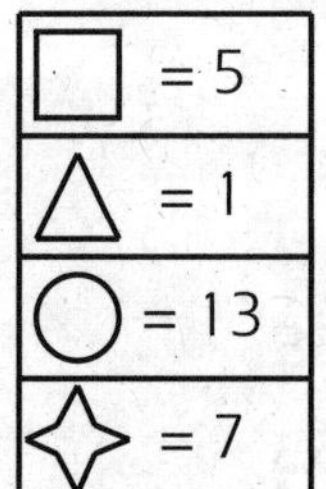

Jour 26
CARRÉ MAGIQUE

29	8	47	28	
33	27	3	49	
5	74	27	6	
45	3	35	29	112
			112	112

JOUR 27
PYRAMIDE

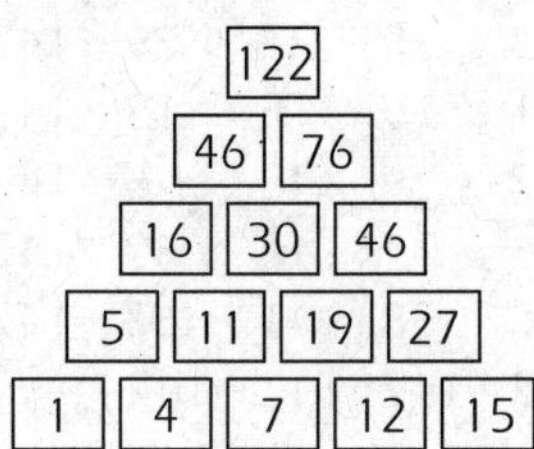

JOUR 28
TROUÉ

16	143	73	75	129	436
142	184	54	27	29	436
113	65	38	129	91	436
19	32	218	46	121	436
146	12	53	159	66	436
436	436	436	436	436	

JOUR 29
FUBUKI

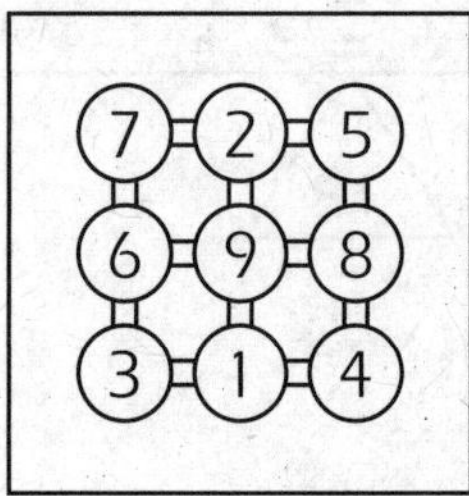

JOUR 30
BALANCE

1 - 10 + 6 = 5 - 6 - 2

-3

JOUR 31
SOUSTRACTION

993 - 313

JOUR 32
ÉTOILE

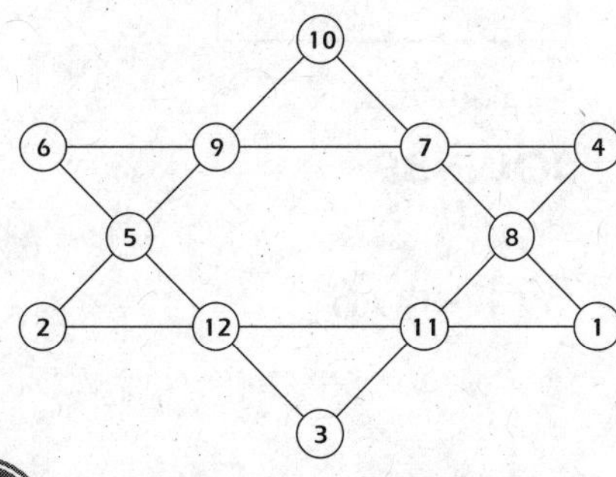

JOUR 33
CARRÉ MYSTÈRE

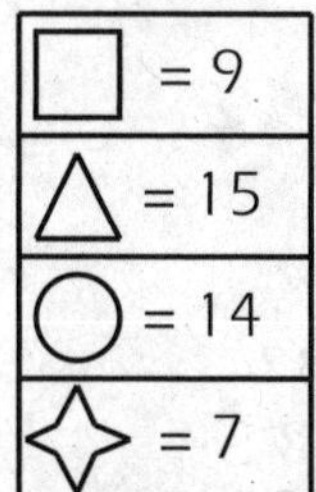

Jour 34
CARRÉ MAGIQUE

4	**24**	**27**	
22	**28**	**5**	
29	**3**	**23**	**55**
		55	**55**

JOUR 35
PYRAMIDE

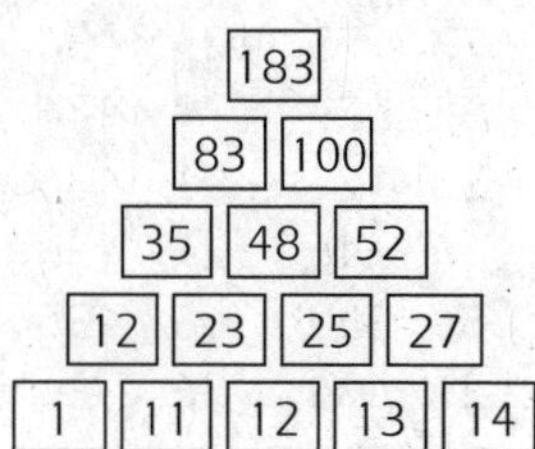

JOUR 36
TROUÉ

9	33	39	32	29	142
62	31	19	15	15	142
47	32	9	48	6	142
23	6	37	46	30	142
1	40	38	1	62	142
142	142	142	142	142	

JOUR 37
FUBUKI

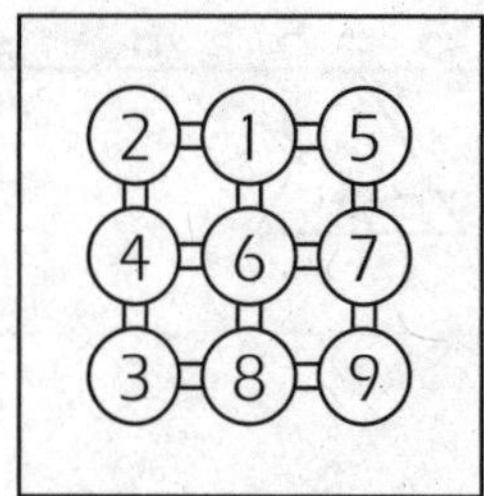

JOUR 38
BALANCE

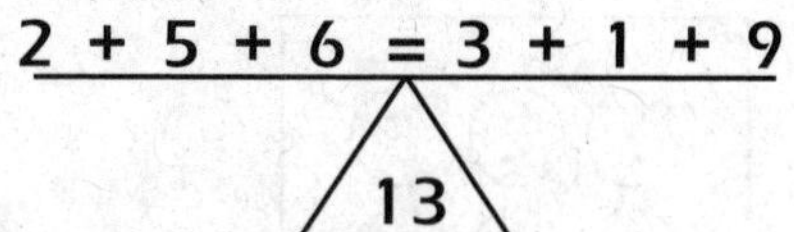

JOUR 39
ADDITION

571 - 176

JOUR 40
ÉTOILE

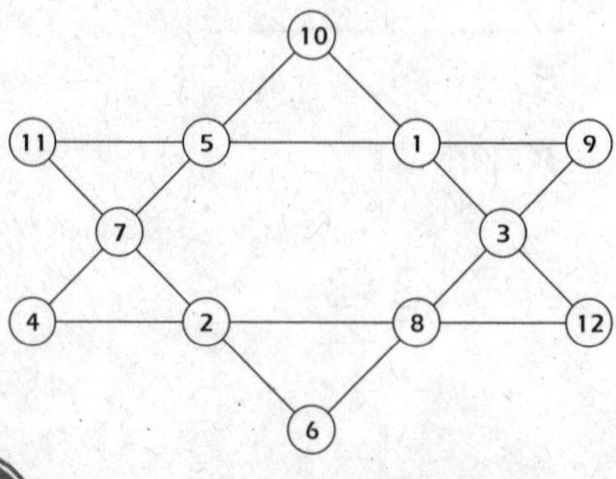

JOUR 41
CARRÉ MYSTÈRE

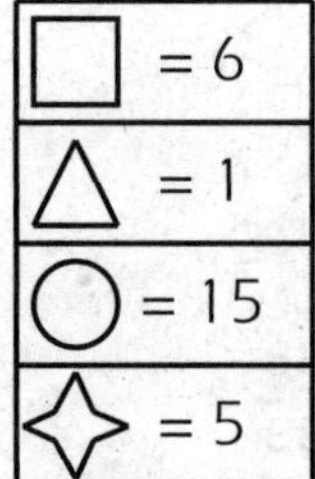

Jour 42
CARRÉ MAGIQUE

50	22	20	109	
41	82	48	30	
51	83	37	30	
59	14	96	32	201
			201	201

JOUR 43
PYRAMIDE

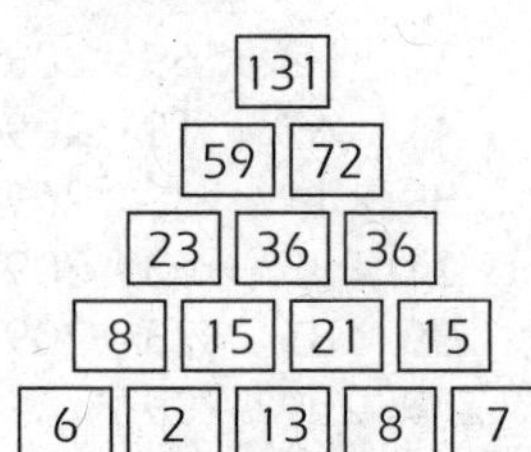

JOUR 43
TROUÉ

88	13	23	27	4	155
38	65	19	10	23	155
8	70	15	38	24	155
1	3	59	77	15	155
20	4	39	3	89	155
155	155	155	155	155	

JOUR 45
FUBUKI

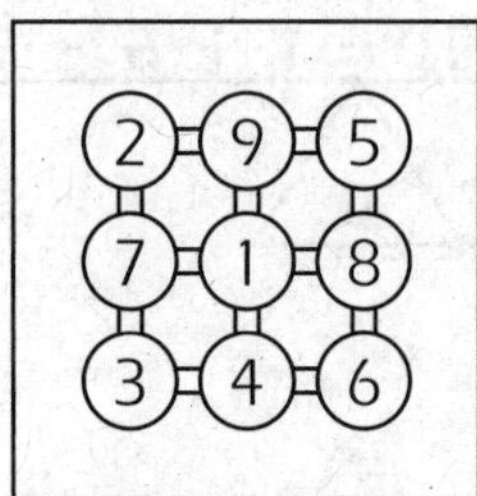

JOUR 46
BALANCE

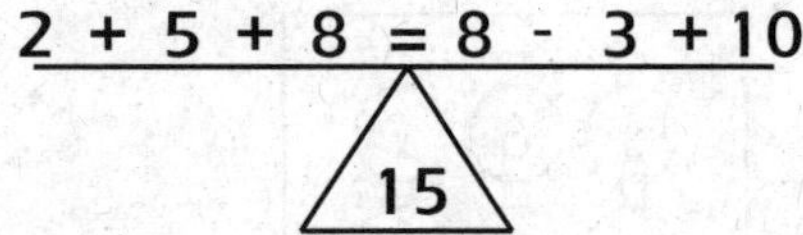

JOUR 48
ÉTOILE

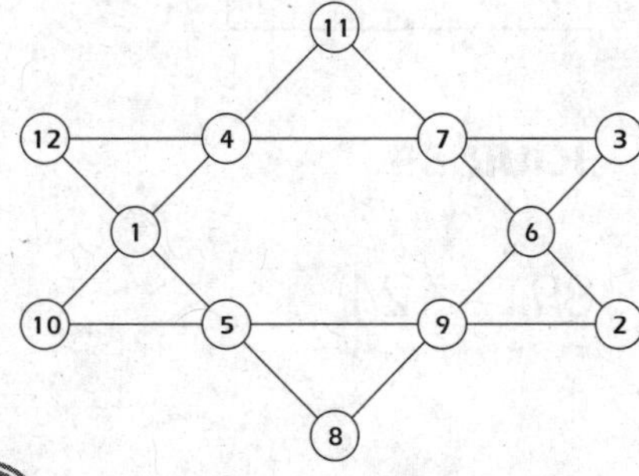

JOUR 47
SOUSTRACTION

936 - 123

JOUR 49
CARRÉ MYSTÈRE

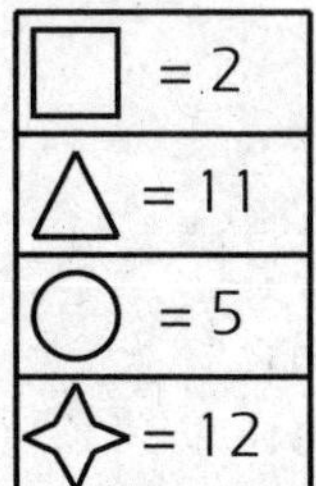

Jour 50
CARRÉ MAGIQUE

39	48	10	36	
45	4	38	46	
17	57	49	10	
32	24	36	41	133
			133	133

JOUR 51
PYRAMIDE

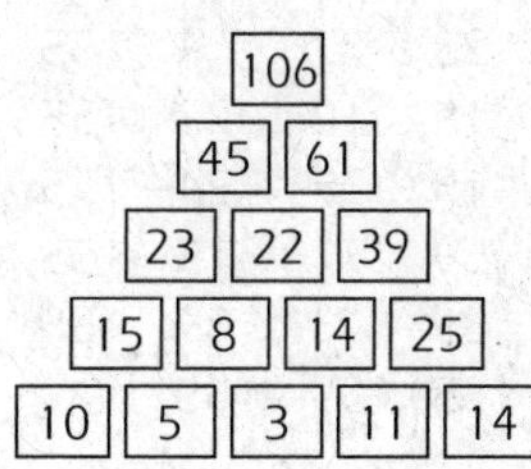

JOUR 52
TROUÉ

73	14	50	3	69	209
0	82	41	67	19	209
66	50	39	19	35	209
49	41	21	35	63	209
21	22	58	85	23	209
209	209	209	209	209	

JOUR 53
FUBUKI

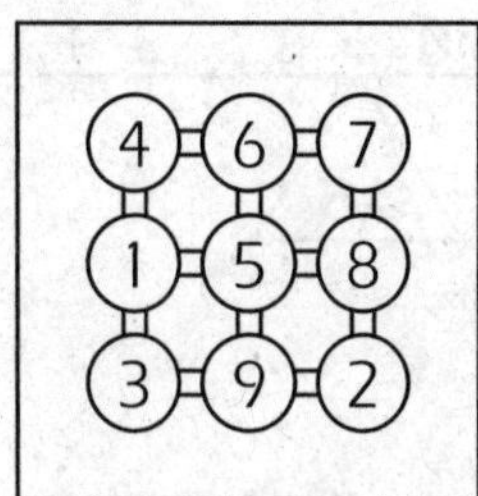

JOUR 54
BALANCE

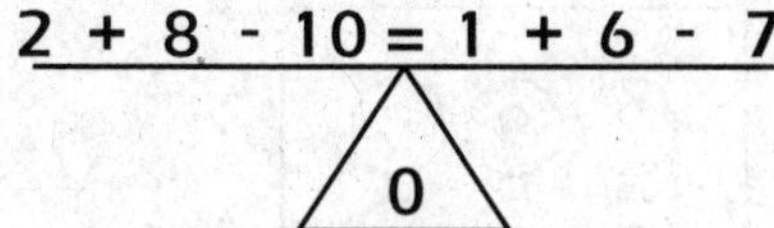

JOUR 55
ADDITION

891 - 424

JOUR 56
ÉTOILE

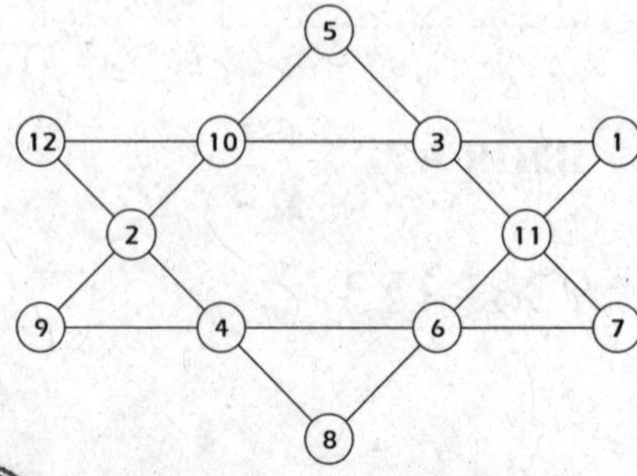

JOUR 57
CARRÉ MYSTÈRE

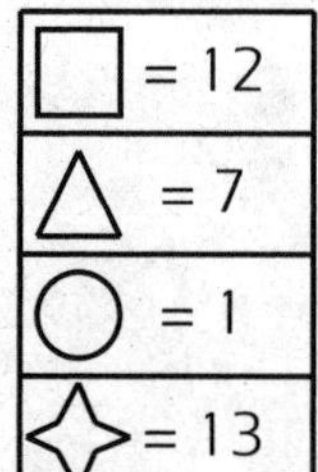

Jour 58
CARRÉ MAGIQUE

36	39	7	4	
38	2	23	23	
11	36	14	25	
1	9	42	34	86
			86	86

JOUR 59
PYRAMIDE

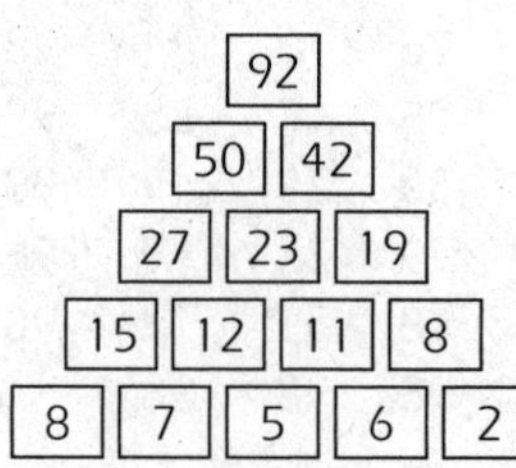

JOUR 60
TROUÉ

14	16	26	8	34	98
10	31	25	7	25	98
31	3	30	25	9	98
20	27	9	23	19	98
23	21	8	35	11	98
98	98	98	98	98	

JOUR 61
FUBUKI

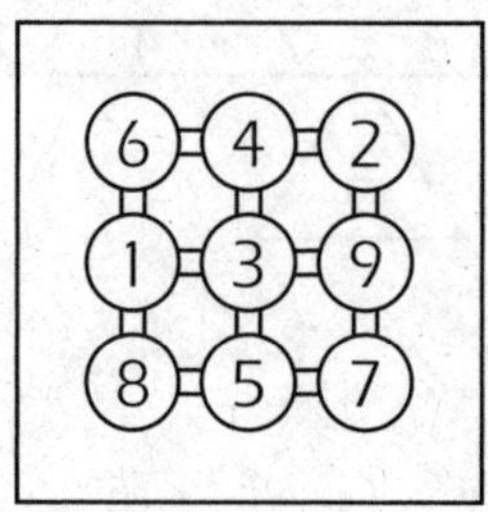

JOUR 62
BALANCE

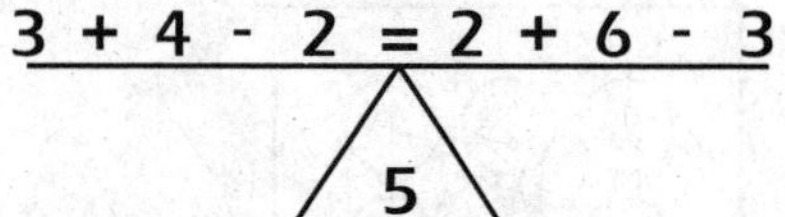

JOUR 63
SOUSTRACTION

1285 - 344

JOUR 64
ÉTOILE

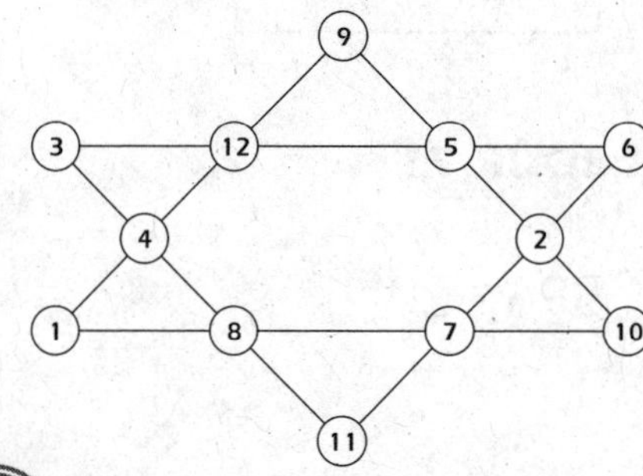

Solutions

JOUR 65
CARRÉ MYSTÈRE

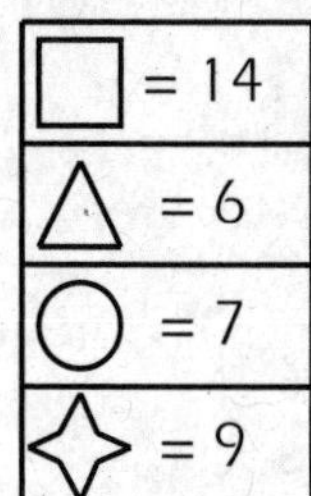

Jour 66
CARRÉ MAGIQUE

29	13	20	
15	19	28	
18	30	14	62
		62	62

JOUR 67
PYRAMIDE

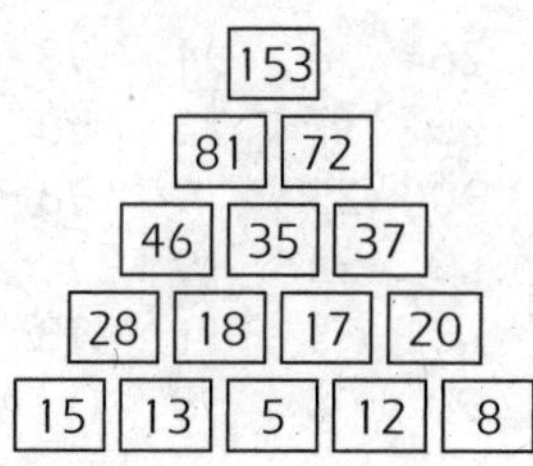

JOUR 68
TROUÉ

14	16	26	8	34	98
10	31	25	7	25	98
31	3	30	25	9	98
20	27	9	23	19	98
23	21	8	35	11	98
98	98	98	98	98	

JOUR 69
FUBUKI

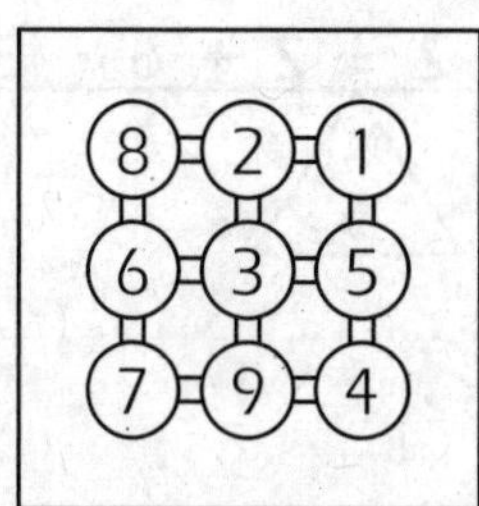

JOUR 70
BALANCE

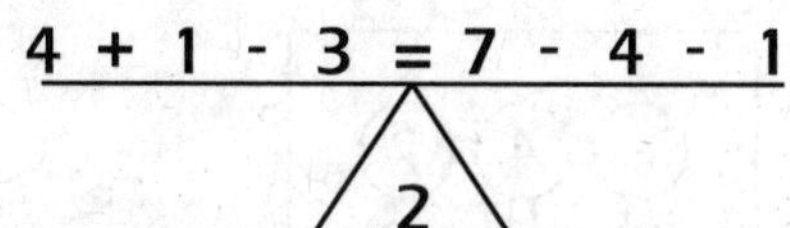

JOUR 71
ADDITION

596 - 20

JOUR 72
ÉTOILE

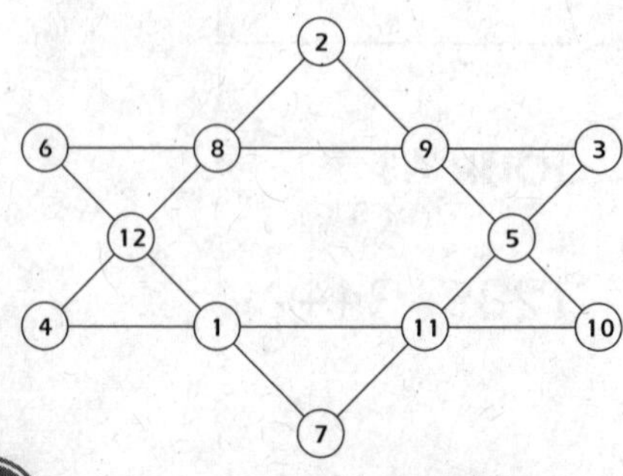

JOUR 73
CARRÉ MYSTÈRE

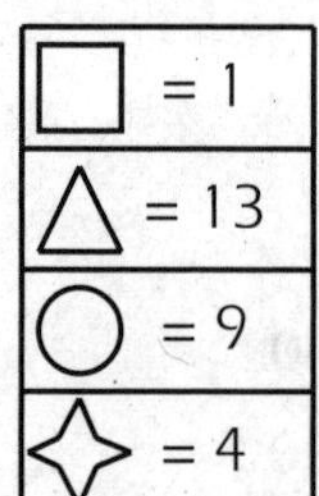

Jour 74
CARRÉ MAGIQUE

15	47	2	13	
26	6	7	38	
9	6	46	16	
27	18	22	10	77
			77	77

JOUR 75
PYRAMIDE

188
94 94
45 49 45
23 22 27 18
13 10 12 15 3

JOUR 76
TROUÉ

44	6	2	35	25	112
18	31	12	20	31	112
2	25	37	13	35	112
14	14	37	26	21	112
34	36	24	18	0	112
112	112	112	112	112	

JOUR 77
FUBUKI

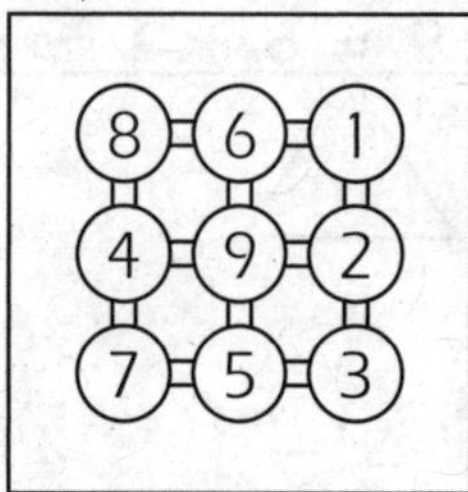

JOUR 78
BALANCE

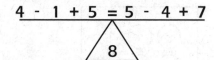

4 - 1 + 5 = 5 - 4 + 7

8

JOUR 79
SOUSTRACTION

1011 - 240

JOUR 80
ÉTOILE

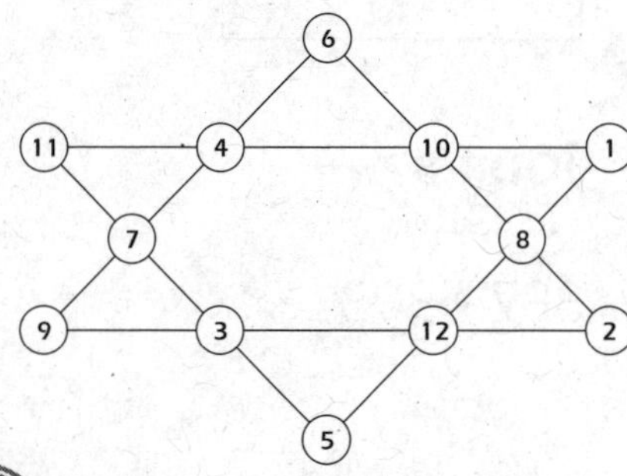

JOUR 81
CARRÉ MYSTÈRE

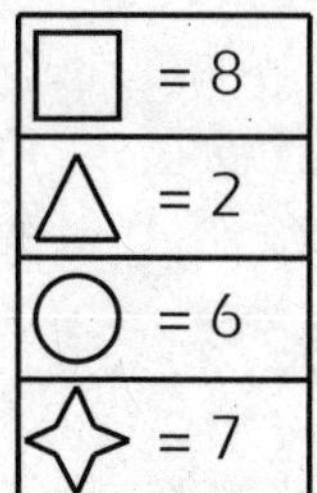

Jour 82
CARRÉ MAGIQUE

18	20	62	
0	72	28	
82	8	10	100
		100	100

JOUR 83
PYRAMIDE

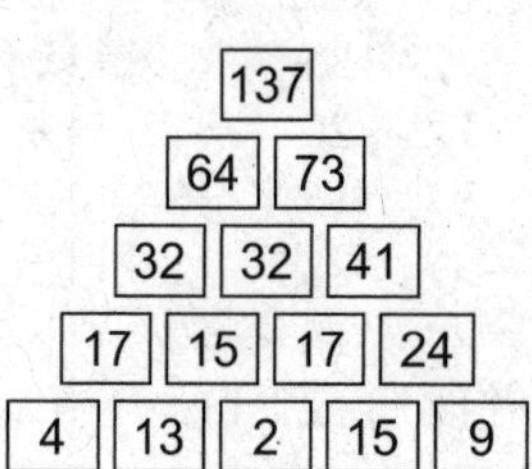

JOUR 84
TROUÉ

29	35	35	39	8	146
31	35	12	29	39	146
25	21	54	17	29	146
40	35	41	26	4	146
21	20	4	35	66	146
146	146	146	146	146	

JOUR 85
FUBUKI

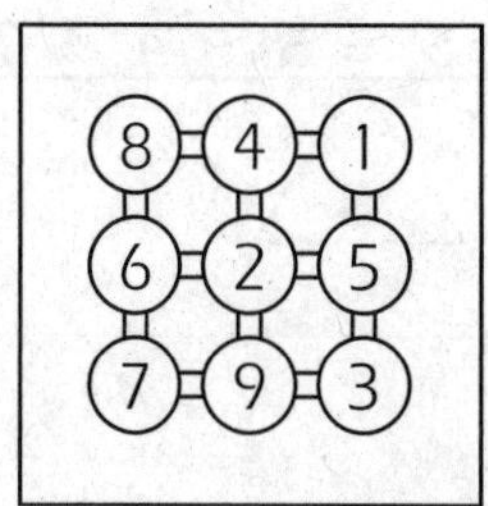

JOUR 86
BALANCE

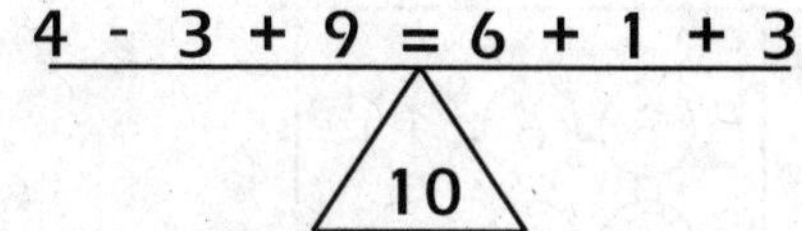

JOUR 87
ADDITION

887 - 393

JOUR 88
ÉTOILE

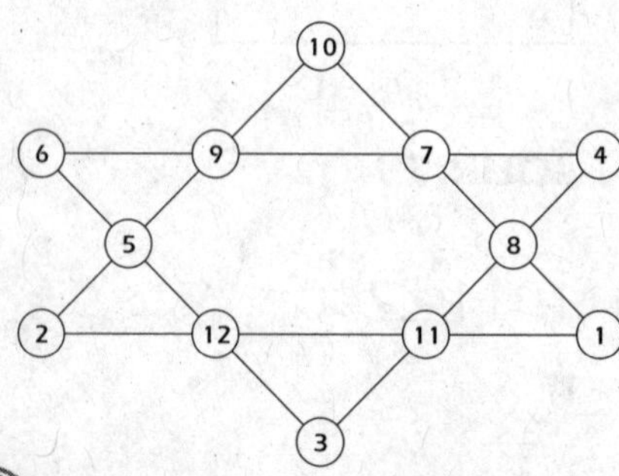

JOUR 89
CARRÉ MYSTÈRE

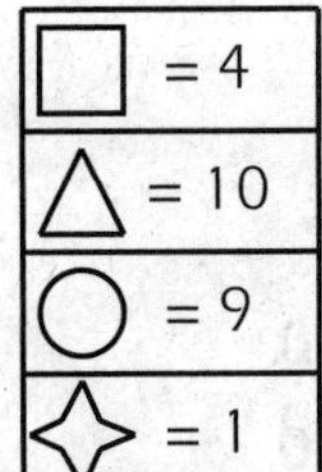

Jour 90
CARRÉ MAGIQUE

28	17	21	13	
29	5	26	19	
9	9	30	31	
13	48	2	16	79
			79	79

JOUR 91
PYRAMIDE

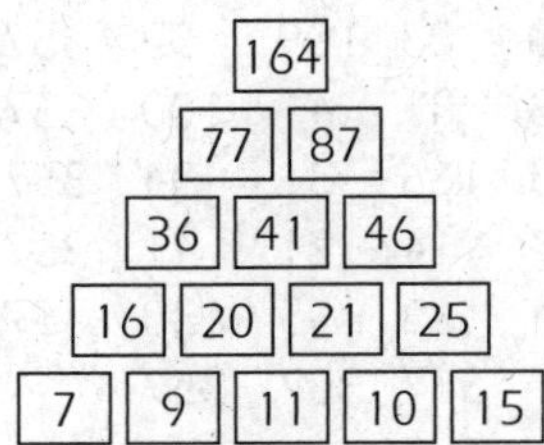

JOUR 92
TROUÉ

90	91	17	63	60	321
49	86	68	97	21	321
43	92	102	39	45	321
103	38	91	76	13	321
36	14	43	46	182	321
321	321	321	321	321	

JOUR 93
FUBUKI

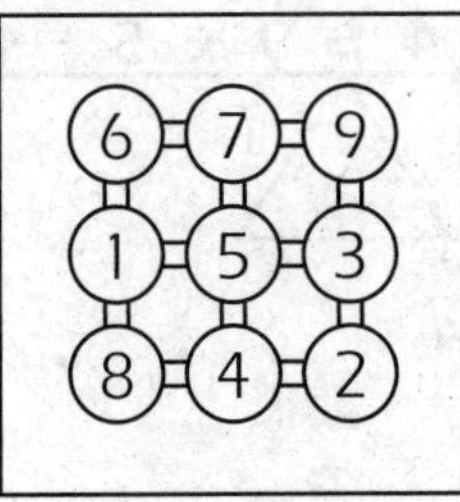

JOUR 94
BALANCE

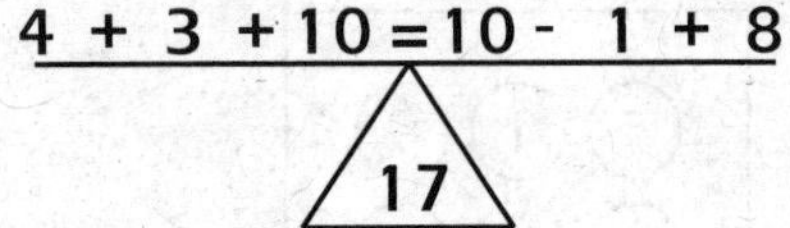

JOUR 95
SOUSTRACTION

1345 - 140

JOUR 96
ÉTOILE

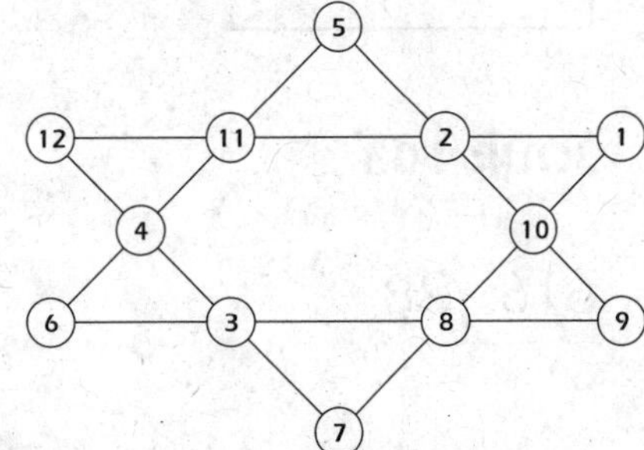

JOUR 97
CARRÉ MYSTÈRE

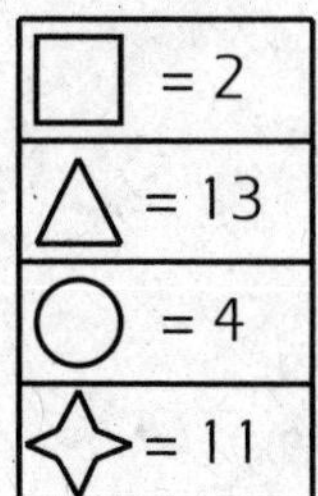

Jour 98
CARRÉ MAGIQUE

20	**3**	**57**	
29	**44**	**7**	
31	**33**	**16**	**80**
		80	**80**

JOUR 99
PYRAMIDE

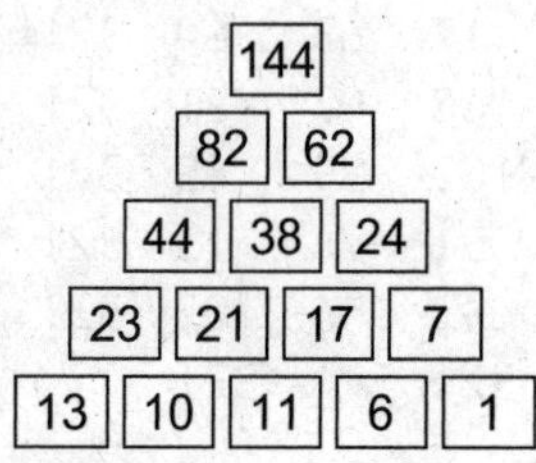

JOUR 100
TROUÉ

43	70	83	109	52	357
132	53	31	41	100	357
53	73	166	31	34	357
64	117	14	121	41	357
65	44	63	55	130	357
357	357	357	357	357	

JOUR 101
FUBUKI

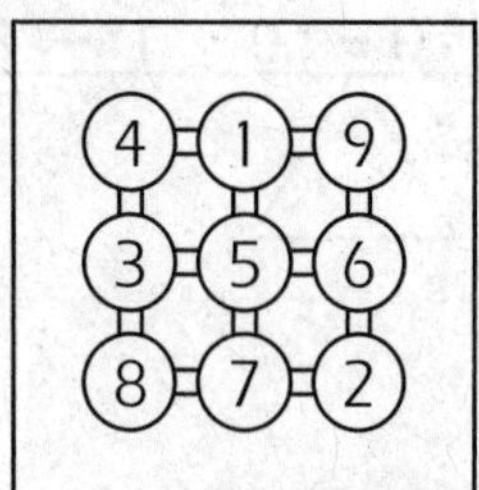

JOUR 102
BALANCE

JOUR 103
ADDITION

616 - 28

JOUR 104
ÉTOILE

3
11 4 5 6
12 10
7 2 9 8
1

JOUR 105
CARRÉ MYSTÈRE

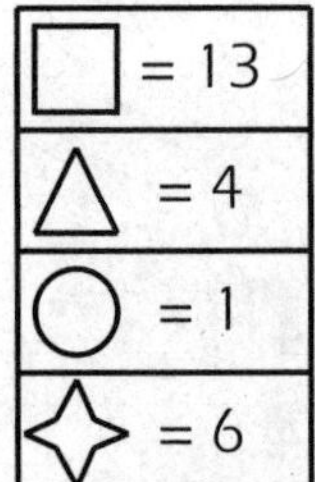

Jour 106
CARRÉ MAGIQUE

37	**5**	**35**	
11	**32**	**34**	
29	**40**	**8**	**77**
		77	**77**

JOUR 107
PYRAMIDE

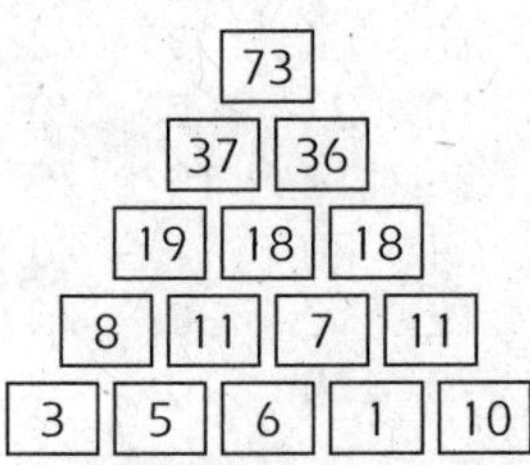

JOUR 108
TROUÉ

18	44	41	28	8	139
51	2	26	43	17	139
15	57	42	16	9	139
39	33	2	34	31	139
16	3	28	18	74	139
139	139	139	139	139	

JOUR 109
FUBUKI

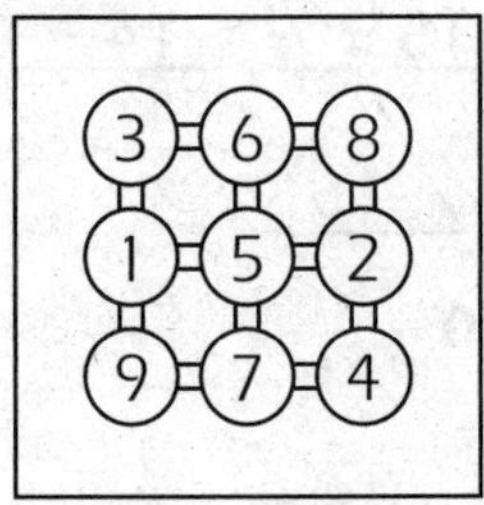

JOUR 110
BALANCE

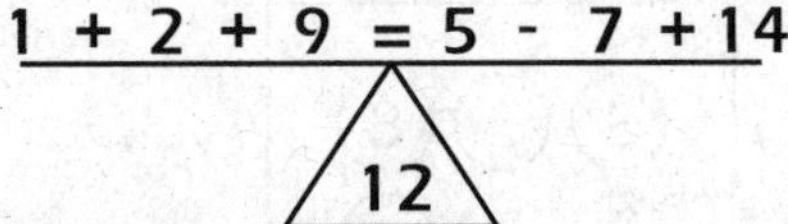

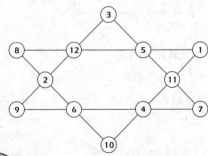

JOUR 112
ÉTOILE

3
8 12 5 1
2 11
9 6 4 7
10

JOUR 111
SOUSTRACTION

1097 - 160

JOUR 113
CARRÉ MYSTÈRE

□	= 3
△	= 2
○	= 13
✧	= 4

Jour 114
CARRÉ MAGIQUE

24	18	22	
38	12	14	
2	34	28	64
		64	64

JOUR 115
PYRAMIDE

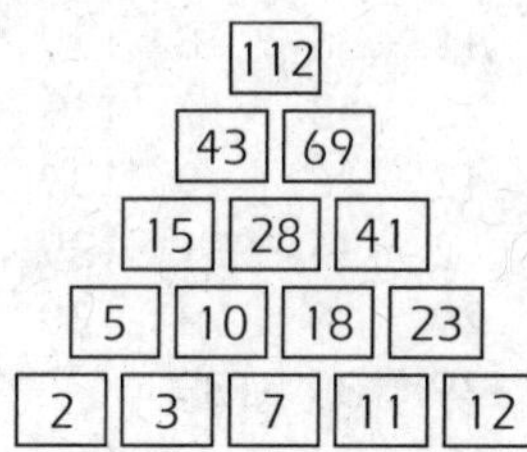

JOUR 116
TROUÉ

23	22	18	4	3	70
12	19	10	22	7	70
13	0	26	12	19	70
13	22	4	20	11	70
9	7	12	12	30	70
70	70	70	70	70	

JOUR 117
FUBUKI

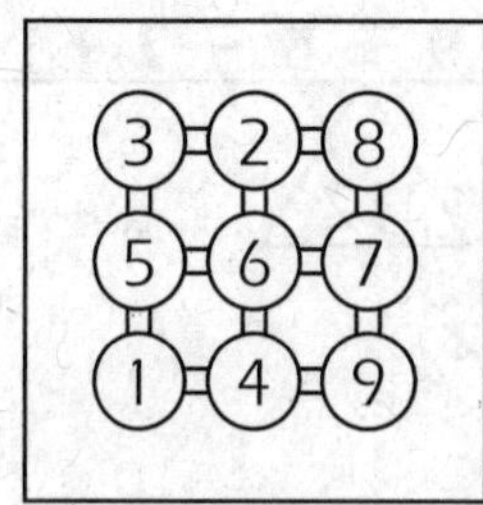

JOUR 118
BALANCE

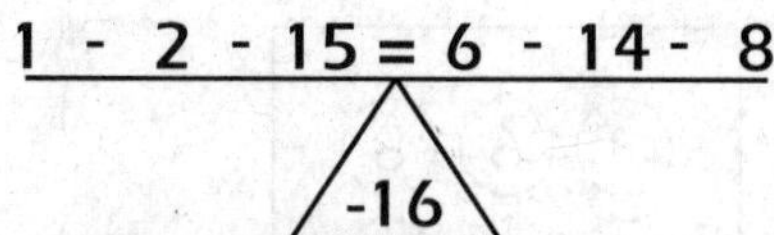

JOUR 119
ADDITION

707 - 430

JOUR 120
ÉTOILE

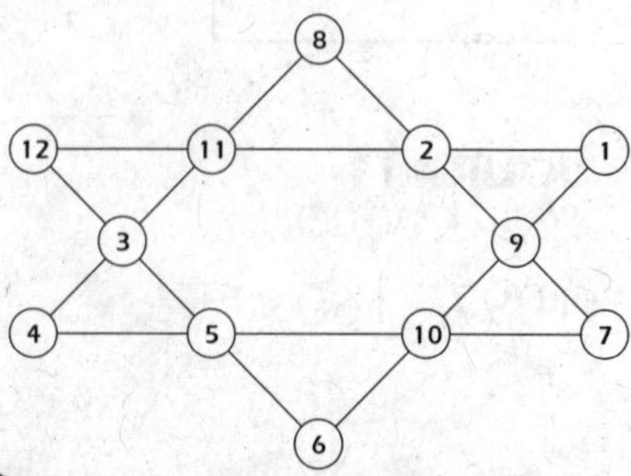

JOUR 121
CARRÉ MYSTÈRE

□	= 4
△	= 9
○	= 7
✧	= 3

Jour 122
CARRÉ MAGIQUE

13	4	38	
4	38	13	
38	13	4	55
		55	55

JOUR 123
PYRAMIDE

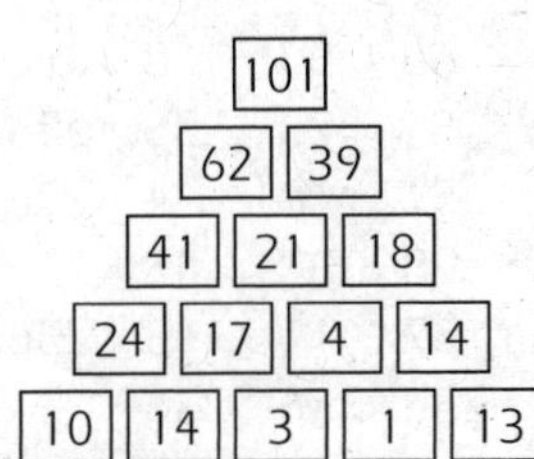

JOUR 124
TROUÉ

42	21	22	50	14	149
51	39	1	15	43	149
24	59	11	24	31	149
14	1	96	27	11	149
18	29	19	33	50	149
149	149	149	149	149	

JOUR 125
FUBUKI

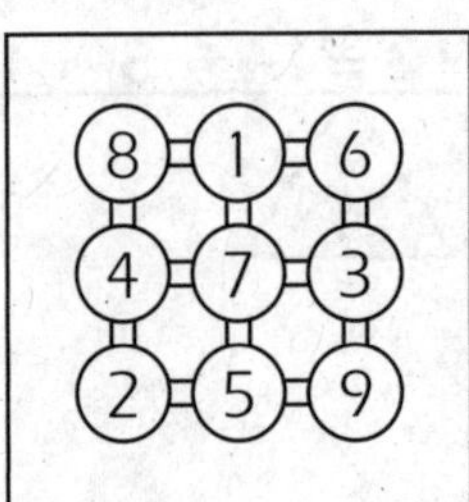

JOUR 126
BALANCE

5 + 3 - 4 = 10 + 2 - 8

4

JOUR 127
SOUSTRACTION

1226 - 236

JOUR 128
ÉTOILE

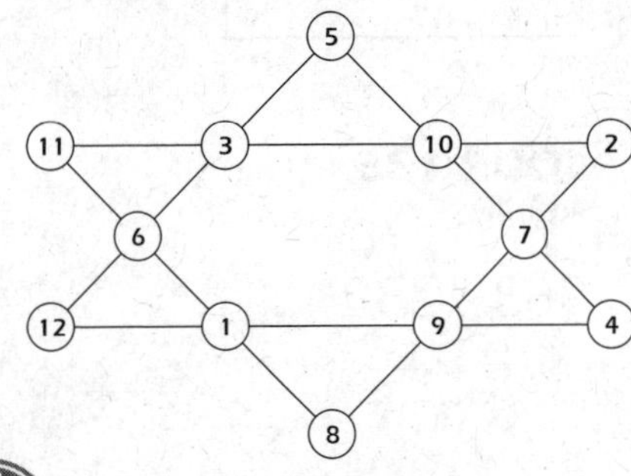

JOUR 129
CARRÉ MYSTÈRE

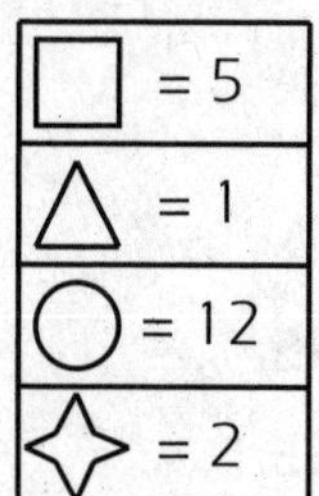

Jour 130
CARRÉ MAGIQUE

13	15	2	
11	4	15	
6	11	13	30
		30	30

JOUR 131
PYRAMIDE

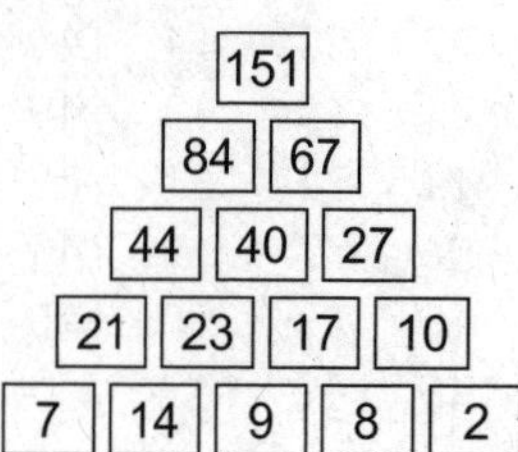

JOUR 132
TROUÉ

66	43	66	53	8	236
54	19	54	73	36	236
21	142	51	18	4	236
56	26	28	81	45	236
39	6	37	11	143	236
236	236	236	236	236	

JOUR 133
FUBUKI

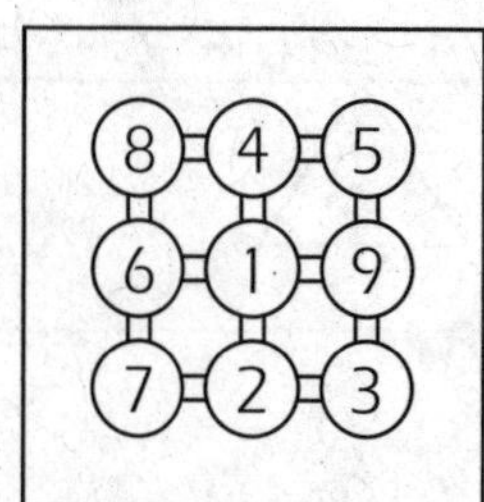

JOUR 134
BALANCE

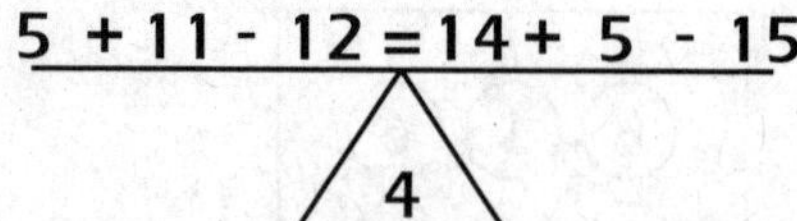

JOUR 135
ADDITION

903 - 239

JOUR 136
ÉTOILE

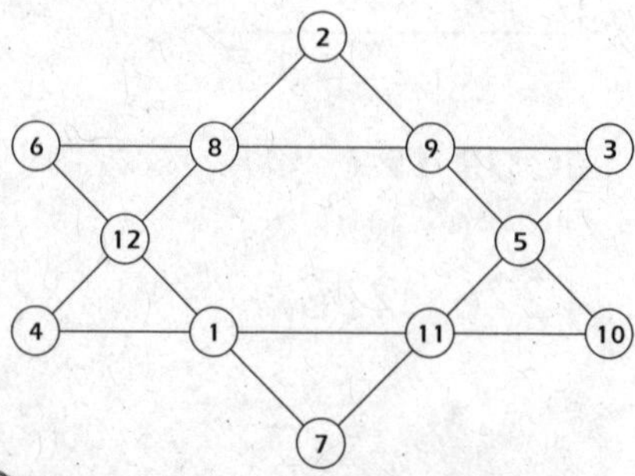

JOUR 137
CARRÉ MYSTÈRE

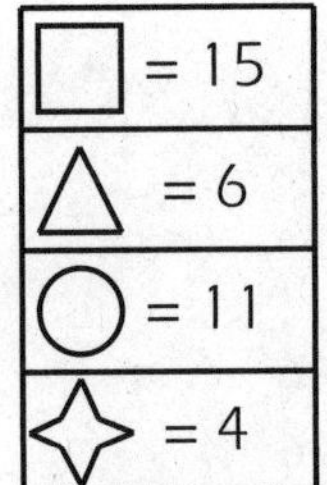

Jour 138
CARRÉ MAGIQUE

13	17	2	18	
9	18	20	3	
5	7	14	24	
23	8	14	5	50
			50	50

JOUR 139
PYRAMIDE

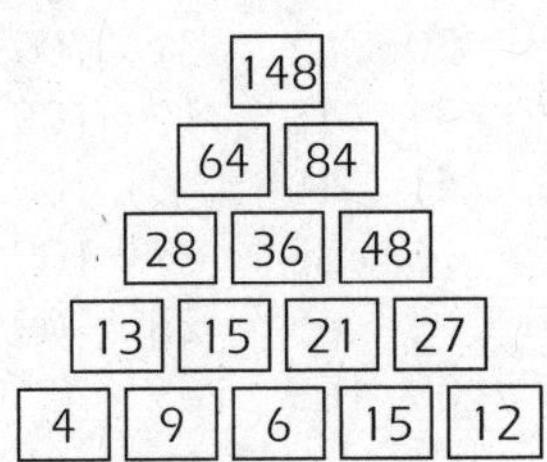

JOUR 140
TROUÉ

55	31	63	14	35	198
71	50	14	3	60	198
18	63	53	13	51	198
50	9	32	66	41	198
4	45	36	102	11	198
198	198	198	198	198	

JOUR 141
FUBUKI

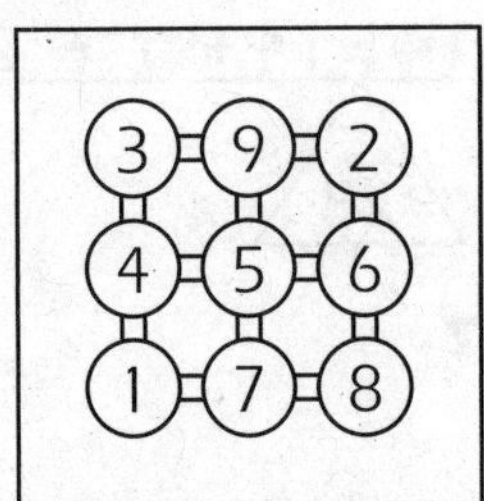

JOUR 142
BALANCE

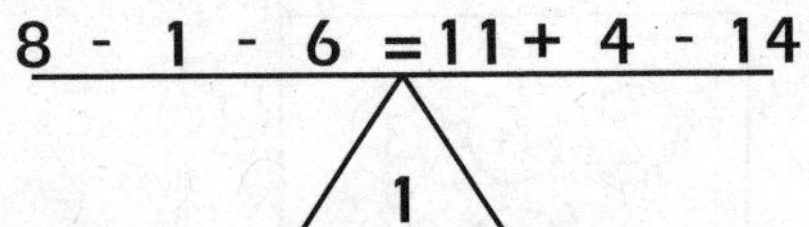

JOUR 143
SOUSTRACTION

1326 - 437

JOUR 144
ÉTOILE

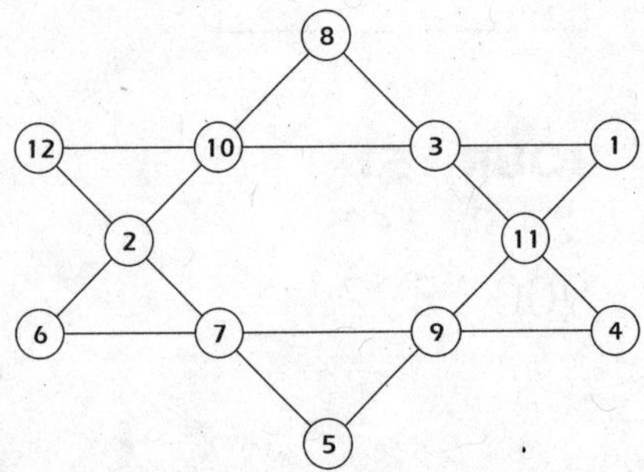

JOUR 145
CARRÉ MYSTÈRE

□ = 13
△ = 2
○ = 9
✧ = 3

Jour 146
CARRÉ MAGIQUE

24	1	6	15	
5	12	22	7	
10	6	8	22	
7	27	10	2	46
			46	46

JOUR 147
PYRAMIDE

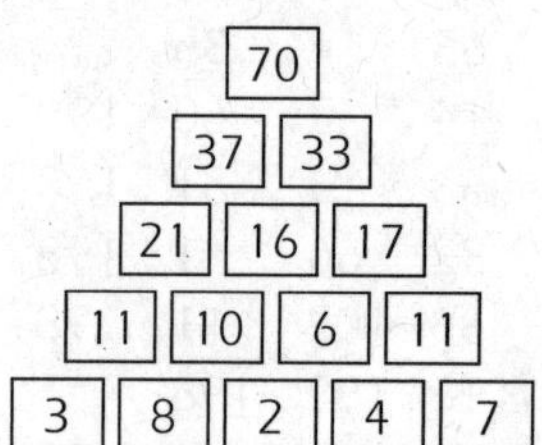

JOUR 148
TROUÉ

23	24	30	1	31	109
35	17	24	15	18	109
3	45	41	15	5	109
37	6	6	33	27	109
11	17	8	45	28	109
109	109	109	109	109	

JOUR 149
FUBUKI

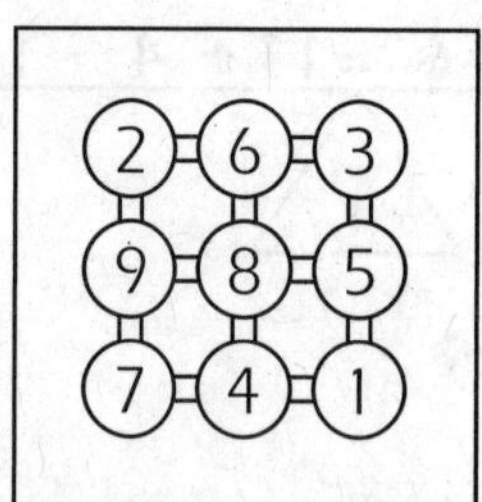

JOUR 150
BALANCE

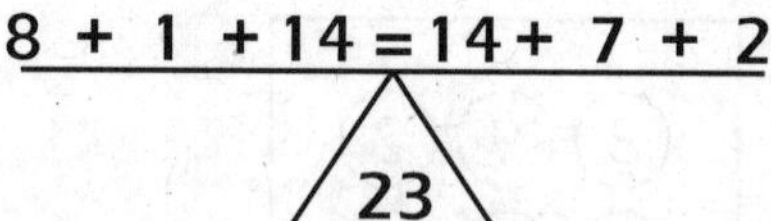

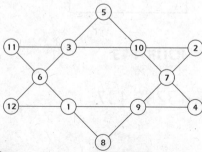

JOUR 151
ADDITION

900 - 392

JOUR 152
ÉTOILE

5
11 3 10 2
6 7
12 1 9 4
8

JOUR 153
CARRÉ MYSTÈRE

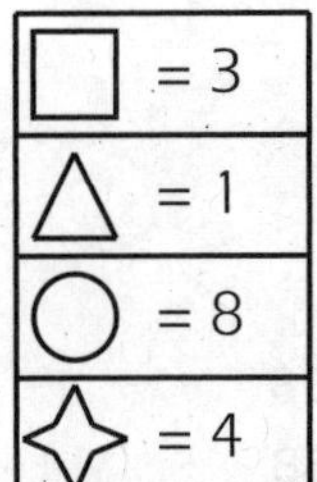

Jour 154
CARRÉ MAGIQUE

30	5	12	7	
19	4	22	9	
1	23	6	24	
4	22	14	14	54
			54	54

JOUR 155
PYRAMIDE

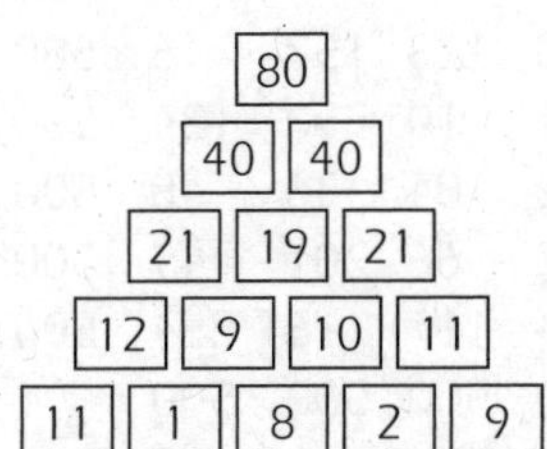

JOUR 156
TROUÉ

7	60	54	83	60	264
168	29	23	37	7	264
6	105	6	65	82	264
29	6	130	27	72	264
54	64	51	52	43	264
264	264	264	264	264	

JOUR 157
FUBUKI

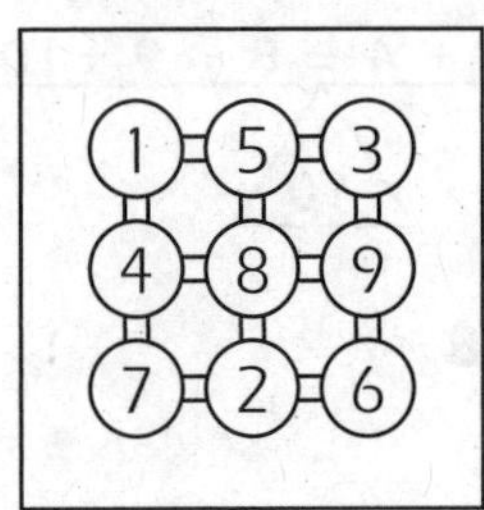

JOUR 158
BALANCE

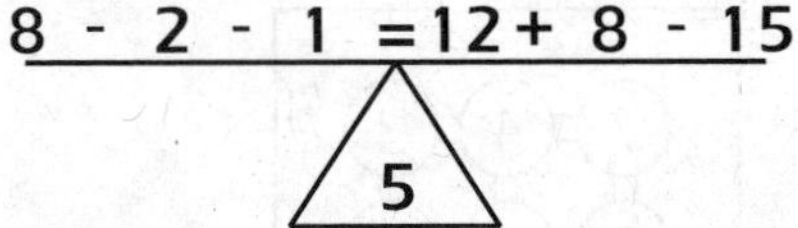

JOUR 159
SOUSTRACTION

1114 - 116

JOUR 160
ÉTOILE

2
6 8 9 3
12 5
4 1 11 10
7

JOUR 161
CARRÉ MYSTÈRE

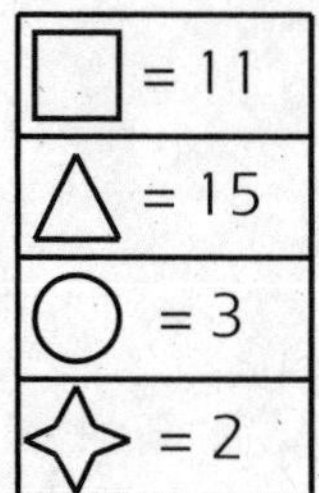

Jour 162
CARRÉ MAGIQUE

7	**12**	**15**	**4**	
2	**9**	**16**	**11**	
28	**1**	**4**	**5**	
1	**16**	**3**	**18**	**38**
			38	**38**

JOUR 163
PYRAMIDE

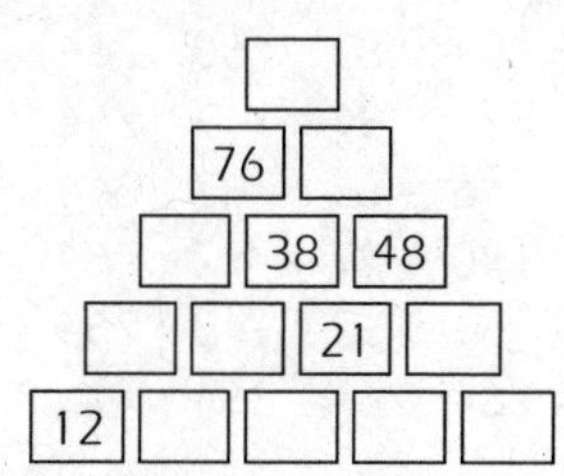

JOUR 164
TROUÉ

185	20	123	157	15	500
69	197	10	90	134	500
20	212	184	36	48	500
127	57	66	201	49	500
99	14	117	16	254	500
500	500	500	500	500	

JOUR 165
FUBUKI

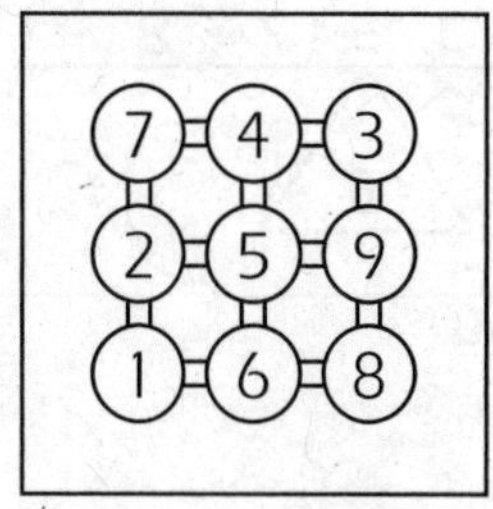

JOUR 166
BALANCE

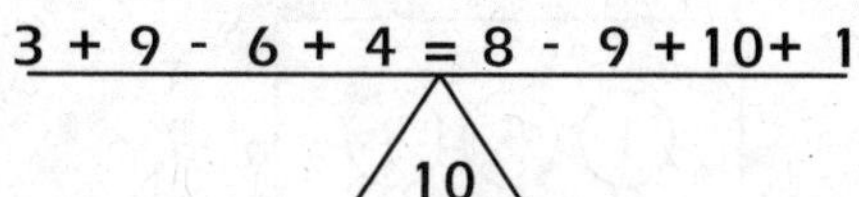

JOUR 168
ÉTOILE

8
12 10 3 1
2 11
6 7 9 4
5

JOUR 167
ADDITION

644 - 229

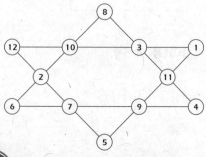

JOUR 169
CARRÉ MYSTÈRE

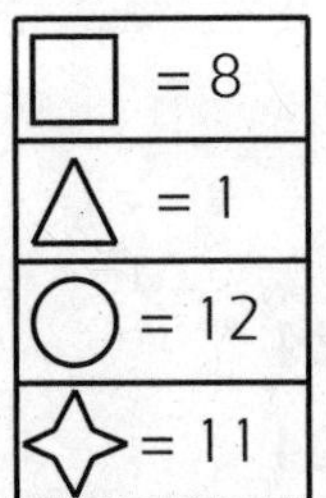

Jour 170
CARRÉ MAGIQUE

8	6	5	8	
12	10	4	1	
0	10	4	13	
7	1	14	5	27
			27	27

JOUR 171
PYRAMIDE

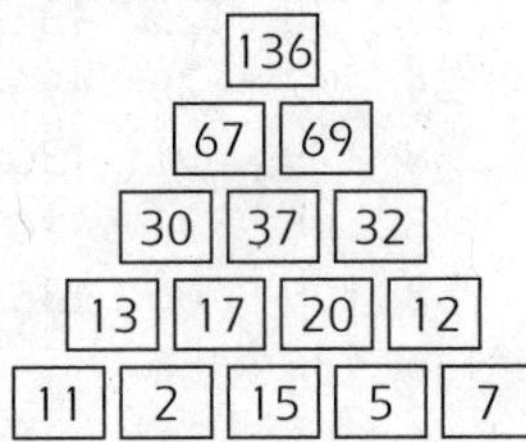

JOUR 172
TROUÉ

73	73	6	72	72	296
43	117	7	74	55	296
77	46	95	2	76	296
83	1	119	65	28	296
20	59	69	83	65	296
296	296	296	296	296	

JOUR 173
FUBUKI

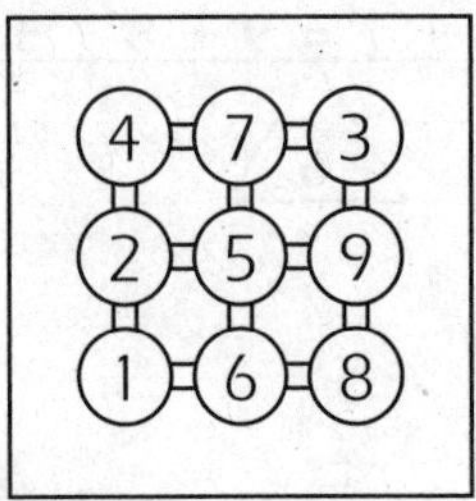

JOUR 174
BALANCE

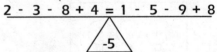

2 - 3 - 8 + 4 = 1 - 5 - 9 + 8

-5

JOUR 175
SOUSTRACTION

1201 - 68

JOUR 176
ÉTOILE

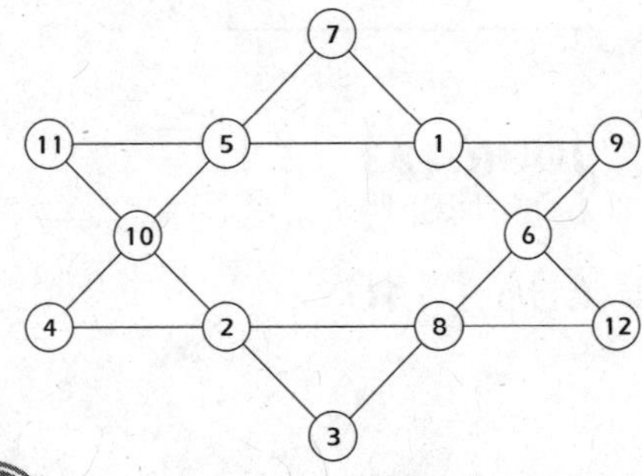

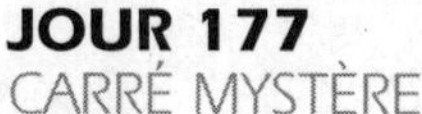

JOUR 177
CARRÉ MYSTÈRE

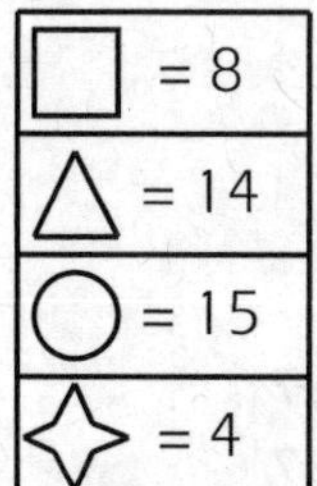

Jour 178
CARRÉ MAGIQUE

10	8	6	
12	4	8	
2	12	10	24
		24	24

JOUR 179
PYRAMIDE

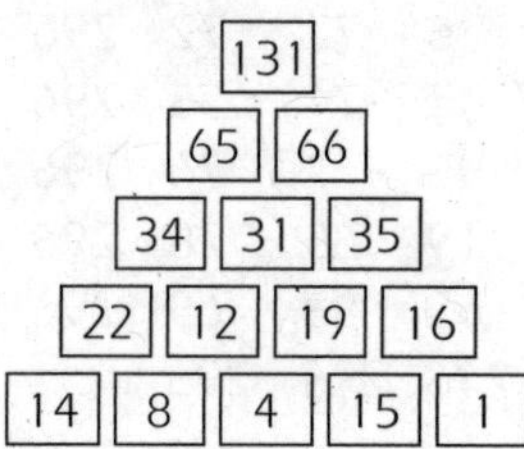

JOUR 180
TROUÉ

16	143	73	75	129	436
142	184	54	27	29	436
113	65	38	129	91	436
19	32	218	46	121	436
146	12	53	159	66	436
436	436	436	436	436	

JOUR 181
FUBUKI

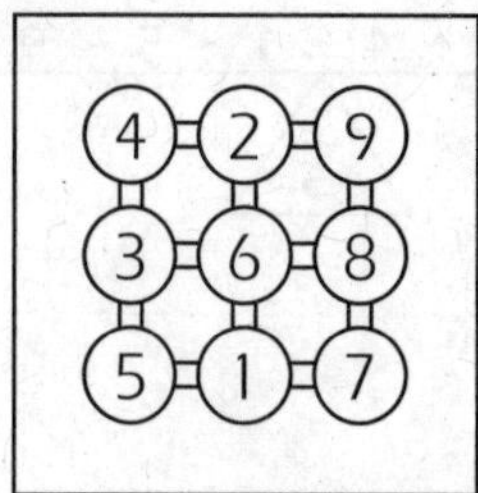

JOUR 182
BALANCE

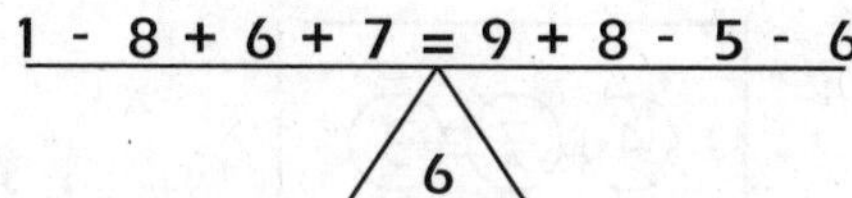

JOUR 183
ADDITION

606 - 440

JOUR 184
ÉTOILE

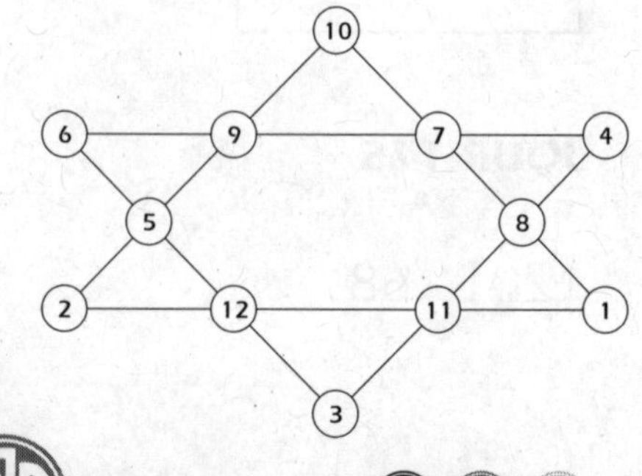

JOUR 185
CARRÉ MYSTÈRE

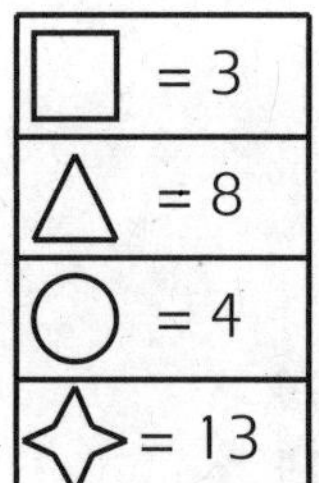

Jour 186
CARRÉ MAGIQUE

10	9	20	27	
13	22	28	3	
23	25	8	10	
20	10	10	26	66
			66	66

JOUR 187
PYRAMIDE

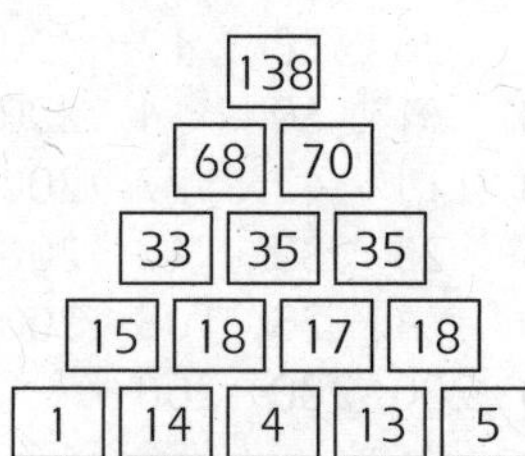

JOUR 188
TROUÉ

78	11	20	26	52	187
28	101	8	5	45	187
21	5	111	11	39	187
24	60	28	63	12	187
36	10	20	82	39	187
187	187	187	187	187	

JOUR 189
FUBUKI

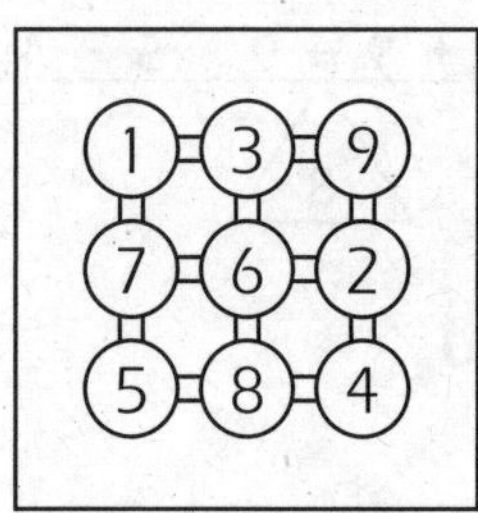

JOUR 190
BALANCE

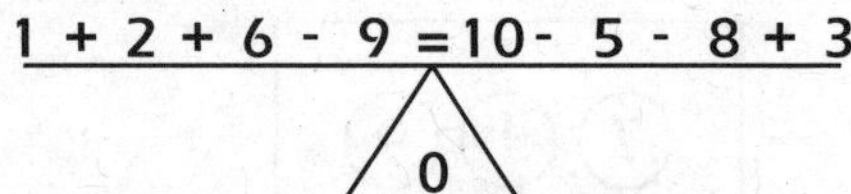

JOUR 191
SOUSTRACTION

1068 - 81

JOUR 192
ÉTOILE

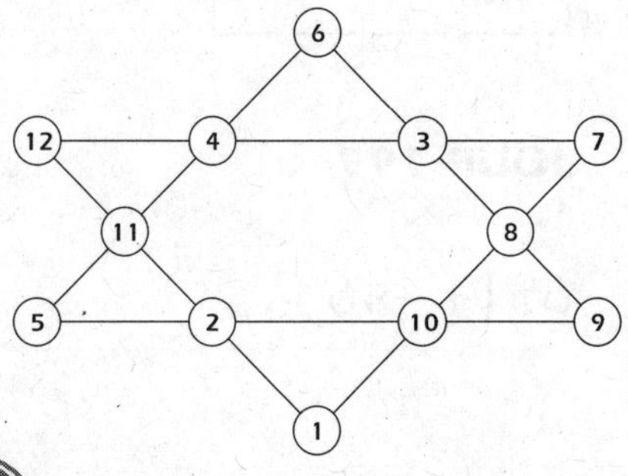

JOUR 193
CARRÉ MYSTÈRE

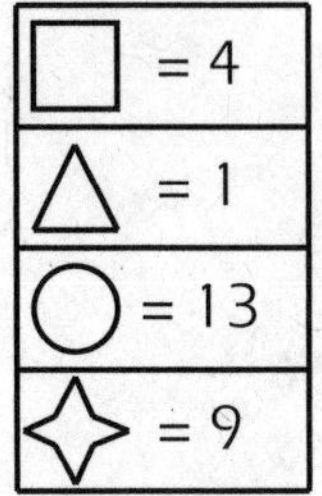

Jour 194
CARRÉ MAGIQUE

21	4	8	11	
15	0	7	22	
5	23	14	2	
3	17	15	9	44
			44	44

JOUR 195
PYRAMIDE

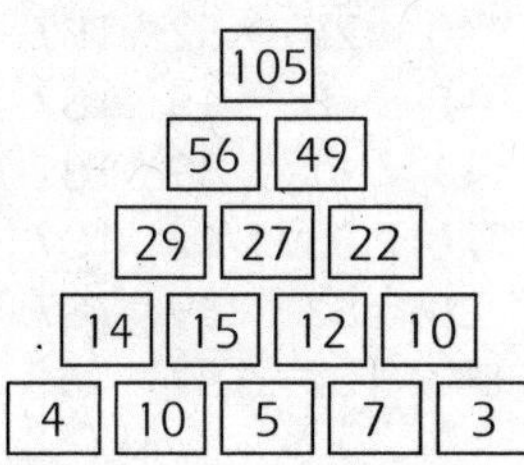

JOUR 196
TROUÉ

88	31	26	38	17	200
37	68	31	60	4	200
1	16	114	42	27	200
38	55	25	35	47	200
36	30	4	25	105	200
200	200	200	200	200	

JOUR 197
FUBUKI

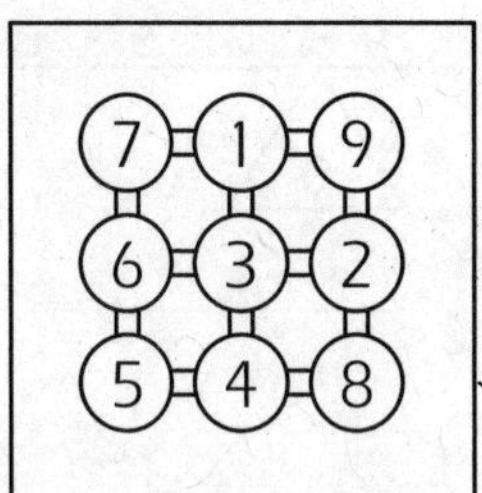

JOUR 198
BALANCE

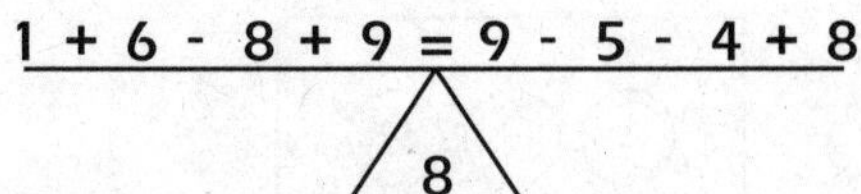

JOUR 199
ADDITION

651 - 446

JOUR 200
ÉTOILE

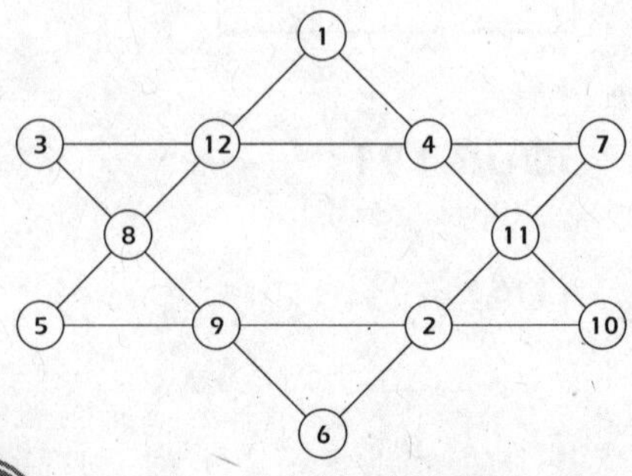

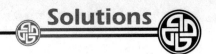

JOUR 201
CARRÉ MYSTÈRE

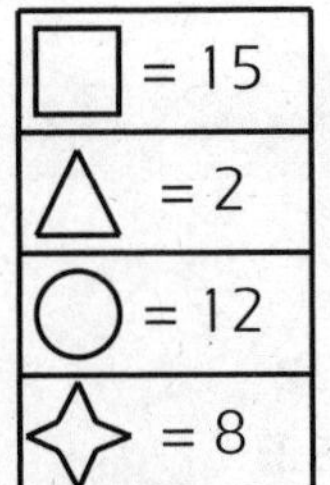

Jour 202
CARRÉ MAGIQUE

10	5	1	8	
2	9	8	5	
4	8	3	9	
8	2	12	2	24
			24	24

JOUR 203
PYRAMIDE

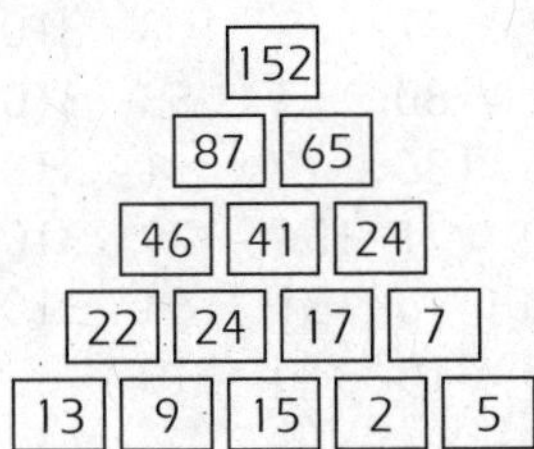

JOUR 204
TROUÉ

16	64	31	31	47	189
49	58	31	20	31	189
37	19	109	6	18	189
51	30	14	49	45	189
36	18	4	83	48	189
189	189	189	189	189	

JOUR 205
FUBUKI

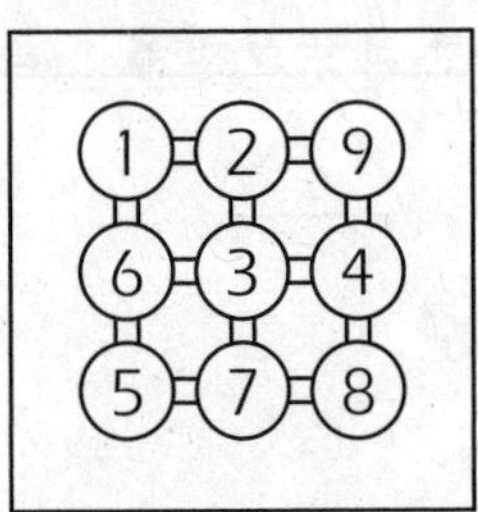

JOUR 206
BALANCE

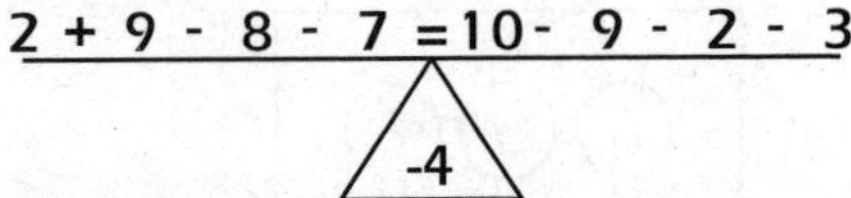

JOUR 207
SOUSTRACTION

1380 - 324

JOUR 208
ÉTOILE

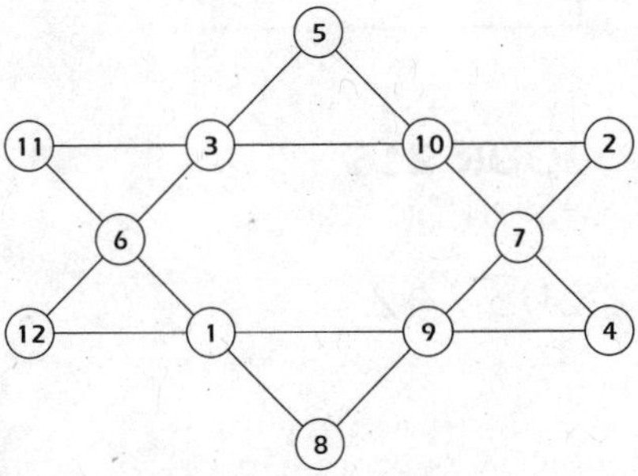

JOUR 209
CARRÉ MYSTÈRE

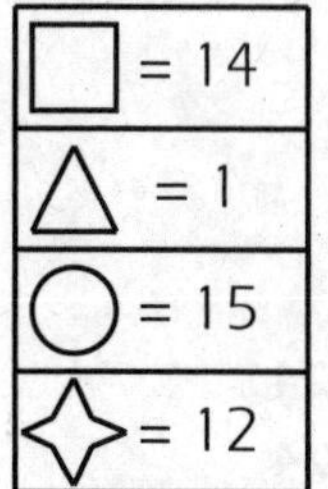

Jour 210
CARRÉ MAGIQUE

8	3	11	10	
5	7	6	14	
6	9	13	4	
13	13	2	4	32
			32	32

JOUR 211
PYRAMIDE

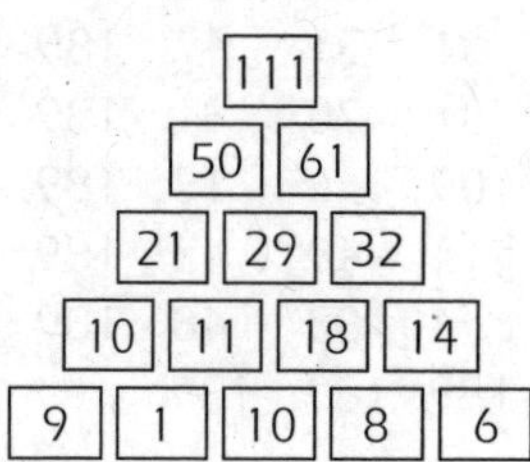

JOUR 212
TROUÉ

36	71	87	13	103	310
153	21	80	3	53	310
26	78	136	9	61	310
36	90	1	154	29	310
59	50	6	131	64	310
310	310	310	310	310	

JOUR 213
FUBUKI

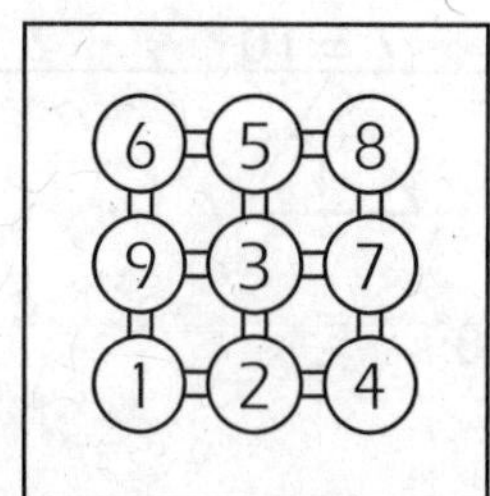

JOUR 214
BALANCE

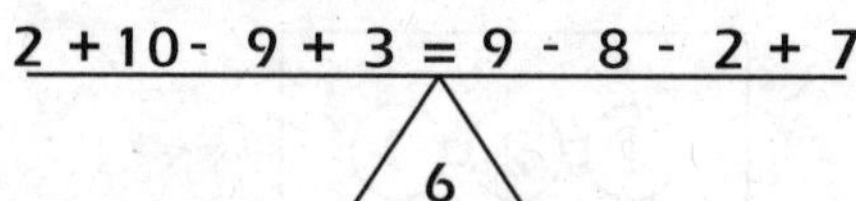

JOUR 215
ADDITION

603 - 42

JOUR 216
ÉTOILE

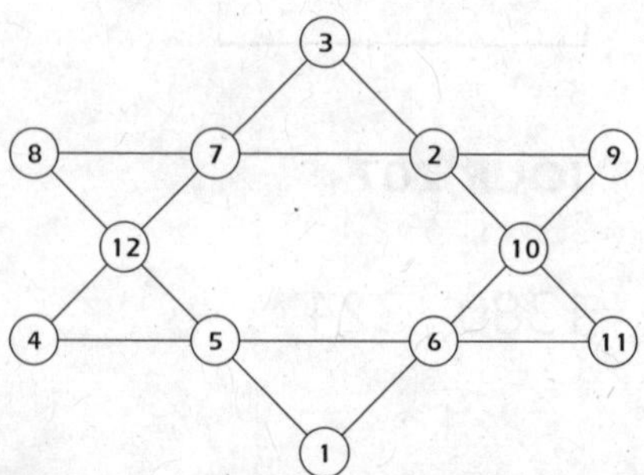

JOUR 217
CARRÉ MYSTÈRE

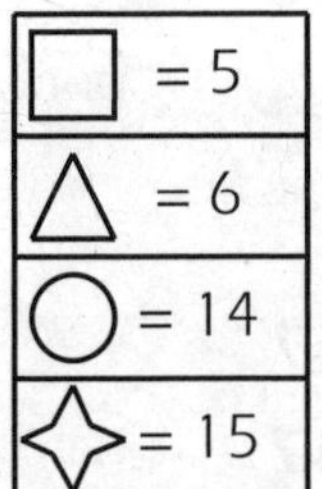

Jour 218
CARRÉ MAGIQUE

2	1	6	
3	5	1	
4	3	2	16
		16	16

JOUR 219
PYRAMIDE

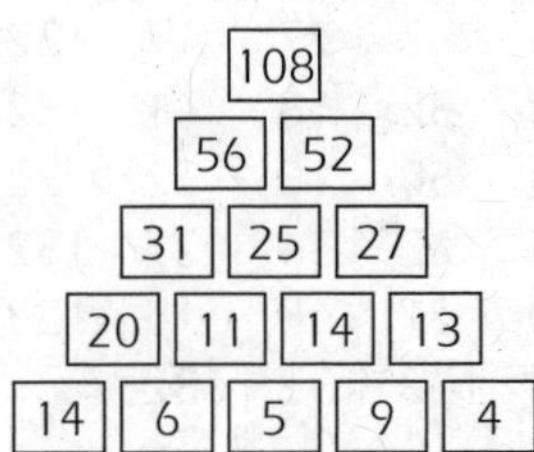

JOUR 220
TROUÉ

16	23	19	25	10	93
36	20	8	14	15	93
6	19	36	12	20	93
25	7	6	37	18	93
10	24	24	5	30	93
93	93	93	93	93	

JOUR 221
FUBUKI

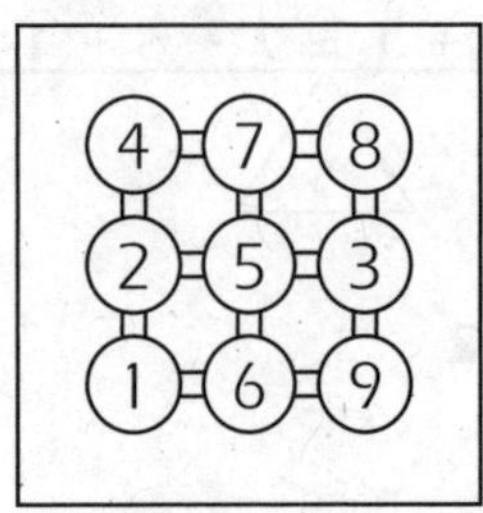

JOUR 222
BALANCE

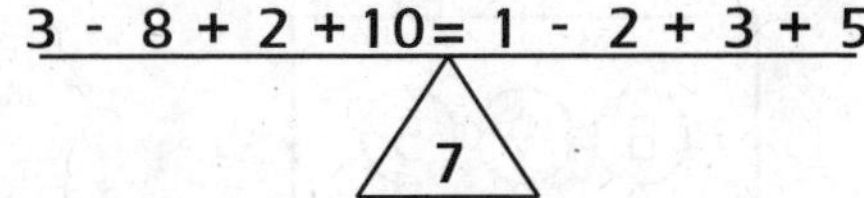

JOUR 223
SOUSTRACTION

1400 - 239

JOUR 224
ÉTOILE

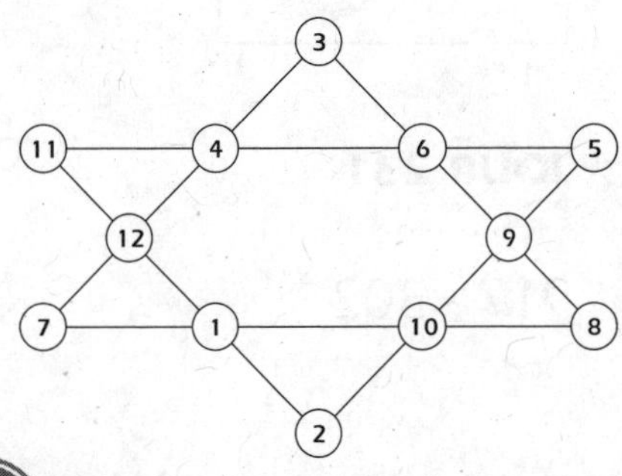

JOUR 225
CARRÉ MYSTÈRE

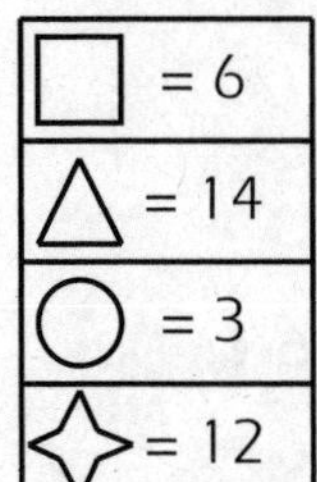

Jour 226
CARRÉ MAGIQUE

5	**1**	**11**	
3	**10**	**4**	
9	**6**	**2**	**17**
		17	**17**

JOUR 227
PYRAMIDE

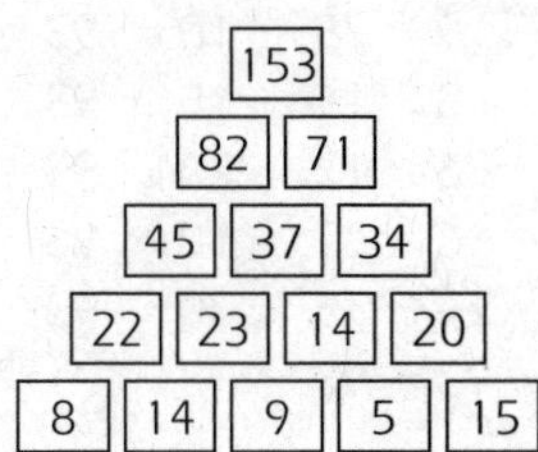

JOUR 228
TROUÉ

65	16	7	27	17	132
13	28	32	18	41	132
17	23	50	10	32	132
14	35	22	34	27	132
23	30	21	43	15	132
132	132	132	132	132	

JOUR 229
FUBUKI

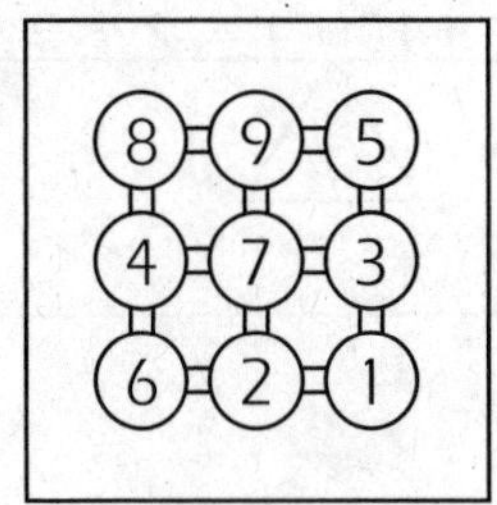

JOUR 230
BALANCE

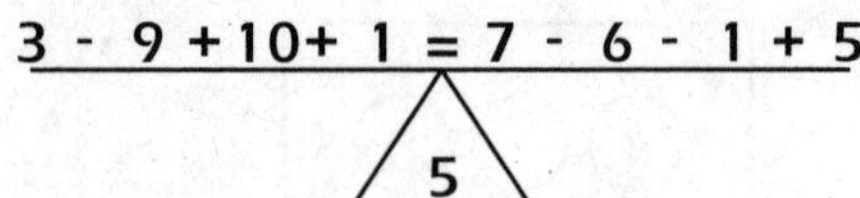

JOUR 231
ADDITION

917 - 302

JOUR 232
ÉTOILE

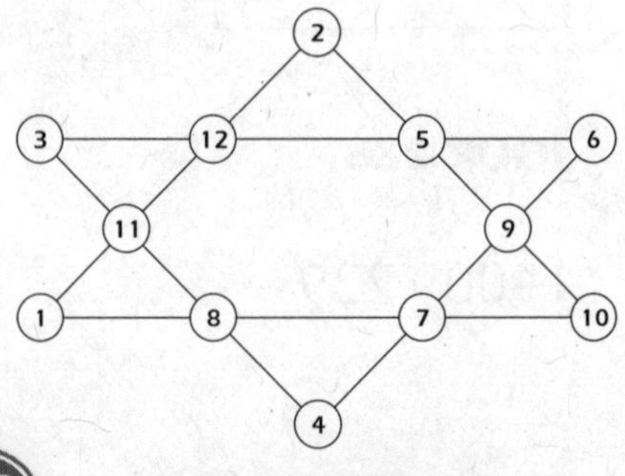

JOUR 233
CARRÉ MYSTÈRE

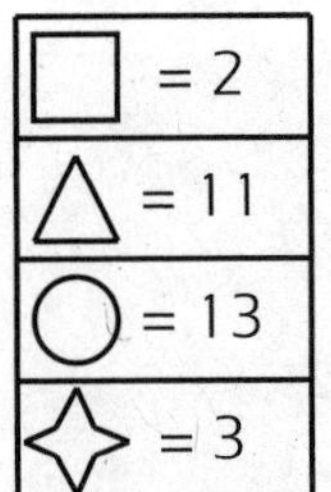

Jour 234
CARRÉ MAGIQUE

6	5	3	5	
1	6	6	6	
5	1	6	7	
7	7	4	1	19
			19	19

JOUR 235
PYRAMIDE

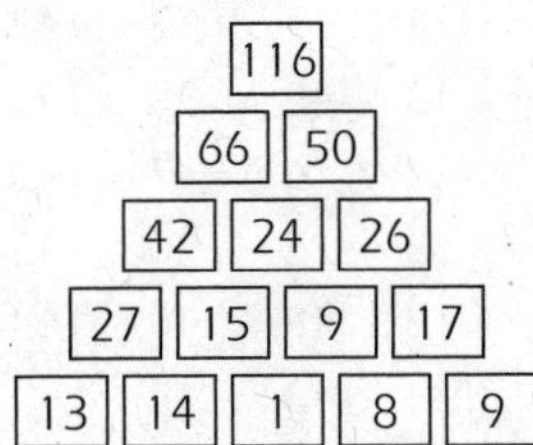

JOUR 236
TROUÉ

55	52	80	14	85	321
79	74	42	48	43	286
28	83	25	90	60	286
52	74	118	30	12	286
72	3	21	104	86	286
286	286	286	286	286	

JOUR 237
FUBUKI

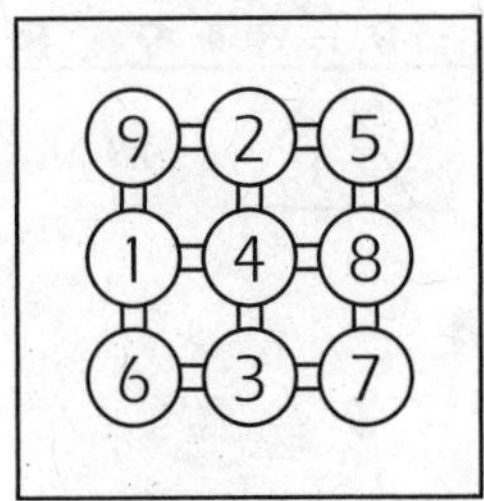

JOUR 238
BALANCE

4 + 1 + 3 + 10 = 2 + 9 - 1 + 8

18

JOUR 239
SOUSTRACTION

1141 - 191

JOUR 240
ÉTOILE

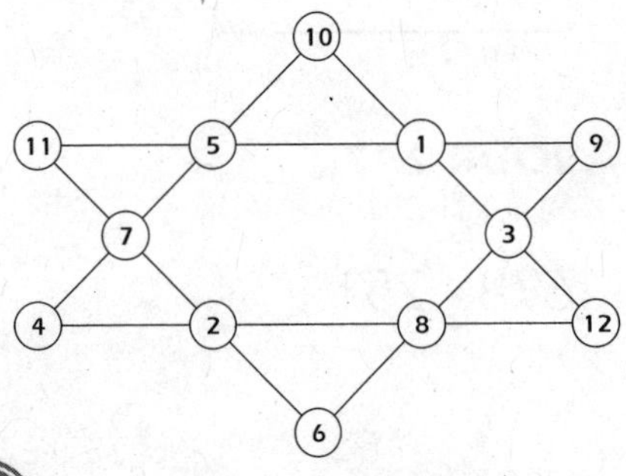

JOUR 241
CARRÉ MYSTÈRE

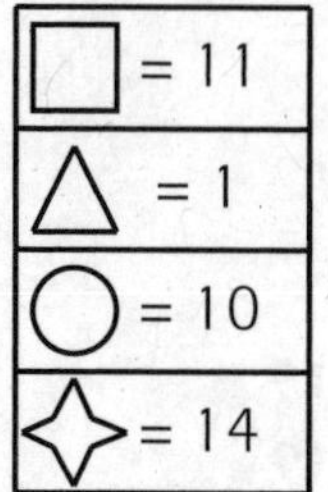

Jour 242
CARRÉ MAGIQUE

4	3	6	8	
6	8	2	5	
9	1	6	5	
2	9	7	3	21
			21	21

JOUR 243
PYRAMIDE

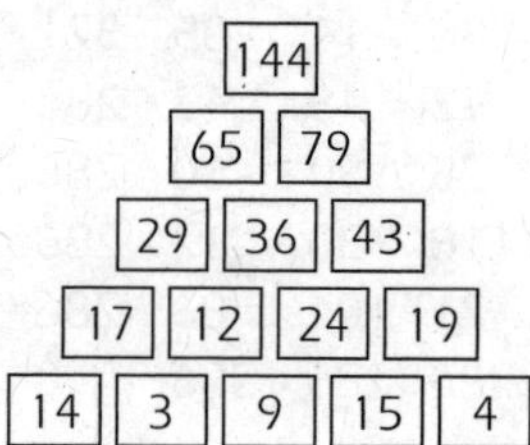

JOUR 244
TROUÉ

51	38	34	17	3	143
10	47	13	40	33	143
34	19	27	16	47	143
31	17	53	22	20	143
17	22	16	48	40	143
143	143	143	143	143	

JOUR 245
FUBUKI

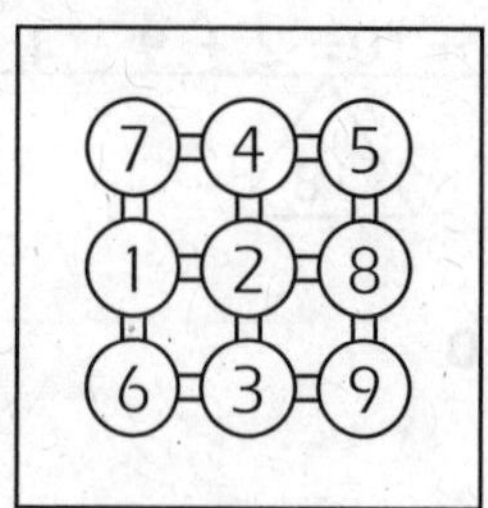

JOUR 246
BALANCE

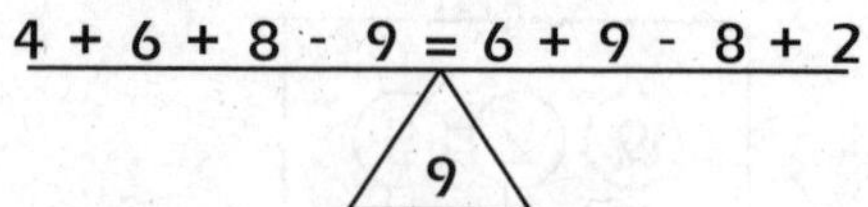

JOUR 247
ADDITION

678 - 251

JOUR 248
ÉTOILE

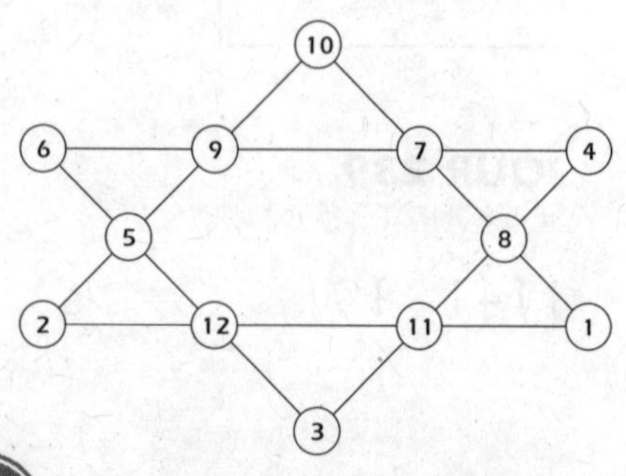

JOUR 249
CARRÉ MYSTÈRE

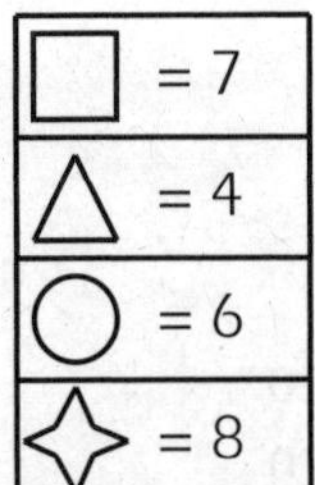

Jour 250
CARRÉ MAGIQUE

6	10	6	
10	6	6	
6	6	10	22
		22	22

JOUR 251
PYRAMIDE

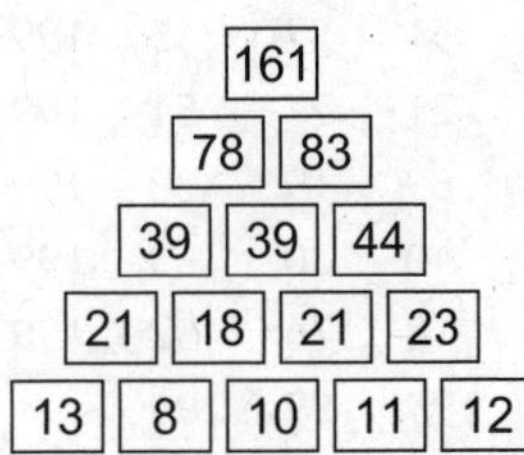

JOUR 252
TROUÉ

72	65	4	35	33	209
46	83	38	34	8	209
26	6	106	37	34	209
19	34	59	65	32	209
46	21	2	38	102	209
209	209	209	209	209	

JOUR 253
FUBUKI

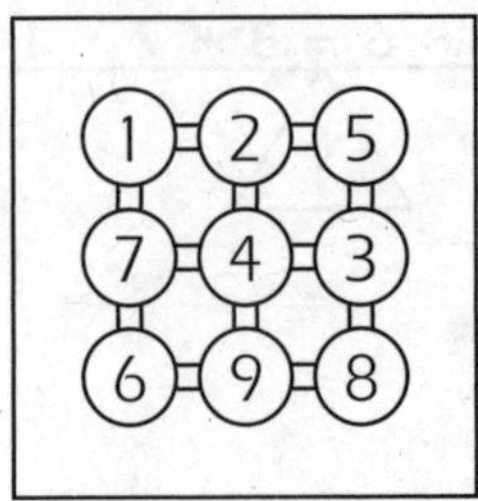

JOUR 254
BALANCE

4 + 7 - 9 + 6 = 6 + 3 + 9 - 10

8

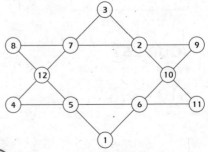

JOUR 255
SOUSTRACTION

1127 - 264

JOUR 256
ÉTOILE

3

8 7 2 9

12 10

4 5 6 11

1

JOUR 257
CARRÉ MYSTÈRE

□	= 1
△	= 14
○	= 7
✧	= 8

Jour 258
CARRÉ MAGIQUE

8	**6**	**4**	**2**	
5	**3**	**3**	**9**	
5	**7**	**4**	**4**	
2	**4**	**9**	**5**	**20**
			20	**20**

JOUR 259
PYRAMIDE

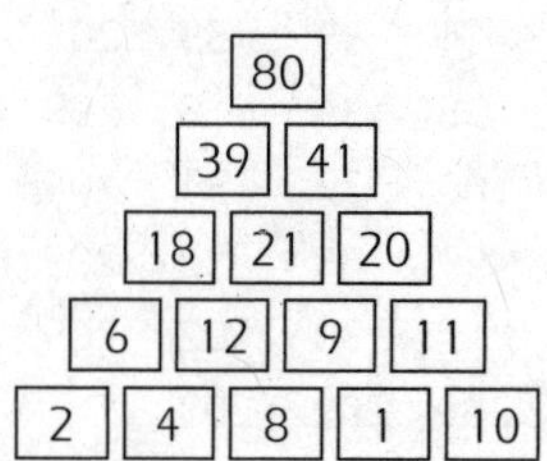

JOUR 260
TROUÉ

68	18	51	57	5	199
90	10	21	27	51	199
19	54	69	19	38	199
20	66	40	20	53	199
2	51	18	76	52	199
199	199	199	199	199	

JOUR 261
FUBUKI

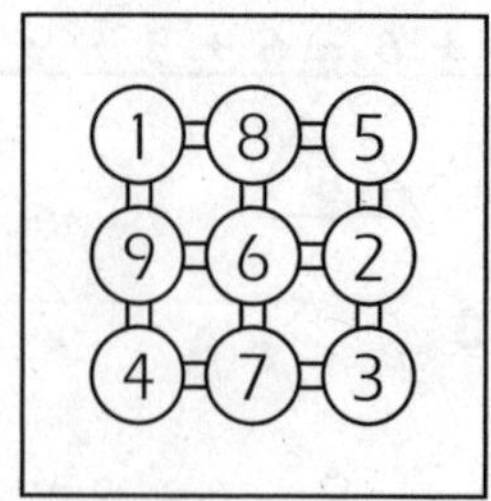

JOUR 262
BALANCE

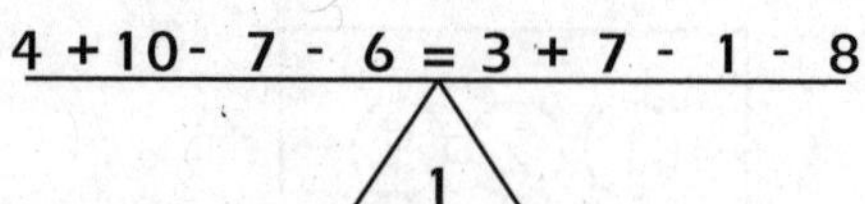

JOUR 263
ADDITION

510 - 396

JOUR 264
ÉTOILE

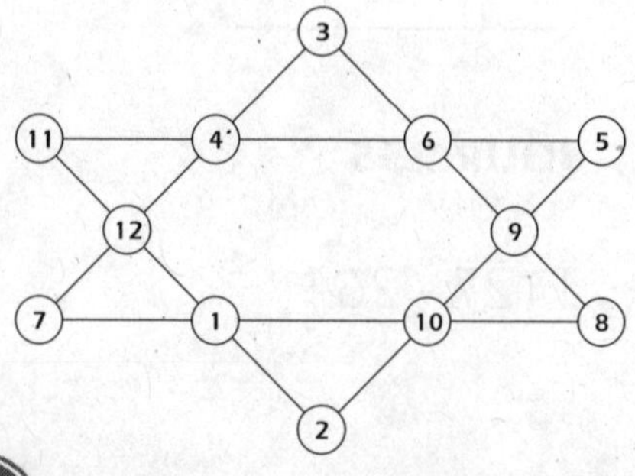

JOUR 265
CARRÉ MYSTÈRE

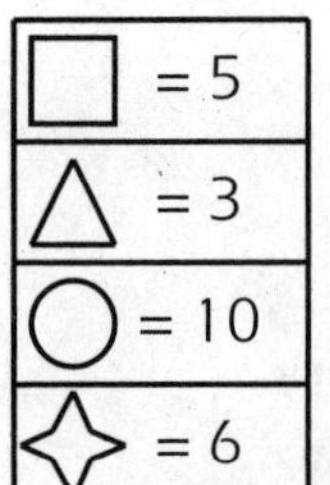

Jour 266
CARRÉ MAGIQUE

5	5	4	
9	2	3	
0	7	7	14
		14	14

JOUR 267
PYRAMIDE

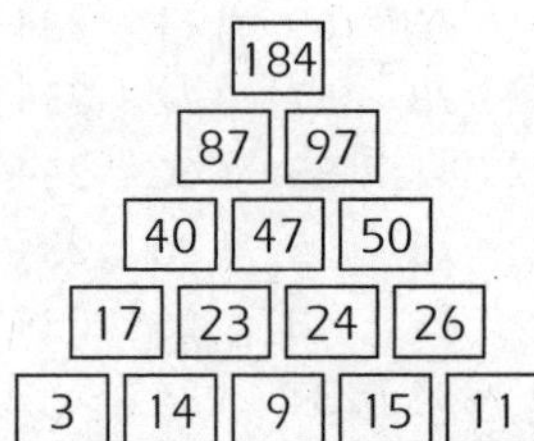

JOUR 268
TROUÉ

106	11	70	10	10	207
10	70	60	2	65	207
51	46	20	55	35	207
34	32	3	104	34	207
6	48	54	36	63	207
207	207	207	207	207	

JOUR 269
FUBUKI

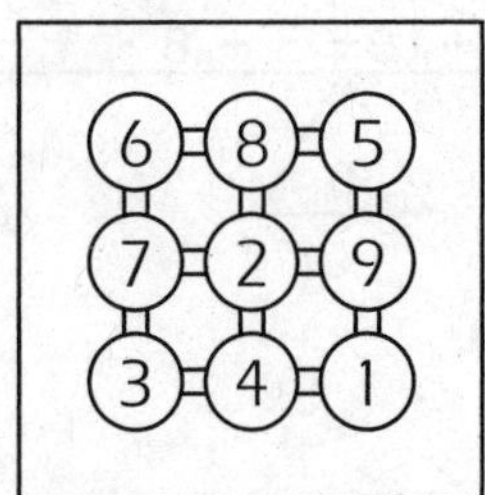

JOUR 270
BALANCE

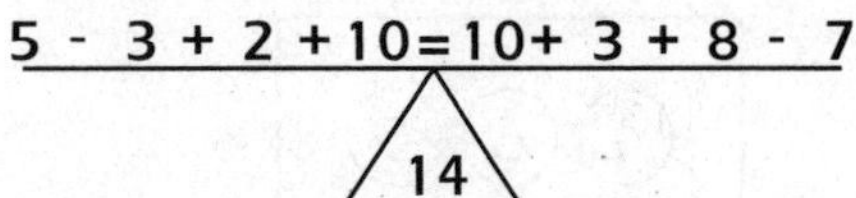

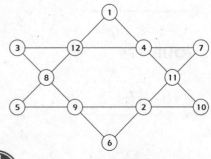

JOUR 271
SOUSTRACTION

1237 - 460

JOUR 272
ÉTOILE

1
3 12 4 7
8 11
5 9 2 10
6

JOUR 273
CARRÉ MYSTÈRE

□	= 13
△	= 12
○	= 3
✧	= 5

Jour 274
CARRÉ MAGIQUE

0	4	6	7	
5	6	5	1	
7	6	3	1	
5	1	3	8	17
			17	17

JOUR 275
PYRAMIDE

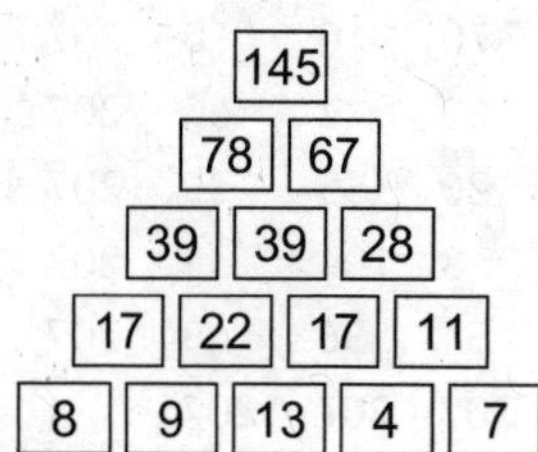

JOUR 276
TROUÉ

49	29	76	69	11	234
45	32	28	57	72	234
20	58	41	55	60	234
73	55	75	5	26	234
47	60	14	48	65	234
234	234	234	234	234	

JOUR 277
FUBUKI

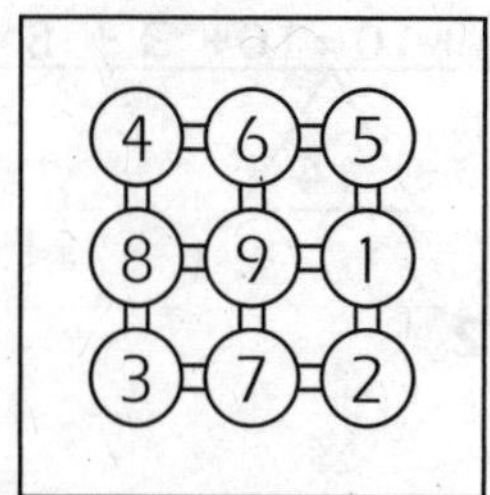

JOUR 278
BALANCE

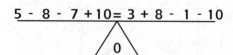

5 - 8 - 7 + 10 = 3 + 8 - 1 - 10

0

JOUR 279
ADDITION

846 - 161

JOUR 280
ÉTOILE

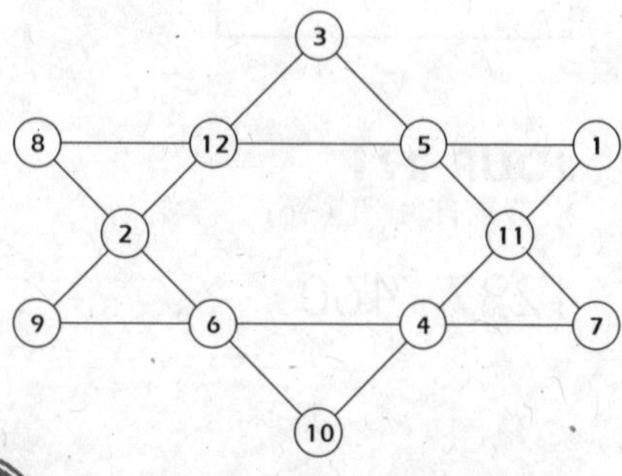

JOUR 281
CARRÉ MYSTÈRE

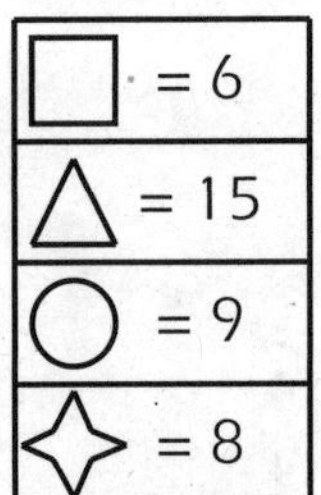

Jour 282
CARRÉ MAGIQUE

4	1	4	
3	3	3	
2	5	2	9
		9	9

JOUR 283
PYRAMIDE

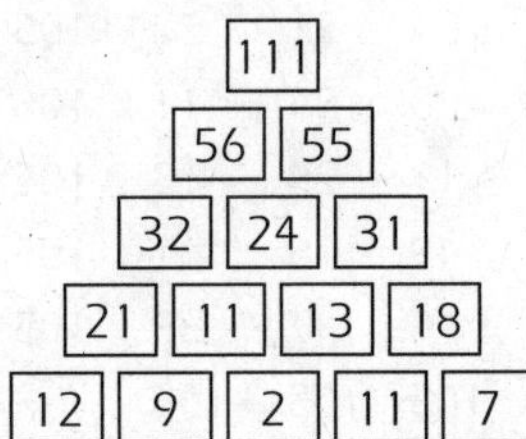

JOUR 284
TROUÉ

180	6	105	42	16	349
21	177	2	91	58	349
22	85	99	51	92	349
57	31	38	135	88	349
69	50	105	30	95	349
349	349	349	349	349	

JOUR 285
FUBUKI

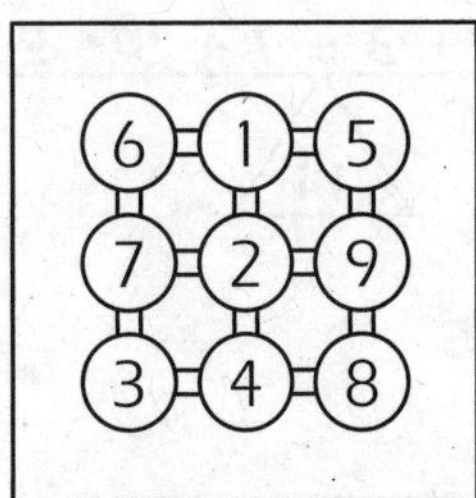

JOUR 286
BALANCE

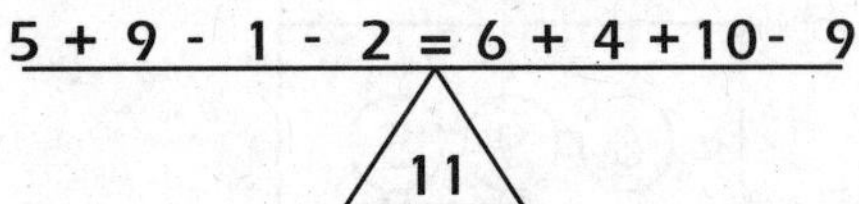

JOUR 287
SOUSTRACTION

1252 - 353

JOUR 288
ÉTOILE

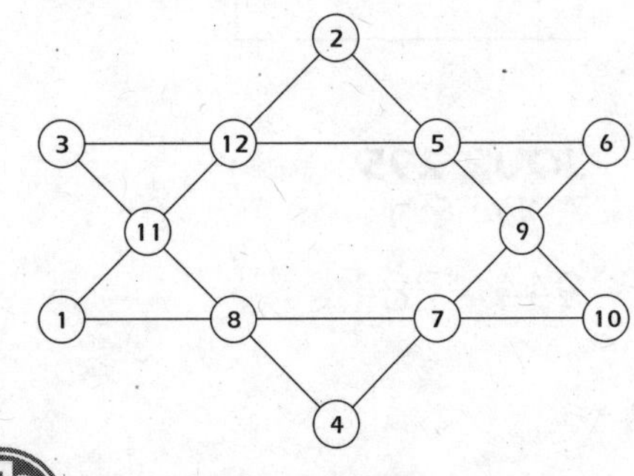

JOUR 289
CARRÉ MYSTÈRE

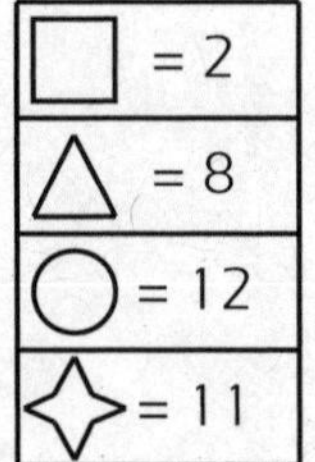

Jour 290
CARRÉ MAGIQUE

6	3	2	3	
5	3	4	2	
1	7	1	5	
2	1	7	4	14
			14	14

JOUR 291
PYRAMIDE

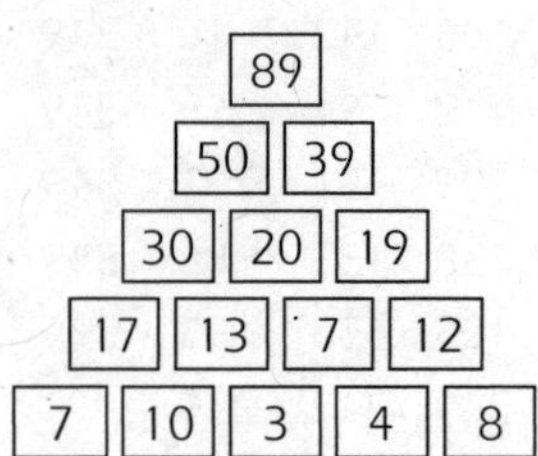

JOUR 292
TROUÉ

16	5	31	21	32	105
33	24	3	34	11	105
17	36	11	28	13	105
3	27	49	15	11	105
36	13	11	7	38	105
105	105	105	105	105	

JOUR 293
FUBUKI

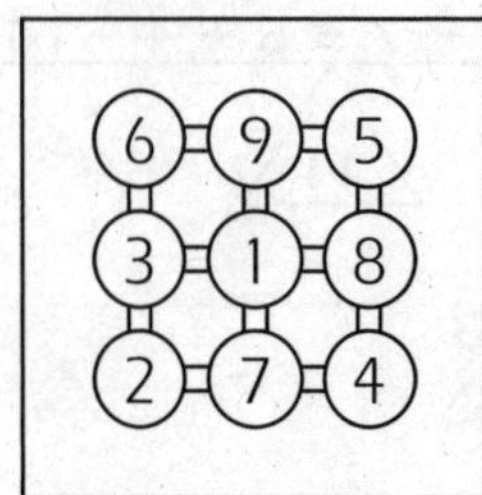

JOUR 294
BALANCE

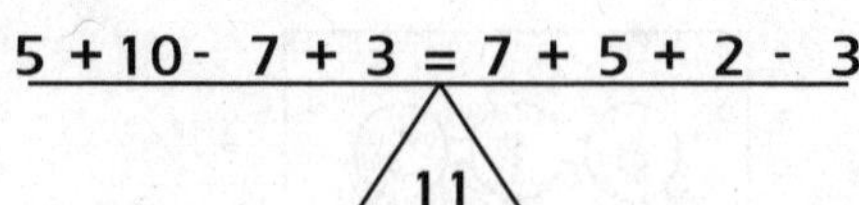

JOUR 295
ADDITION

944 - 284

JOUR 296
ÉTOILE

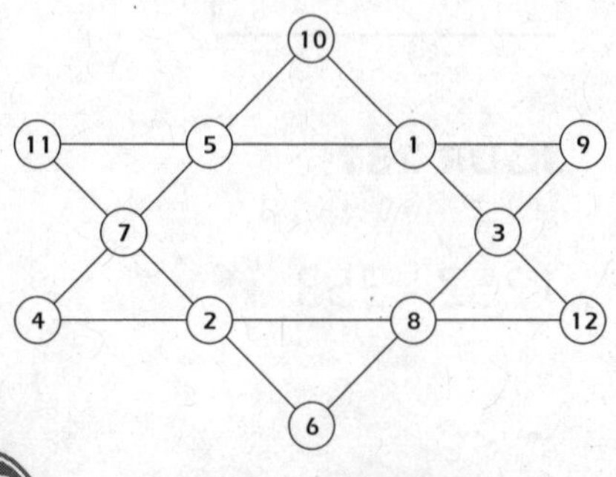

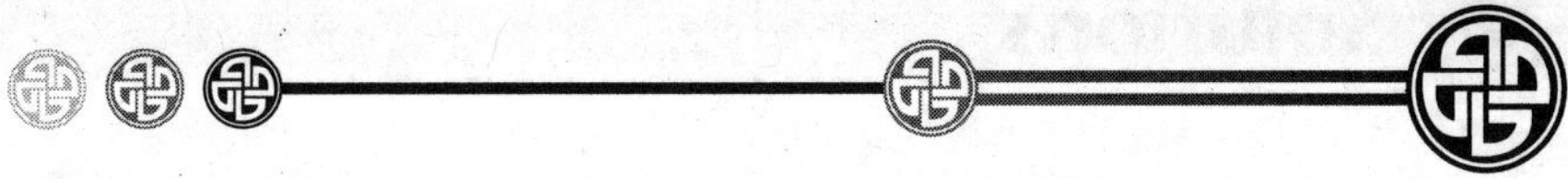

JOUR 297
CARRÉ MYSTÈRE

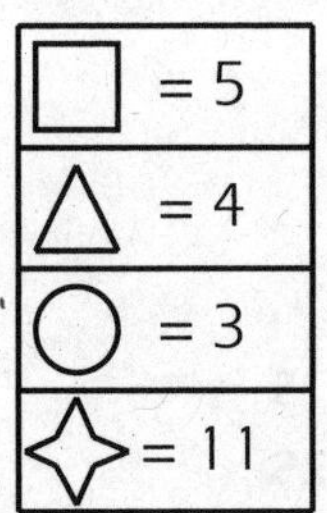

Jour 298
CARRÉ MAGIQUE

5	**4**	**0**	
2	**1**	**6**	
2	**4**	**3**	**9**
		9	**9**

JOUR 299
PYRAMIDE

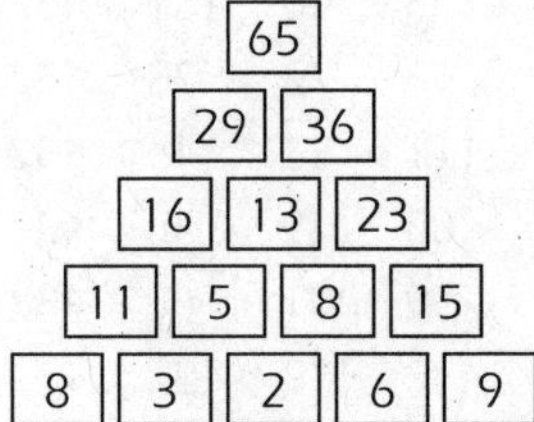

JOUR 300
TROUÉ

325	90	22	68	81	586
98	146	167	13	162	586
98	191	30	133	134	586
11	8	320	57	190	586
54	151	47	315	19	586
586	586	586	586	586	

JOUR 301
FUBUKI

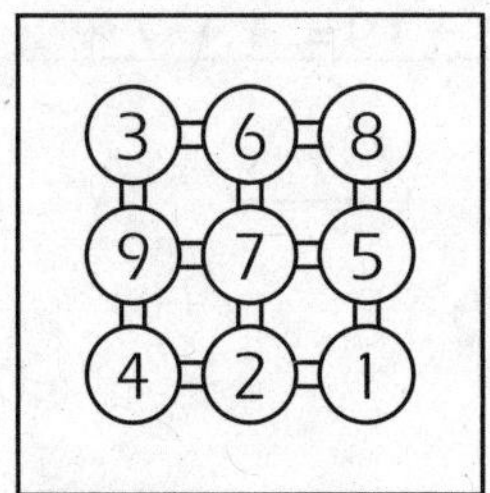

JOUR 302
BALANCE

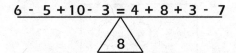

6 - 5 + 10 - 3 = 4 + 8 + 3 - 7

8

JOUR 303
SOUSTRACTION

1262 - 321

JOUR 304
ÉTOILE

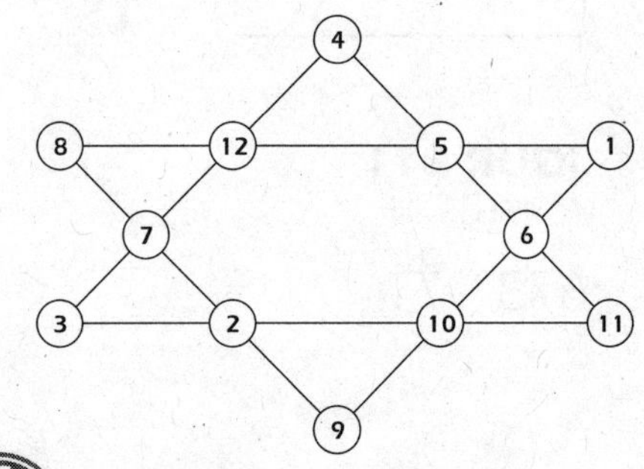

JOUR 305
CARRÉ MYSTÈRE

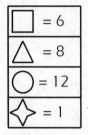

□	= 6
△	= 8
○	= 12
✧	= 1

Jour 306
CARRÉ MAGIQUE

5	8	11	1	
7	9	3	6	
3	7	4	11	
10	1	7	7	25
			25	25

JOUR 307
PYRAMIDE

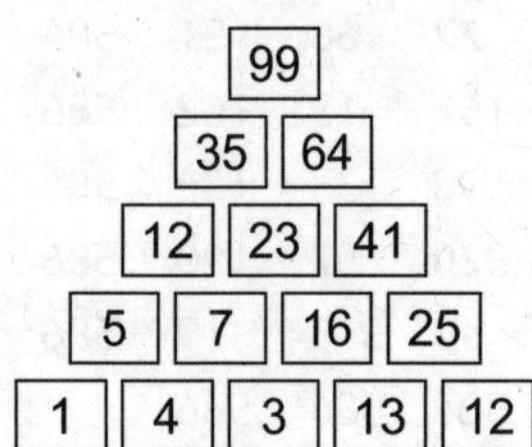

JOUR 308
TROUÉ

111	76	86	48	111	432
67	127	93	72	73	432
107	38	111	32	144	432
112	122	83	79	36	432
35	69	59	201	68	432
432	432	432	432	432	

JOUR 309
FUBUKI

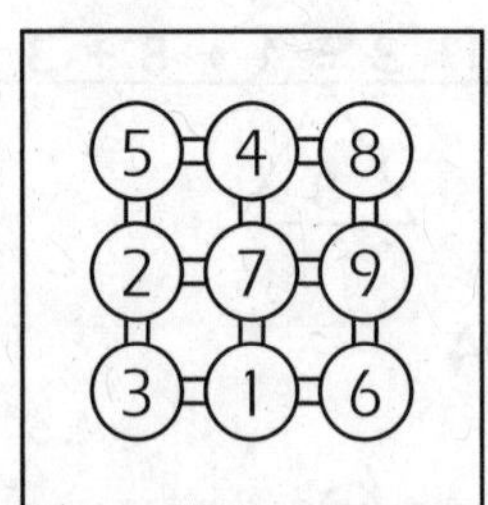

JOUR 310
BALANCE

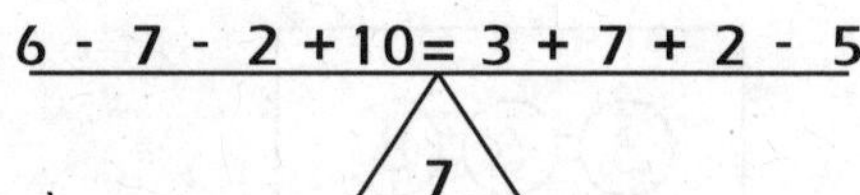

JOUR 311
ADDITION

673 - 71

JOUR 312
ÉTOILE

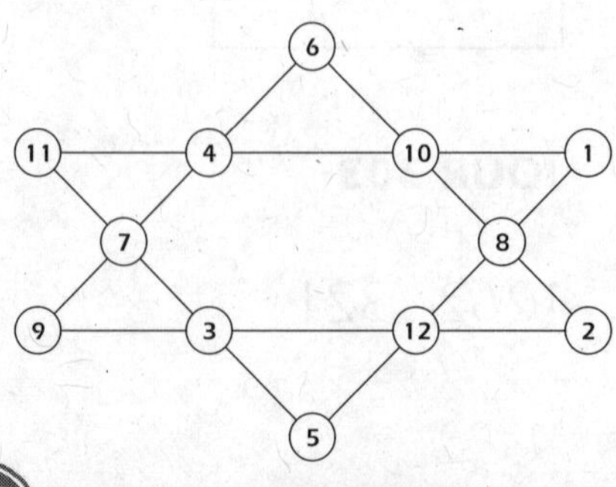

JOUR 313
CARRÉ MYSTÈRE

□	= 1
△	= 3
○	= 15
✧	= 11

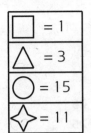

Jour 314
CARRÉ MAGIQUE

15	27	26	
3	38	27	
50	3	15	68
		68	68

JOUR 315
PYRAMIDE

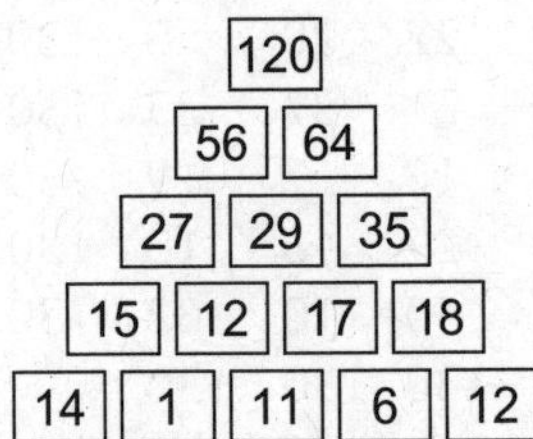

JOUR 316
TROUÉ

50	31	7	39	15	142
9	46	47	12	28	142
7	30	45	40	20	142
38	29	22	43	10	142
38	6	21	8	69	142
142	142	142	142	142	

JOUR 317
FUBUKI

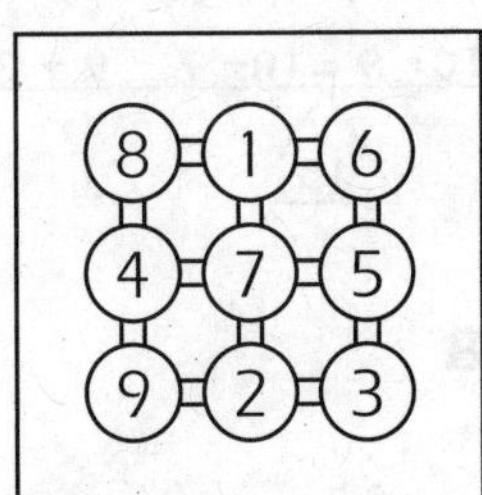

JOUR 318
BALANCE

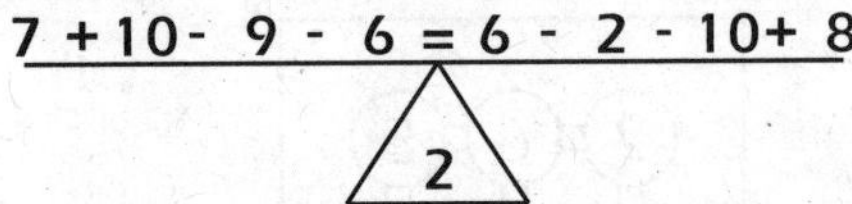

JOUR 319
SOUSTRACTION

1009 - 202

JOUR 320
ÉTOILE

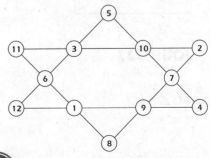

5

11 3 10 2

6 7

12 1 9 4

8

JOUR 321
CARRÉ MYSTÈRE

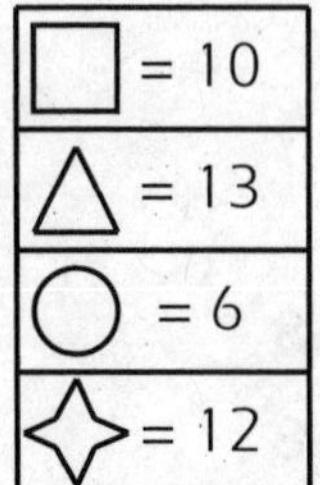

Jour 322
CARRÉ MAGIQUE

6	10	2	7	
7	3	10	5	
6	12	5	2	
6	0	8	11	25
			25	25

JOUR 323
PYRAMIDE

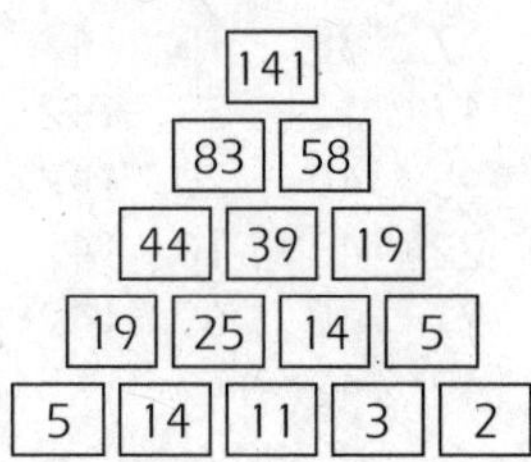

JOUR 324
TROUÉ

63	9	22	28	8	130
4	45	21	37	23	130
33	53	18	7	19	130
17	18	29	48	18	130
13	5	40	10	62	130
130	130	130	130	130	

JOUR 325
FUBUKI

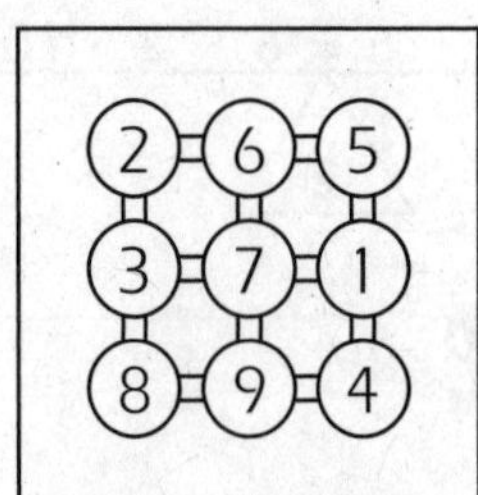

JOUR 326
BALANCE

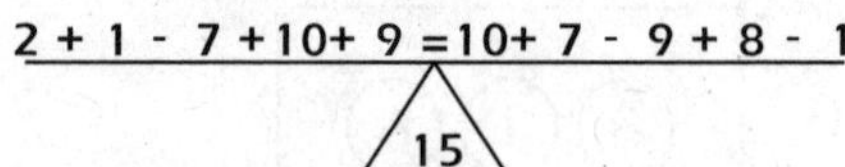

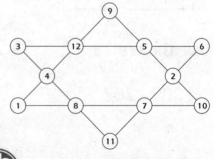

JOUR 327
ADDITION

762 - 61

JOUR 328
ÉTOILE

9
3 12 5 6
4 2
1 8 7 10
11

JOUR 329
CARRÉ MYSTÈRE

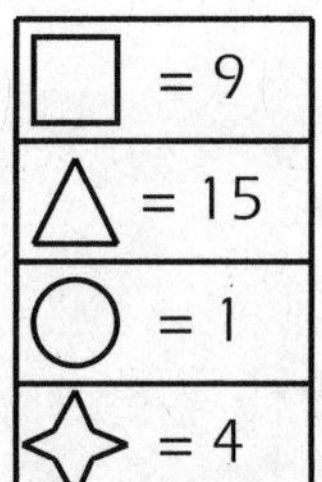

Jour 330
CARRÉ MAGIQUE

3	7	13	
13	10	0	
7	6	10	23
		23	23

JOUR 331
PYRAMIDE

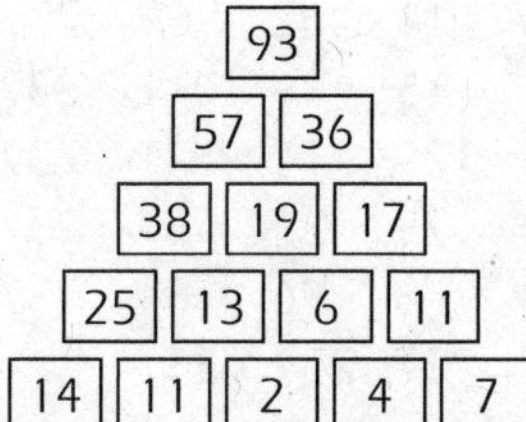

JOUR 332
TROUÉ

44	56	31	59	20	210
67	25	41	25	52	210
70	20	59	50	11	210
13	48	41	63	45	210
16	61	38	13	82	210
210	210	210	210	210	

JOUR 333
FUBUKI

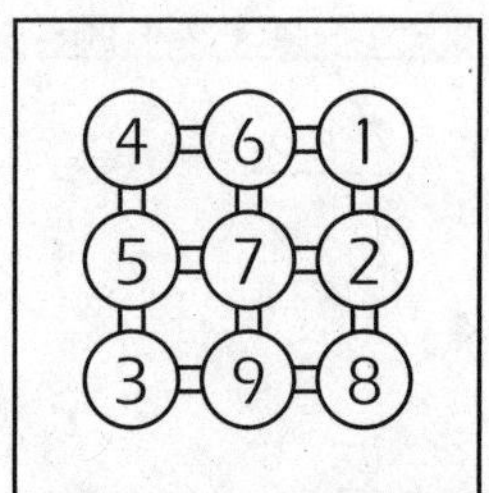

JOUR 334
BALANCE

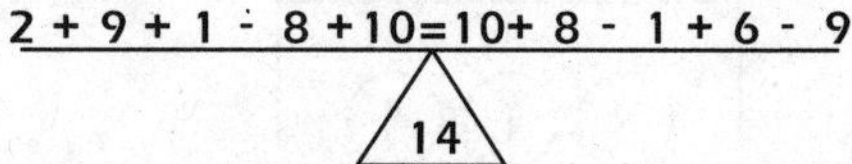

JOUR 335
SOUSTRACTION

1314 - 20

JOUR 336
ÉTOILE

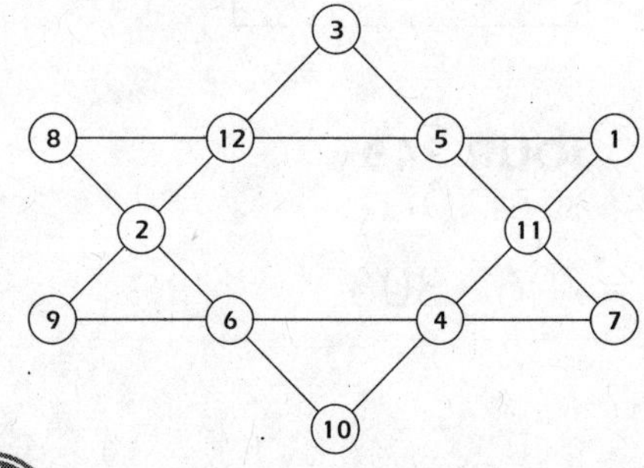

JOUR 337
CARRÉ MYSTÈRE

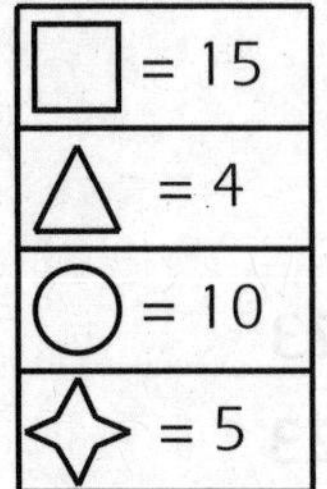

Jour 338
CARRÉ MAGIQUE

7	17	11	29	
22	22	10	10	
8	18	24	14	
27	7	19	11	64
			64	64

JOUR 339
PYRAMIDE

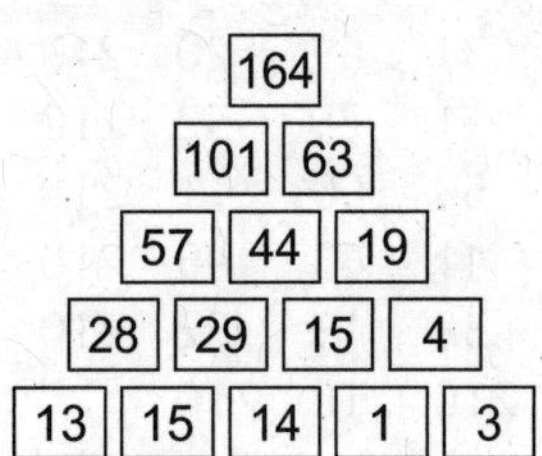

JOUR 340
TROUÉ

69	26	11	62	69	237
56	126	15	29	11	237
36	37	129	14	21	237
15	40	79	36	67	237
61	8	3	96	69	237
237	237	237	237	237	

JOUR 341
FUBUKI

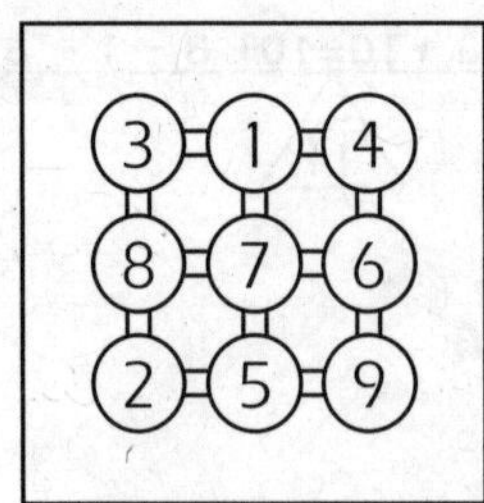

JOUR 342
BALANCE

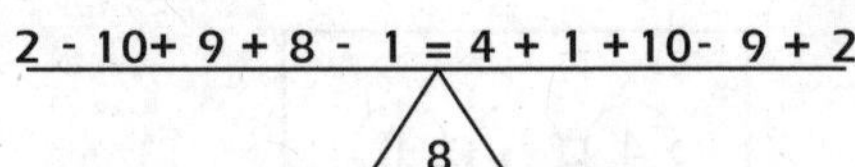

JOUR 343
ADDITION

706 - 306

JOUR 344
ÉTOILE

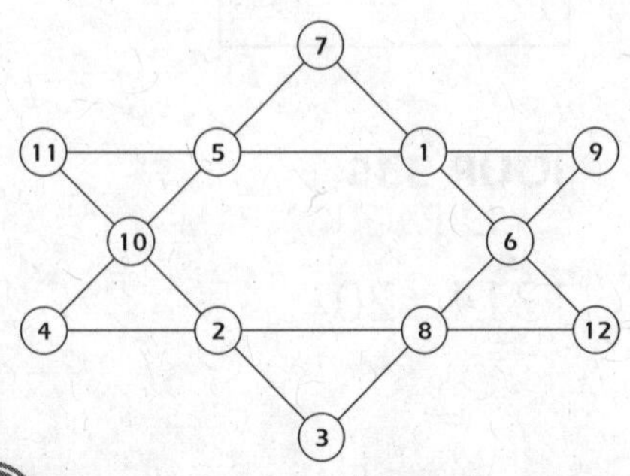

JOUR 345
CARRÉ MYSTÈRE

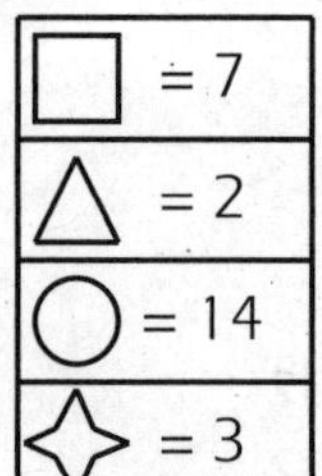

Jour 346
CARRÉ MAGIQUE

12	8	9	
0	13	16	
17	8	4	29
		29	29

JOUR 347
PYRAMIDE

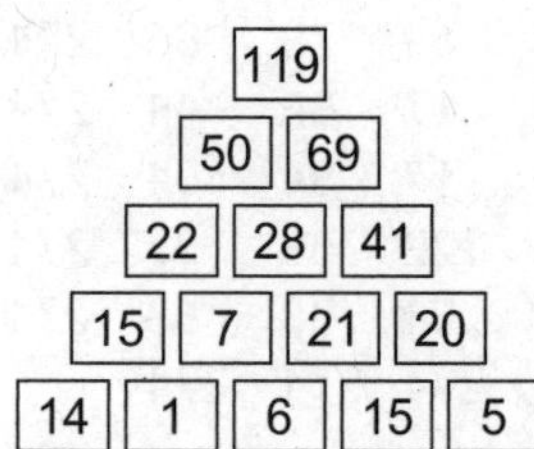

JOUR 348
TROUÉ

23	13	2	8	2	48
3	22	8	8	7	48
13	0	20	6	9	48
5	3	12	24	4	48
4	10	6	2	26	48
48	48	48	48	48	

JOUR 349
FUBUKI

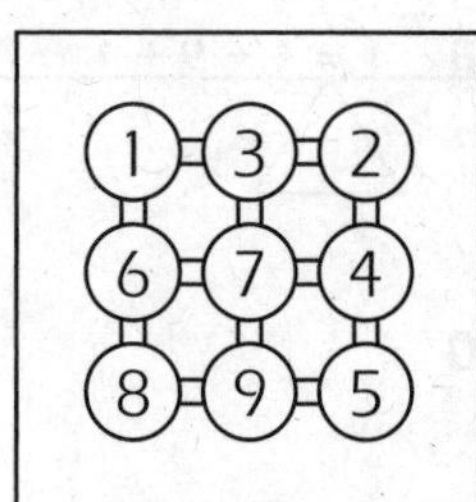

JOUR 350
BALANCE

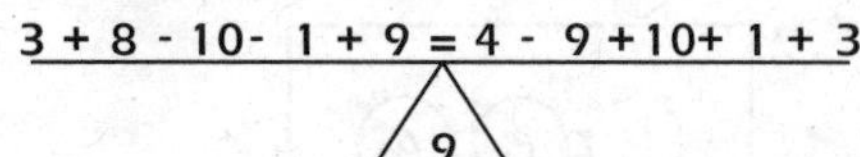

JOUR 351
SOUSTRACTION

1218 - 49

JOUR 352
ÉTOILE

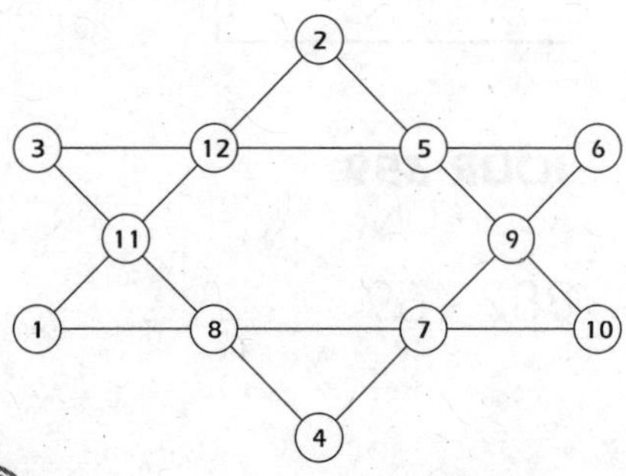

JOUR 353
CARRÉ MYSTÈRE

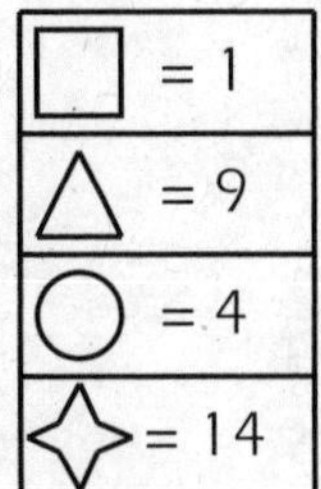

Jour 354
CARRÉ MAGIQUE

16	11	4	1	
1	3	16	12	
2	12	6	12	
13	6	6	7	32
			32	32

JOUR 355
PYRAMIDE

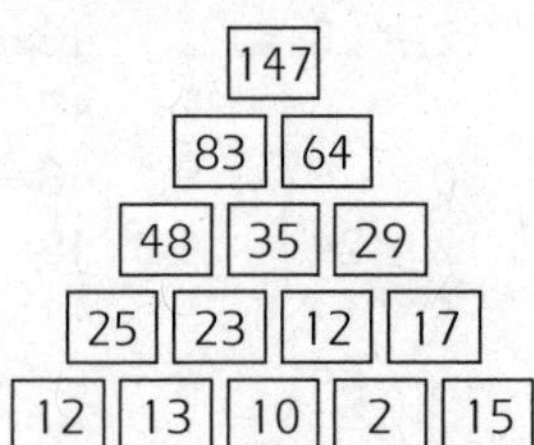

JOUR 356
TROUÉ

73	23	64	28	86	274
86	71	17	56	44	274
52	67	17	84	54	274
26	31	122	68	27	274
37	82	54	38	63	274
274	274	274	274	274	

JOUR 357
FUBUKI

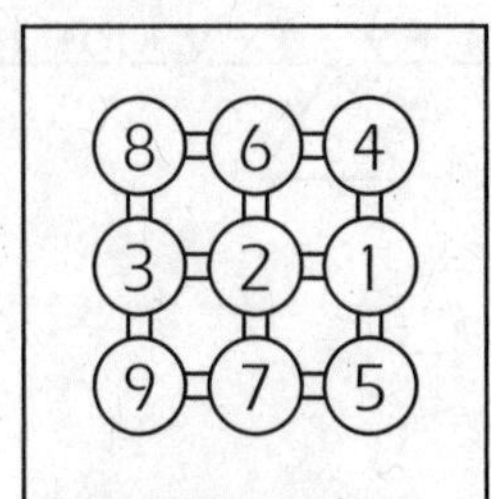

JOUR 358
BALANCE

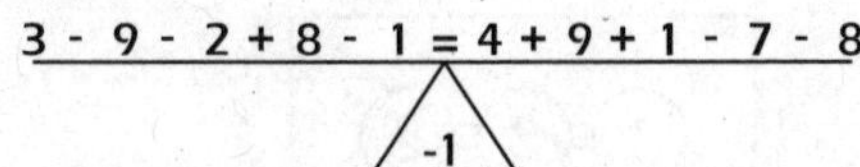

JOUR 359
ADDITION

882 - 69

JOUR 360
ÉTOILE

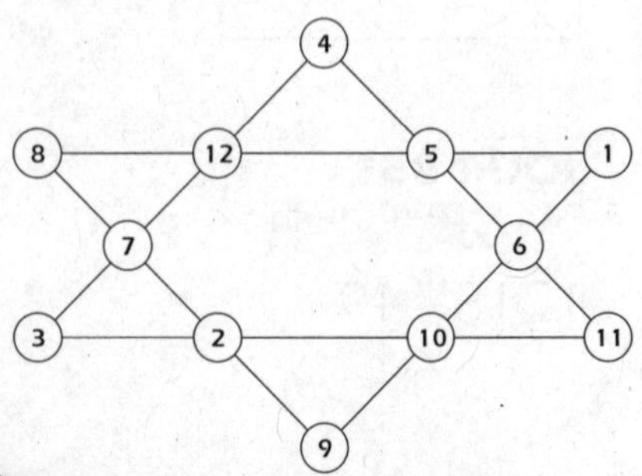

JOUR 361
CARRÉ MYSTÈRE

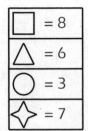

□	= 8
△	= 6
○	= 3
✧	= 7

Jour 362
CARRÉ MAGIQUE

6	**19**	**17**	
23	**15**	**4**	
13	**8**	**21**	**42**
		42	**42**

JOUR 363
PYRAMIDE

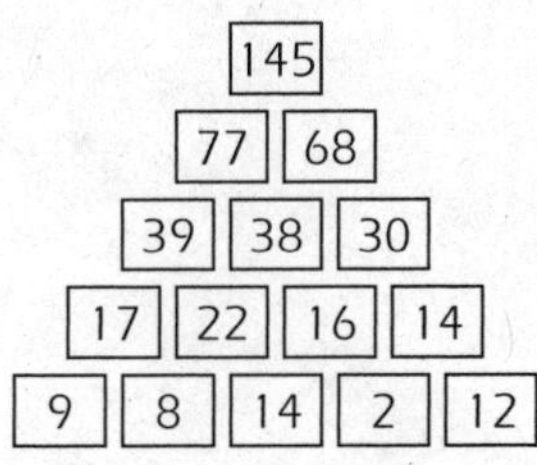

JOUR 364
TROUÉ

76	5	25	43	21	170
6	64	35	12	53	170
12	6	71	49	32	170
37	42	22	35	34	170
39	53	17	31	30	170
170	170	170	170	170	

JOUR 365
FUBUKI

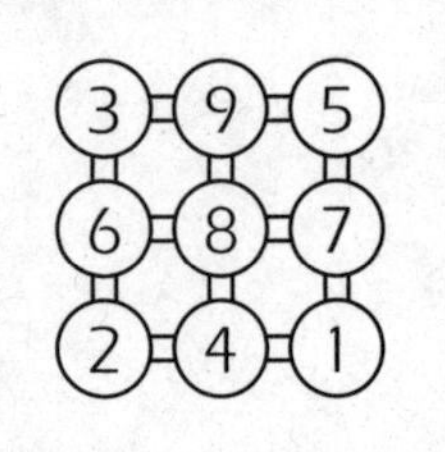